Vipère au Poing

METHUEN'S TWENTIETH CENTURY TEXTS

Hervé Bazin

Vipère au Poing

Edited by

W. J. STRACHAN, M.A. (Cantab.)
Commandeur des Palmes Académiques
Chevalier des Arts et des Lettres

Methuen Educational Ltd
LONDON · NEW YORK · SYDNEY
TORONTO · WELLINGTON

First published in this edition 1970
by Methuen Educational Ltd
11 New Fetter Lane, London EC4P 4EE
Reprinted twice
Reprinted 1981

Text © 1948 by Editions Bernard Grasset

Introduction, notes and vocabulary
© 1970 by W. J. Strachan

Printed in Great Britain at the
University Press, Cambridge

ISBN 0 423 50450 9

Contents

Acknowledgement

This edition is published under exclusive licence by courtesy of Editions Bernard Grasset, to whom our thanks are due. All rights are reserved.

Folcoche & Brasse-Bouillon are on the same level. They understand & hate each other very much.
Also satires his own behaviour as an adolescent as well as the church etc.

Introduction

HERVÉ BAZIN, THE MAN AND HIS NOVELS

'*Je suis et je ne suis pas Jean Rezeau.*' Hervé Bazin.

In view of the close and acknowledged relationship between Hervé Bazin's life and novels, particularly in the trio *Vipère au poing*, *La Tête contre les murs*, and *La Mort du petit cheval*, a parallel study of the author's life and his work on broad lines is a useful preliminary to a more detailed examination of the novel we are considering. In this way we can appreciate the skill with which he has transposed some of the raw material of experience into an art-form and learn something about his methods of composition. This is especially true of his novels that deal primarily with childhood, youth, and early manhood. Moreover, since the theme of *Vipère au poing* – hatred between mother and son – was much criticized when the book exploded on to an astonished public in 1948, the student should know something about the genesis of this literary and social scandal centred round the crime of '*lèse-mère*', even though *Vipère au poing* (acclaimed the best book of the decade following its publication in a referendum organized by *Les Nouvelles Littéraires*) and its author now have a worthy place in contemporary French literature. In an article entitled '*Un Ecrivain de scandale*', Philippe Hériat of the Académie Goncourt writes: 'La matière vivante des Rezeau, dont tout resurgira, a été prélevée dans une pâte toute chaude, en pleine terre craonnaise, dans ce que Hervé Bazin appelle le terreau des familles; les racines du romancier s'en sont nourries . . .'[1] Anyone doubting this has only to read

[1] *La Revue des Deux Mondes* (May 1966).

the excellent full-length study[1] by Jean Anglade. Bazin himself adopts an ambivalent attitude towards the question. In a letter quoted in the last-mentioned book he writes:

> Mon auto-portrait, cher Anglade, ne le cherchez pas dans aucun de mes livres. Je ne suis pas Brasse-Bouillon. Mais je lui suis apparenté, comme je le suis à Constance, à Gérane, à M. Astin et à d'autres.[2] Vous ne me croirez probablement pas, mais je suis le dernier d'entre nous à pouvoir se réclamer de l'autobiographie[3] . . . Dès que nous abordons le roman, l'autobiographie disparaît: il ne demeure qu'allusion ou illusion. D'abord parce que nous créons des personnages mixtes où se retrouvent à la fois ce que nous avons accepté et ce que nous avons refusé d'être . . .

And in a broadcast entitled 'Ma conception du roman', the text of which was published,[4] he remarks: 'Si j'ai beaucoup parlé de moi dans mon oeuvre néanmoins très transposée, je n'aime guère parler de cette œuvre elle-même.'

Hervé Bazin, whose full name is Jean Hervé-Bazin, was the second son of Jacques Hervé-Bazin and grand-nephew of the famous novelist and academician René Bazin. He was born in Angers in 1911. Angers is the capital of the historic province of Anjou, the present department of Maine-et-Loire. Craon, a 'chef-lieu de canton' and the region known as the Craonnais in which *Vipère au poing* is set, lies some thirty kilometres to the north-west in Mayenne. It has little of the 'douceur angevine' of Du Bellay's nostalgic sonnet. Even allowing for a prejudiced account, the Craonnais as described in the second chapter is harsh and forbidding.

---

[1] *Hervé Bazin*, Jean Anglade (Gallimard, 1962).

[2] The principal figures in *Lève-toi et marche*, *La Tête contre les murs* and *Au nom du Fils* respectively.

[3] As recently as 1965 Monsieur Hervé Bazin wrote (Postface to the edition of *Vipère au Poing*, illustrated by André Minaux): 'De l'autobiographie et de la fiction le mélange est si intime que je m'y trompe.'

[4] *La Table Ronde*, November 1958.

Yet when the author sees it divorced as it were from its decadent inhabitants and notably the Rezeau family, one senses his innate affection for this waterlogged countryside: 'Nul pittoresque . . . Des prés bas, rongés de carex, des chemins creux . . . quelques landes à genêts et surtout, mille et une mares, asiles de légendes mouillées . . . un paradis terrestre pour la bécassine, le lapin, la chouette.'

In the *Nouvelle Géographie Universelle, La France*, Vol. II of 1879, when, incidentally, the population was slightly more than it is at present,[1] occurs this passage: 'Les bons chevaux de Craon, élevés à la dure, ne sont pas beaux, mais ils ont de grandes qualités: l'endurance et l'entrain.' This could hardly be improved on as a succinct description of the two human beings, Madame and Jean Rezeau, the central characters of *Vipère au poing*, inseparable in our minds from the region they have made famous.

The Bazin family – on whom the Rezeau are based – can count many illustrious names among its past members. Essentially landed proprietors, they have had aristocratic connections in the past. A certain Charles Hervé, for example, had the right (attributed to the Rezeau in Chapter XIV of the book) to armorial bearings 'D'or à un lion passant de gueules'. 'Nous sommes tout de même roturiers, malgré nos armoiries enregistrées sous Louis XVI, au titre bourgeois' is the narrator's comment. The pretentiousness of the Rezeaus is one of the targets of satire throughout the novel. The more justifiable claim of the Bazin family itself is to literary and ecclesiastical celebrity. The seventeenth-century scholar and poet Gilles Ménage (satirized in the person of Vadius in *Les Femmes Savantes*) is among its ancestry, and René Bazin (1853–1932), member of the Académie Française, author of *Les Oberlé* and *La Terre qui meurt*, etc., thinly disguised as René Rezeau in *Vipère au poing*, was the author's great-uncle. Similarly separated in time are the family's two most distinguished clerics, Cardinal de

[1] 4675 as compared with 4256 (1968)

Falloux and Michel Hervé-Bazin. The latter is the original on whom Michel Rezeau is based. Like him, he was appointed 'vicaire général de Tunisie' and 'protonotaire apostolique'. It is interesting to note that a family which saw a continual procession of somewhat doubtful cleric tutors (as related in the novel *Vipère au poing*) should have counted also among its ancestry Comte Frédéric de Falloux, minister of Education in the Second Republic, who, in the law that bears his name, introduced freedom of education and put public and private tutors under the control of Catholic or Protestant clergy.

The career of Hervé Bazin's father tallies closely with that of the fictional Jacques Rezeau. Like him, he was a lecturer in law and had a distinguished record in the First World War, in which he won the Croix de Guerre. He became professor of law in Shanghai, where his wife joined him, leaving the children, Ferdinand, Jean, and Pierre, aged respectively eight, seven, and six years, in the charge of Marie, the paternal grandmother at the family seat, the château de Patys (the original of *La Belle Angerie* in *Vipère au poing*). Following her death in 1920, they were looked after by Mlle Ernestine Lion and Alphonsine Gohier ('Fine'), the retention of whose names, undisguised in the novel, is a significant tribute. Later the same year the parents returned from China. The distasteful circumstances of this encounter with their mother differ in detail but not in spirit from those in the novel. Jeanne Geneviève Marie Paule Hervé-Bazin, née Guilloteaux, is the original of 'Folcoche'. In actual fact the deplorable harshness of the régime prevailing at Le Patys led to the drawing-up of a petition (compare La Déclaration des Droits' Chapter XII) by Jean-Hervé and his brothers in which they demanded to be sent away to boarding school. It was too late as far as the former was concerned. He was already a 'revolté', a 'cancre' – the basis of 'Brasse-Bouillon' in *Vipère au poing*. In 1923 he was expelled from the school of Sainte Croix for absconding to Paris. After a second expulsion his father put him in the care of l'abbé Maire, under whose kinder if none the less strict rule Jean began to show enough academic promise to warrant his acceptance at the Séminaire de Mongazon in Angers. The more intolerable régime was now in the holidays at home. To gain access to books, including some on the Catholic Index which his father – by virtue of his academic position – could read, Jean-Hervé forged a key which enabled him to extend the range of his reading to Anatole France, Gide, Colette, Mauriac, and others. One notes that in *Vipère au poing* it is Ferdinand – 'Frédie' – who suffers most from deprivation of books (Folcoche suiting the punishment to the individual). The oppressive nature of religious routine at Mongazon and in particular to confession provoked Jean-Hervé to a minor act of sacrilege (crushing a rosary under his foot), and resulted in yet another expulsion. The school of Saint-Sauveur at Redon, however, he described as 'la meilleure boîte que j'aie fréquentée'. A year later, in 1928, he met Noémie, the original – partly – of Micou in *La Mort du petit cheval*. Meantime Jean-Hervé's parents strongly opposed his wishes to read for a licence-ès-lettres instead of law. The result of the impasse was a brief period at Saint Cyr, self-terminated after six months when he stole his father's car to escape to Paris. An accident on this occasion (as described in *La Tête contre les murs*) resulted in severe concussion and amnesia. After his recovery his father found him a situation in a bank. The year 1931 was a year of disaster. After a foreseeably short spell in the bank he was forced to join the 'Coloniale' and more disastrously, lost Micou, whose father refused to allow their relationship to continue. He managed by exaggerating his myopia to obtain a discharge from the Forces, but his family still held out against his literary ambitions, and a post was found for him in a chemical factory managed by one of his uncles. However, Jean-Hervé's liaison with a beautiful blonde, Odette Danigo, who also worked there, cost them both their dismissal. An elopement followed. In a panic the Bazin parents proposed a compromise: Jean-Hervé could study for his licence-ès-lettres on condition that he gave up Odette. Such a bargain courted deception, and not surprisingly Hervé enrolled at the Sorbonne but continued his relations with Odette. He had already embarked on a literary career with poems in a student review, *L'Alliance* (1931). Next he published a collection of poems, *Parcelles*, under a pseudonym, contributing reviews at the same time on more professional lines to *Echo de Paris*. In 1934 he married Odette at the *mairie* of the fifth arrondissement in Paris, a ceremony that his family chose to ignore. With a wife and soon a son to support he struggled to make a living by various forms of literary hackwork, his first encouragement being a rather back-handed compliment from Paul Valéry, who had read his poems: 'Vous n'êtes pas fait pour la poésie, essayez donc la prose.'

Unfortunately Hervé and Odette's marriage did not work out, and in 1936 they parted company. There then followed for Hervé a period of privation and depression, relieved only by his encounter with Denise, a pupil at the Conservatoire for whom he felt a great attraction. But she, alas, already virtually committed to the Church, was to take her vows as a nun in 1945. By this time Hervé's father had died, and with his fortunes and morale at their lowest ebb he kept going financially by small-scale trading, mostly in scrap-iron. Suddenly, stimulated doubtless by his meeting with Jacqueline Dussolier whom he was to marry three years later, after his divorce from Odette, he worked feverishly on a draft of what were to be, in their final form, his first four novels. The success of his poems *Jours*, awarded the Prix Apollinaire, encouraged him to submit the definitive version of *Vipère au poing* to the publisher Bernard Grasset. It proved a break-through. Philippe Hériat comments on the kind of unintended *succès de scandale* that this book enjoyed:

> Nous vivons dans un temps, un pays, une ville où la bonne éducation, pour qui veut arriver, doit s'arranger d'un peu d'hypocrisie, les bons rapports de bien des réticences et les bonnes réussites de beaucoup de compromis. S'il se présente

> quelqu'un qui soudain rompt le jeu et commet un écart –
> conduite, parole ou plume – la galerie crie au scandale . . .
> avoir du tempérament et le montrer, cela gêne qui n'en a
> pas . . . .

The middle-class readers were for the most part (or pretended to be) scandalized; the critics were divided. There was no gainsaying that a new talent – too individual, too powerful to be ignored – had appeared. But the theme – matriphobia – dealt with, moreover, in the first person singular and containing a scarcely veiled attack on the author's own family and a satirical portrait of his great-uncle, a respected member of the French Academy, was too much. Yet it was only by the narrowest margin that *Vipère au poing* – later awarded the Prix des Lecteurs – was denied the Prix Goncourt. The Catholic critic, Luc Estang, himself a novelist, wrote: 'Ce n'est pas cette femme que M. Hervé Bazin a mise au premier plan, mais le double de lui-même, Jean Rezeau, dit Brasse-Bouillon. La mère n'a servi que de repoussoir', and later in the same article, 'Moralement aussi Folcoche sert de repoussoir . . . Bref M. Hervé Bazin est un auteur édifiant encore qu'il affiche expressément une grande peur de le devenir en traitant de bons sentiments chèrement acquis!'[1]

Undeterred by the controversy that raged round *Vipère au poing*, Bazin followed it up with a theme that many were to find distasteful – the rift between a father and son against a background of petty crime and mental homes. The seriousness and sincerity as well as the bitterness of this book confirmed the author's claim to be considered a moralist as well as a story-writer. In fact, on the strength of his knowledge of and interest in mental institutions, Hervé Bazin was later asked to produce a written inquiry which he entitled *La Fin des asiles* for the World Health Organization, published by Grasset in 1959. Despite certain identifiable situations such as the car accident already referred to and its sequel,

[1] *La Croix*, 11 December 1950.

the youth Arthur Gérane is not, as has sometimes been supposed, based on the author's own personality and experiences, but between the years 1937 – 1940 Hervé Bazin had in fact undergone periods of treatment in mental homes. In his third novel, *La Mort du petit cheval*, in which Brasse-Bouillon continues to be the central figure, there has been much more transposition than in *Vipère au poing*. We are still concerned with the fortunes of the Rezeau family, figuratively and literally, since Folcoche, on the death of her husband, tries to cheat the elder boys out of their rightful legacies in favour of Marcel, only to be defeated and reap a reward of bitterness. In *Lève-toi et marche*, Bazin deals with a clinical subject with a moral slant once again, but this time the central figure, Constance Orglaise, the victim of an incurable paralysis which she fights from her wheel-chair, is truly heroic. In this she reminds one of that other atheist stoic, Rieux, in Camus' *La Peste*. Her humour, her selfless devotion to the crippled child, Claude, and her courage may make some readers feel that Hervé Bazin has taken the 'martyr sans religion' theme to an almost incredible ultimate.

While she can still wield a pen, Constance tells her own story; the final stages of her illness are related by père Roquault, whose moving reflections about Constance we can identify with Bazin's own philosophy: 'ses gravités, ses bravoures de collégienne grisée par un mélange de Corneille et de Saint-Exupéry . . . D'où tirait-elle sa force et qui lui en avait tant appris? N'essayons pas de le savoir . . . Chacun voit chez autrui ce qu'il veut voir . . .'. *Lève-toi et marche* is in a sense the counterpart of the previous three novels. Bazin once wrote in an article[1]: 'Je donne tout le talent du monde pour un peu de puissance et toute la puissance pour ce que j'appelle une *voix* (quels que soient son registre et la nature de son cri).' If the first three novels voice cries of protest – in *Vipère au poing*, that of a child denied affection against an odious mother; in *La Tête contre les murs* a protest against the inhumanity of parents

[1] *Arts*, 8–14 October 1958, 'Ce que j'aime en Littérature'.

and conditions in mental asylums; in *La Mort du petit cheval* against the meanness of a mother – dignified silence characterizes *Lève-toi et marche*. Père Roquault sums up: 'Elle meurt comme elle a vécu: sans Dieu. Pourtant on peut dire d'elle ce que dit Claudel de je ne sais quel héros brésilien: "Religion mise à part, c'était une figure évangélique."'

By the year 1953 when his daughter Catherine was born, Bazin had uprooted himself and moved to Chelles in the department of Seine-et-Marne. In his year-by-year biography for 1954 Jean Anglade reports: 'réconciliation avec sa mère qui surgit à l'improviste lors d'une "signature" à Angers et se fait ostensiblement photographier à ses côtés dans la boutique du libraire.' Once again, in *L'Huile sur le Feu* (1954), the novel is told in the first person and by a girl (younger than Constance). The story revolves round a series of fires that are continually breaking out in the Craonnais; arson is suspected. One of the compulsive fire-fighters is Bertrand Colu, an insurance agent, whose terrible head and face scars are the result of flame-thrower injuries. To conceal them he wears a Balaclava helmet which earns him the nickname 'Tête-de-Drap'. His pathological condition is not helped by the infidelity of his wife, who is repelled by his disfigurement. Their daughter, Céline, desperately tries to hold the family together. The truth finally dawns on her that her father is, in fact, 'le Néron de village', and it falls to her to hear his confession and bear witness to his tragic end.

La Fouve, an old house, ten kilometres from Nantes, is described by the girl-narrator, Isa, of *Qui j'ose aimer*, as 'une maison de femmes à qui des maris fragiles ou inconstants n'ont su faire en passant, que des filles'. It is a stifling world of jealousies and obsessions, and in its basic theme – a battle of consciences – is Bazin's nearest approach to Mauriac. Isa is the daughter of Isabelle, a divorcee, who has married as second husband, Maurice Méliset. When Isabelle becomes incurably ill from angina, Maurice and Isa, inevitably thrown together, are unable to resist a dormant, though initially unacknowledged, passion. An opportunity to satisfy it occurs almost by chance: 'Isa, nous sommes fous! Et je n'ai même pas fait attention . . .'. Although Isa knows that Maurice is willing to accept the consequences of their love-making, Nathalie, the devoted, widowed member of the *La Fouve* household, offers Isa advice that clinches her decision: 'Une fois qu'il sera bien gavé de toi, ton Méliset se dira "Comment a-t-elle pu faire une chose pareille, tromper sa mère mourante?" et, pour s'excuser, il se convaincra que tu t'es jetée à sa tête . . . Mieux vaut fille-mère que double femme.' Although Isabelle dies and Isa is going to have a child by Maurice, she feels unable to marry him. We recall his words: 'Isa, je t'ai compris, je ne suis rien. Je vais, je viens, je te laisse ta *Fouve*. . . .'

If the man is hardly the *personnage sympathique* in *Qui j'ose aimer*, the balance is restored in *Au nom du fils*, in which father and son are the centre of interest. Daniel Astin, an arts lecturer, has three children. His wife, Gisèle, is dead, a casualty during the exodus following the fall of France in the Second World War. It is for the youngest child, Bruno, that Daniel, though suspecting him to be his wife's son by a war-time lover, feels a special and close relationship. We can see it perhaps as an unconscious compensation on the author's part for the lack of affection he himself had suffered in childhood. Bruno is not the intellectual rebel of *Vipère au poing*, but he possesses the tough obstinacy of Brasse-Bouillon. His father describes him as 'un garçon aux dents serrées qui ne se relâche point pour des vétilles . . .' and he also has an element of the delinquent, Gérane, in *La Tête contre les murs*. The incontestable and final proof that the boy is not his son only increases the affection of the father for a child 'qui n'a pas de tabous, ni de fausses pudeurs', and in whose life he has become utterly absorbed.

Apart from some short stories, which considerations of space exclude from discussion here, Hervé Bazin's next work, *Le Matrimoine*, 1967 (the year of his award of the Grand Prix Littéraire de Monaco), was of major importance. By this time he had been a member of the Académie Goncourt for nearly a decade.

His mother had died at Le Patys in the meantime, leaving her considerable fortune to her grandson Jacques as sole legatee. Le Patys, which Hervé Bazin had bought from his brother, was sold up, and he moved first to Paris, while also acquiring a property in Le Berry.

Le Matrimoine (a typically Bazinian coinage) is defined thus by the author: 'ce qui dans un ménage relève normalement de la femme, comme ce qui de nos jours tend à passer de part de lion en part de lionne.' It is a study of the 'métier de femme' – the implication being that the woman nowadays has assumed the major role in bourgeois family life. We watch the progressive disillusionment of the husband, Abel Bretaudeau, with the conventionally model wife, Mariette. What had attracted Abel in Mariette before the marriage had been 'un rien de cigale sur un fond de fourmi'. But, alas, the 'fourmi' element – attention to conventional activities – soon overlays any vestige of the lyrical. The husband, moreover, finds himself stifled by the omnipresent in-laws and his wife's preoccupation with them. Her fussy solicitude becomes intolerable.

Whereas the anti-bourgeois satire in *Vipère au poing* is incidental, in *Matrimoine* it is the basic ingredient. Yet the novel progresses towards a moving, almost contradictory climax concerning the relations between Abel and Mariette:

> On s'ennuira beaucoup. On se disputera longtemps. Mais nous aurons des instants qui sans friser le sublime, tu parles! iront peut-être, comme celui-ci jusqu'au considérable . . . On se serre, on s'écarte, on se resserre: ce n'est qu'un va-et-vient . . .

Despite the expression of disillusionment in some of his books, particularly, in view of the subject, in *Vipère au poing* the general tenour of Hervé Bazin's work is by no means cynical. The people he denounces are the hypocrites, the cowards, the irresolute, and especially those who withdraw their affection or in whom all love has died. His sympathy is for those against whom the dice seems loaded by nature or man, but who maintain the struggle: 'Je ne prise vraiment que deux qualités – la sincérité et le courage.'

VIPÈRE AU POING

'*Ma rancune m'a servi pour attaquer au plûs sacré des mythes – l'écriture a fait le reste.*' Hervé Bazin.

Vipère au poing is essentially a battle of will between mother and son with no quarter given on either side. The language and imagery – as the examples quoted later will show – are extensively drawn from war. Mutual enmity is symbolized in the very first chapter when the infant Jean (Brasse-Bouillon) with preternatural effort strangles the viper: 'Je veux dire ma mère.' It was this ruthlessly expressed hatred of a mother that first shocked the reading public. A mother's cruelty to a child had, it is true, already been the subject of that classic, *Poil de Carotte*, in which Jules Renard's observation 'tout le monde ne peut pas être orphelin' is as disillusioned as any in Bazin's novel. But in the former the child is an innocent victim. Brasse-Bouillon doubtless forfeits the sympathy of some readers by having the audacity to fight back. Further he relates the story with hindsight, expressing a child's normally inarticulate emotion in the vitriolic terms of an adult. Statements such as: 'Nous dûmes nous convaincre peu à peu à l'inévitable. Elle vivrait.' 'Nous respirons mieux depuis qu'elle étouffe.' It is as if a long repressed hatred – which indeed seems to have had a basis of fact [1] – had suddenly broken surface. Odious or jealous mothers (François Mauriac's *Genitrix*), internecine family warfare (the same author's *Le Nœud de Vipères*), precocious and far from innocent children (Cocteau's *Les Enfants terribles*), were no innovation in French literature. Nevertheless, a family feud taken

[1] 'Hervé Bazin a tour à tour reconnu et nié que les deux romans composant les Rezeau fussent autobiographiques . . .' Philippe Hériat (*Revue des Deux Mondes*, May 1966).

to the point of matricide (attempted) is profoundly shocking and was indeed intended to shock but not to scandalize, for, by that stage in the story, we share the boys' detestation of 'Folcoche' (Madame Rezeau) and we are half amused by the grotesque comedy in both not very convincing murder-attempts. We are fascinated by the problem of how she can have sunk into such a pathologically evil state and by the tacit or voiced recognition on the part of Folcoche and Brasse-Bouillon of their common characteristics. We can identify ourselves with the latter, who never indulges in self-pity and whose final victory is an empty one. And we must concede that Madame Rezeau, though odious to the end, retains a certain dignity. Already in the first chapter when Jean, a mere babe, is solemnly punished by the 'protonotaire apostolique' we have a hint of the atmosphere of repression that is to be associated with religion throughout the book. We learn by inference something about this mother from whom her children (Ferdinand and Jean) had been taken away and entrusted to their paternal grandmother – 'cette grand'mère que nous n'avons pas le droit d'appeler mémé, mais qui avait le coeur de ce diminutif plébéien.' With the latter's death the children's apprehensions about the future are soon to be confirmed. 'Ma mére parut. Ce récit devient drame.' She has never written them a letter. Ernestine, the governess protests: 'Vous êtes injuste, Frédie, Madame votre mère vous a écrit à Noël. Et puis, la Chine, c'est loin.' 'La Chine, c'est loin,' reflects Jean who is narrating the story. 'Je ne crois pas, même à cet âge, avoir admis que le coeur, cela peut être beaucoup plus loin que Changhaï.' It is a revealing comment. Jean has not inherited his mother's coldness. He shows genuine affection for his grandmother; pays a touching tribute to Ernestine Lion ('Elle nous aimait, cette vieille folle'); he appreciates the moral support and the warnings conveyed by the deaf-mute Alphonsine ('Fine'); he is grateful to his father on the few occasions when that weak-willed character takes his side against Madame Rezeau. It is then a by no means heartless child who with his brothers anxiously awaits the arrival of his mother and father from China. Hoping for some reciprocity on her part, they assume her expression to be a smile of encouragement. 'Nous nous précipitâmes dans ses jambes à la portière. "Allez-vous me laisser descendre, oui!"' The first physical blows are struck: 'Nous nous retrouvâmes par terre, giflés avec une force et une précision qui dénotaient beaucoup d'entraînement.' Discipline is systematized; the Draconian edicts are issued. Hypocrisy – Madame Rezeau's outstanding characteristic – as ever, renders homage to virtue – and she finds plausible pretexts for her proposals: 'Je supprime les poêles dans vos chambres: je n'ai pas envie de vous retrouver asphyxiés, un beau matin. Je supprime également les oreillers: ils donnent le dos rond . . .' A mild enough start to what is to follow under the supervision of the first of the priest-tutors, le père Trubel. But the dose of castor-oil literally forced down the throat of the retching Frédie proves too much for Ernestine: 'Madame, . . . je ne puis plus approuver ces méthodes.' Her departure is the signal for further restrictions. 'Les réformes suivirent.' They include long stints of weeding and confiscation of the boys' treasured possessions. The unholy alliance between religion and punishment is consolidated by the inauguration of family confession. With inquisitorial cunning Mme Rezeau devises punishments that hurt most: 'Frédie, lecteur passionné,' is deprived of books for a week. 'La folle! La cochonne!' . . . 'Folcoche! Saleté de Folcoche!' It is he, inheritor of his father's gift for words, who coins this expressive nickname. It marks the second phase of this internecine war; evasive action gives way to retaliation. Provoked by an unjustifiable physical assault on himself, Brasse-Bouillon resists, 'J'enfonçais trois fois le coude dans le sein qui ne m'avait pas nourri,' is his laconic comment on an action he considers worth the vicious beating that follows. 'Papa ne put ne pas remarquer les traces du combat . . . Mais sa lâcheté eut le dessus.'

The dismissal of le père Trubel is the signal for a 'recrudescence de vexations'. Mme Rezeau's insinuation that the boys have poisoned horses that have mysteriously died leads to the climax of the horror in which they now hold their mother, summed up in the letters 'V.F.' ('vengeance à Folcoche') cut on the tree-trunks in the estate – except on the sacrosanct 'taxaudier'. The 'pistolétade' is invented – the staring-out process which appears to accelerate Mme Rezeau's breakdown. Though this is only temporary, it leads her to conduct her campaign with more circumspection.Besides, during the period preceding the bi-annual reception at La Belle Angerie, some face- as well as money-saving needs to be done. The unbelievable meanness on the part of Mme Rezeau in providing only one new suit of clothes to be donned in rapid succesion by the three boys recalls a scene in *L'Avare*.[1]

Mme Rezeau's enforced surrender to bad health and departure is accompanied by threats 'les plus sanglantes menaces pour le cas où nous abuserions de son absence'. It is a lull and an easing of tension, but no more. The narrator expresses their feelings in one of the many memorable statements in the book: 'Certes, nous étions satisfaits. Heureux, non. On ne construit pas un bonheur sur les ruines d'une longue misère.' The boys make use of this unexpected truce to organize resistance against the counter-attack they know lies ahead of them. Meantime Madame Rezeau, desperately ill, nearly dies. Both parties behave characteristically; she, in refusing extreme unction ('disant que les médecins se faisaient des illusions sur son état') and the children singing ('et braillant à qui mieux mieux'): 'Folcoche va crever . . . va crever!' But Folcoche does not oblige. The children proceed to form their 'Cartel des Gosses'. Frédie draws up 'La Déclaration des Droits', to which they append their signatures.

Madame Rezeau returns from the nursing home. Phase three opens. 'Sa première contre-attaque engagée de front, échoua.' A period of inaction follows. 'Durant deux mois les deux camps s'observèrent, la grande puissance Folcoche ceinturée provisoire- ment (telle une Russie par une poussière de petits états de neutres

[1] *L'Avare*, Act III, sc. 2.

tremblants).' So when her husband suggests taking his wife and children on a tour to visit old war comrades she does not immediately refuse. 'Folcoche ne tenait pas à démasquer trop vite ses batteries.' If she cannot prevent the departure of Frédie and Jean – she has plans for using Cropette – she will at least spoil their pleasure by 'petites persécutions' before they go. Nor during their fortnight's holiday does she rest idle. She searches the house and discovers the food-hoard and treasure-chest of the 'Cartel des Gosses'. Retribution is swift and merciless: 'Ferdinand sera fouetté. De plus, il sera enfermé dans sa chambre pendant un mois.' The services of the Abbé Traquet – priest-tutor number seven – are called on for the initial part of the sentence. When, thanks to a reprieve on her husband's name-day (la Saint Jacques), Frédie is to be released, it is to Brasse-Bouillon that Madame Rezeau hands the key: ' "Je préfère que ce soit toi, Brasse-Bouillon, qui aille délivrer ton brillant second." Cette simple phrase indiquait le changement de cap. On se tournait désormais contre moi . . . l'ennemi numéro un contre qui toutes les armes allaient devenir bonnes.' We have entered phase four: 'la guerre civile ne quittera plus la maison.' Savage punishments are meted out for the most trivial offences. Madame Rezeau stoops to the meanness of making scissor-rents in Jean's shirts and blaming him. The boys' reprisals now embrace anything connected with Folcoche; they extend to vandalism, defilement – 'l'impiété devenait un corollaire de la révolte'. Murder by poisoning is contemplated – 'car nous en étions là'. Their mother had ordered them to eat some bad fish. 'Alors, quoi! La raie ne plaît pas à messieurs mes fils? . . . Si vous ne la mangez pas vous aurez de mes nouvelles. Je ne vous empoisonne pas comme vous empoisonnez les chevaux, moi!' It is the final insult. The attempt to poison her proves to be a fiasco. The second, less premeditated, to drown her ends almost in farce. Indeed, the Anglo-Saxon reader will perhaps have been more shocked by the gratuitous 'petit crime' that preceded it. In this, the final phase, the tide has turned. The boys are all in their teens by this time, and their ring-leader is winning the battle of wills. He refuses to submit to the whipping which Madame Rezeau now perforce entrusts to the reluctant Abbé Traquet. But after barricading himself in his room, Brasse-Bouillon absconds to Paris to lay his grievance before his august maternal grandfather, senator Pluvignec. Brought back to La Belle Angerie by his father, he rejoices in his moral victory. 'Folcoche me laisse en paix relative . . . elle sait bien, la mégère, que ma combativité s'offusquera très vite de cet injurieux armistice et que j'irai bientôt m'offrir à son tir.' Jean reflects as he sits perched in the 'taxaudier', the swamp-cypress, his refuge-point and ivory-tower. His hatred has reached a climacteric: 'Tu es né Rezeau, mais par chance, on ne t'as pas appris l'amour de ce que tu es. Tu as trouvé à ton foyer la contre-mère dont les deux seins sont acides.' Madame Rezeau is biding her opportunity, trusting to lull Brasse-Bouillon into a sense of false security: 'jusqu'à ce qu'il commette une faute impardonnable qui permettra son envoi en maison de correction.' But she herself is the one caught out 'flagrante de licto' planting a wallet containing banknotes in Jean's prepared hiding-place. He forces a confrontation. 'Nous jouons au plus fin, au plus fort . . . il s'agit de savoir qui de nous aura les honneurs de la guerre. Madame Rezeau entend m'imposer ce que j'exige d'elle.' A masterly piece of face-saving on her part: he bargains to be sent away to boarding school. She carries out a rear-guard action, but it is a half-hearted business typified by her reaction at the dinner-table when Frédie dips his bread in his plate. 'Notre mère saisit avidement cette occasion de ranimer l'agonie de son autorité . . . mais sa propre fourchette n'ose plus partir les dents avant, en direction du coupable.' Brasse-Bouillon reflects at this stage: 'un échec, c'est tout ce que vous avez subi.' It is a case of 'winner take nothing', for if Jean has won this Pyrrhic victory it is only a beginning and he will always bear the scars. His final, defiant cry might be that of a Lucifer debarred from heaven: 'Merci, ma mère. Je suis celui qui marche, une vipère au poing.'

THE DRAMATIS PERSONAE

'*Et nous voici réunis, tous les cinq . . .*'

An objective assessment of the two principal antagonists is obviously impossible in a novel in which one of them, Jean (Brasse-Bouillon) is the narrator and his mother (Mme Rezeau, Folcoche), his arch-enemy, is the other. At times Jean is capable of acknowledging – even generously – the less revolting traits of this woman, some but not all of which are listed in his summary of their common characteristics:

> Quels sont du reste les qualités et surtout les défauts que je ne tienne pas d'elle . . . il n'est aucun sentiment, aucun trait de mon caractère ou de mon visage que je ne puisse retrouver en elle. Mes trop grandes oreilles, mes cheveux secs, ma galoche de menton, le mépris des faibles, la méfiance envers la bonté, l'horreur du mièvre, l'esprit de contradiction, le goût de la bagarre, de la viande, des fruits et des phrases acides, l'opiniâ-treté, l'avarice, le culte de ma force et la force de mon culte. Salut Folcoche, je suis bien ton fils . . .

In the light of this amplified echo of his early '*confiteor*' not only are we better able to judge his portrayals of all the characters ('principaux acteurs . . . demi-caractères', etc.) but also to consider how the style of the writing reflects the personality of the narrator.

Even if Mme Rezeau had not been wholly lacking in maternal affection, a clash of temperaments between two such strong characters as herself and her son was inevitable. Alone Marcel of her sons receives certain, ambiguous favours, trifling at first, more substantial later, but as Jean puts it: 'Notre frère savait très bien à quoi s'en tenir sur l'affection de sa mère, dont les plus vives attentions ne pouvaient d'ailleurs dépasser le tiers de ce que fait une mère normale pour le bien-être et la joie de ses enfants.' What excuses can we find for this most unnatural mother? We know that she had been a virtual prisoner in a Catholic school – 'vacances comprises' – which scarcely argues much parental affection. She was released only for a marriage of convenience to a man ten years her senior whom she appears neither to love nor respect, but to whom she brings a not inconsiderable fortune. The story substantiates Jean's description of her as sly rather than intelligent. Her hatred of her sons and of Brasse-Bouillon in particular is based on jealousy. She sees in them as they are growing up a threat to her authority – 'notre mère nous regardait avec inquiétude monter les épaules'. Hence her desperate attempts to get them sent off to a reformatory or – failing that, and second best – a boarding school. Following her discovery of the hidden stores, she complains: (in reference to Frédie the eldest son): 'Quant à moi, je ne puis plus décemment donner le fouet à un garçon de quinze ans.' Brasse-Bouillon's precocious defiance leads her to intensify her bullying and repressive measures. She is utterly ruthless in her exploitation of the priest-tutors to carry these out. We must, however, endorse Brasse-Bouillon's opinion of her fortitude and courage when faced with illness. 'Mon suaire n'est pas encore filé,' she declares after her first crisis, and a little later, Frédie's: 'on ne peut pas dire qu'elle manque d'allure. Hier soir elle n'a pas hésité à se piquer elle-même.' The touch of sympathetic understanding on Jean's part when he sees her asleep and relaxed during this same period – he is twelve years old – strengthens the pathological argument: 'Papa, vous ne trouvez pas que maman *ne se ressemble* pas quand elle dort?' on which the father's strange reply focuses our attention: 'C'est vrai qu'elle est mieux sans masque.'

Her physical and moral tenacity cannot be in doubt. As Jean watches her struggle in the water: 'Je dus assister au sauvetage de Folcoche par elle-même. Sauvetage par elle-même, je dis bien, car elles étaient deux dans l'Ommée: la fragile Mme Rezeau, toute couturée, sans muscles, manquant de souffle, et l'indomptable Folcoche, décidée à vivre et à faire vivre son double.' And when Jean barricades himself in his room and hears his mother shouting through the mattress he thinks: ' "C'est elle qui se paie le luxe d'attaquer, malgré ses coutures et la demi-noyade du jour. Quel tempérament!" Je suis assez fier de nous deux.'

In apportioning blame for the situation of mutual hatred, there are two main factors to be taken into account: the early backlog of mistrust that precedes the return from China of 'cette dame que nous n'avions déjà plus aucune envie d'appeler maman' and Mme Rezeau's anticipation of hostility on their part. By nature suspicious ('du soupçon Mme Rezeau fit un dogme'), she has increasing cause to be so 'pas de doute . . . elle avait affaire à une coalition'. Hatred like love becomes a psychological necessity in certain circumstances. The narrator expresses it in typically ironic terms: 'Par bonheur, la répression continuait. Il ne s'agissait point d'admirer Folcoche . . . cette mauvaise pente nous eût conduits jusqu'où . . . ?' Frédie sums up their relations: 'Tu gueules toujours contre elle, mais, ma parole, on dirait que tu ne peux pas t'en passer.'

We can have no doubt that Mme Rezeau feels the kind of respect for Jean that one may feel for an enemy: 'Tu n'es pas encore le plus fort, mon garçon . . . mais il faut avouer que tu ne manques pas d'un certain courage. Tu me détestes, je le sais. Pourtant je vais te dire une chose: il n'y a aucun de mes fils qui me ressemble plus que toi . . . ' It is complementary to his own admission that he is provocative by nature. On the credit side, he is consistently resolute – unlike 'Chiffe' – and never evasive like 'Cropette'. When Mme Rezeau confronts Brasse-Bouillon and Chiffe with her discovery of their hiding-place she chooses to deem the latter, as the eldest of the three boys, responsible for this enormity, knowing full well that Brasse-Bouillon will insist on sharing the blame. He soon confesses to M. Rezeau: 'Papa, il faut que je vous avoue une chose: dans l'affaire du placard, nous sommes solidaires. Je dois même dire que l'idée vient de moi.'

We can understand and even forgive Mme Rezeau her severity; her total lack of maternal affection; her calculated sadism needs a more clinical approach. We despise her for her hypocrisy: 'Elle se gardait bien de la vengeance gratuite, conservait la forme, mettait en avant tous les prétextes chrétiens, légaux et sociaux.' Her weakness is linked with it – her need for third-party approval. She shelters behind the deaf mute: 'Je suis pour une éducation forte. Alphonsine est de mon avis, j'en suis sûre.' The reader will find plenty of examples. Brasse-Bouillon feels a family loyalty towards her that is lacking even in her husband. When Abbé Templerot reproves the latter for a snide remark about Mme Rezeau with: 'Ne profitez pas de son absence pour m'abîmer le profil de ta femme.' Jean silently approves: 'Folcoche de devait pas être attaquée en dehors de la Belle Angerie.'

There are only a few hints from others outside the immediate family circle to confirm or correct the early self-portrait of Brasse-Bouillon which is wilfully something of a caricature. The Abbé Trubel before his dismissal in disgrace turns to him and presents him with one of his treasured lion's claws: 'Prends ça, gamin! Il n'y a que toi qui la mérites.' Senator Pluvignec, despite the inconvenience caused by Brasse-Bouillon's unheralded arrival and stay, concludes: 'cet enfant me plaît, décidément.' We have always to allow for the boy's repugnance for any demonstration of affection: 'Je n'aime pas la pitié. Je déteste les pleurnicheries. Sous la main de B IV, qui tentait de me caresser les cheveux, je rentrai la tête plus vivement que sous une taloche.' It is a trait one finds continually in Hervé Bazin's novels; it is endemic in his favourite characters, and we are not surprised to find it in this partial projection of himself. Unrelieved parental hate is of all injuries the most damaging to a child. Brasse-Bouillon's admission that: 'Folcoche m'était devenue indispensable comme la rente de mutilé qui vit sa blessure' sums up the tragedy of this mother–son antagonism.

Jean has in fact been inescapably conditioned by his background and upbringing – as he not infrequently admits – and this quite apart from inherited characteristics. We observe in him the qualities he most admires in his mother, distaste for any display of tenderness, toughness, courage, independence. At the same time he consciously reacts against all those weapons she uses – mostly hypocritically – to enforce her waning authority over the son she regards as her rival: religion, education, restriction – all in the name of discipline. But in the final count the result is utter disillusionment: 'Toute foi me semble une duperie, toute autorité un fléau, toute tendresse un calcul . . .'

Although M. Jacques Rezeau, the titular head of the family, considers the Pluvignecs – bankers in origin – a rung lower on the social ladder, he gave up 'une petite camarade protestante' to marry Paule Pluvignec and a dowry. The description Jean gives us of him in Chapter Five is borne out by the evidence of the narrative. His attachment to the study of heraldry and genealogy stems from his feudal snobbery; his preoccupation with sirphidiae and his addiction to field-sports provide him with opportunities to escape from his wife's tyranny. He is not unpleasant but weak – physically, 'il vivait entre deux migraines et se nourrissait d'aspirine', and morally – peace at any price and, above all, no scandal. Now and then he reacts commendably to his wife's sadism. When, for example, she jabs Brasse-Bouillon's knuckles with the prongs of her fork and draws blood he protests: 'avec le dos, Paule, avec le dos.' He defends the boys' right to the freedom of the grounds only, however, to quail before her: 'Je pense qu'il devient nécessaire de leur interdire de dépasser les barrières blanches . . . . Vous n'êtes pas de mon avis, Jacques?' His failure of nerve on that and on more important occasions lies behind his apologia to Jean on their retreat from the Pluvignecs, where he has displayed characteristic weakness. 'Quand tu as le sentiment . . . mettons . . . d'une injustice et que tu estimes que je n'ai pas fait tout le nécessaire pour l'empêcher . . . dis-toi bien que j'ai en réalité obéi à des considérations . . . à des considérations supérieures . . . ' We can to some extent sympathize with him in his unenviable and unending dilemma. His complaint made to Jean in a confidential moment is justifiable if pathetic: 'Vous prêtez à votre mère des calculs effrayants! Je veux bien admettre qu'elle n'est pas toujours d'humeur facile, mais, vous, mes enfants, et toi, particulièrement, vous avez hérité de son caractère et vous me rendez la vie impossible.'

M. Rezeau's war career – crowned with a Croix de Guerre – proves that he was not lacking in physical courage, but even minor incidents and remarks reveal his lack of moral fibre. When, for example, he is dispensing the food they have brought from the Belle Angerie on their tour he grumbles: 'Fine nous a donné des saloperies.' Jean adds his silent comment: 'il ne précise pas "sur l'ordre de votre mère" '. On the same trip he tries to make up to the boys in a similar way with his ironic: 'Où peut-on être mieux qu'au sein de sa famille' adding *sotto voce*: 'Partout ailleurs.' Like all weak characters, he takes his colour from the company and setting. Received at the farm of a former corporal who has shared his experiences in the First World War, this man, normally so class-conscious, is quite at ease. 'M. Rezeau se trouva fort bien d'une soupe aux choux, servie directement dans son assiette par la fermière.' One suspects that the war period had offered an already welcome freedom from a difficult wife. As the story, covering some seven or eight years, advances, M. Rezeau becomes less and less able to stand up to her. In the end he is to suffer a moral humiliation at the hands of Jean: 'Pour ta mère, j'ai pris une décision à l'occasion de ta fête . . .' 'Non, papa, vous avez cassé une punition injuste.'

Ferdinand (Frédie, nicknamed 'Chiffe') is eighteen months older than Jean, who enjoys a similar seniority over Marcel. He is described as 'le spécialiste de l'esquive', 'toujours fertile en mots'. The text offers us plenty of examples of both these characteristics as well as others inherited from his father. It is Frédie, the lawyer's son, who draws up the famous 'Déclaration des Droits'. He is loyal, provided his courage is not too stretched. 'Ton frère aîné qui ne brille pas par le courage, vient naturellement de te mettre en cause,' declares Mme Rezeau concerning the discovery of the hiding-place of the 'Cartel des Gosses'. Marcelle, 'Cropette', 'benjamin', 'héraut de Madame mère', 'frère de Chine', has not gained all these appellations without good cause. 'Ce faux jeton' – to add another – a hint we can follow up in *La Mort du petit cheval*, is described by the narrator as 'Pluvignec cent pour cent', to which factor he doubtless owes the favours bestowed upon him, varying from titbits, 'Tiens, Cropette, tu as été convenable depuis huit jours. Attrape ça', to the bicycle ostensibly in compensation for missing the tour with his brothers – 'Cropette pédalait sagement . . . sur le vélo que lui avait value certaine trahison oubliée.' The reward of this double-crosser ('profiter des uns et des autres . . . telle demeurait sa politique') is to be loved by nobody. His contribution to 'confession familiale' is worthy of an embryonic Tartuffe: 'Je m'accuse . . . d'avoir oublié mon signe de croix avant l'étude de quatre heures. Et puis j'ai dit zut à Fine . . .' only bettered by Mme Rezeau's reaction: 'Cet enfant est d'une remarquable franchise . . . Allez! le bon Dieu, votre père et moi, nous vous pardonnons.' In any concerted plan, Cropette, like his father, tries to save face. In the second murder attempt he is in mortal fear of being thought party to it, and as Folcoche struggles out of the water, he declares in a stage-whisper: 'On n'a pas idée d'être aussi maladroit.' Similarly when the brothers are waiting for the inevitable 'mauvais coup' from Folcoche towards the end of the book, 'Cropette s'isole, s'enferme dans sa chambre et dans sa neutralité.'

The family relatives are accorded less space and seem more shadowy personalities. The introduction of Michel, Jacques Rezeau's younger brother, in farcical solemnity in Chapter One, forms an intentional contrast with his second appearance in full protonotarian splendour on the twenty-fifth anniversary of René Rezeau's election to the French Academy. The latter, the celebrated advocate of 'Le retour à la terre, le retour de l'Alsace, le retour aux tourelles, le retour à la foi, l'éternel retour', is a recognizable and cruel caricature of the author's great-uncle. To portray him in his dotage and as a sick man seems unjustifiable, but it is, of course, his outdated and reactionary philosophy that is the narrator's target.

The Pluvignecs' chief trait is their self-importance. When Jean arrives from La Belle Angerie to voice his grievance Mme Pluvignec's first reaction is 'Je suis débordée en ce moment . . .' Her husband, the senator, though not unmoved by Jean's story – one must, of course, discount his desire to score off the Rezeaus – ends his advice with: 'Cependant par souci d'équité tu ne dois pas prendre l'habitude de me déranger pour si peu.'

'Fine', the faithful servant, an inheritance from Marie, the paternal grandmother, is saddled with unending duties by her new mistress. 'Fine, que son infirmité mettait à sa merci, dut accepter toutes ces augmentations, mais en conçut pour la seconde Mme Rezeau une respectueuse inimitié . . .' Virtually a slave, but knowing that she is indispensable, she displays a moral independence. On her mistress's return from the nursing home she is suspected of showing too much sympathy with the boys. In order to flatter her and win her over, Mme Rezeau offers her an increase of salary. It fell literally on deaf ears. 'Fine se moquait d'argent qui ne lui servait à rien.' This 'meuble sacré de la Belle Angerie', lovable, eccentric deaf-mute, despite the strains on her loyalty, divides her services between both parties according to their need. Sometimes it results in comedy, as when her mistress faints in her first crisis: 'Alphonsine, à tout hasard, se jette sur la cruche d'eau (donc légèrement trouble) et en vide la moitié sur le front de Folcoche, qui ne bronche pas . . . ' The reward of service – at fifty francs a month – has already been anticipated by Mme Rezeau: 'Dès que j'aurai trouvé une autre bonne, j'enverrai Fine à l'hospice.' The official decoration she receives, 'l'ordre des vieux serviteurs', is not without its irony.

We do not see much of Mlle Ernestine Lion. Her sense of justice and dignity make it impossible for her to stand by unprotesting and watch Mme Rezeau's behaviour towards the boys, her pupils. The castor-oil incident is the last straw: 'Madame . . . je ne puis plus approuver ces méthodes.' Others, categorized as 'serfs', depend too much on their tyrannical mistress to show much individuality. Perrault, 'jardinier, garde-chasse', cannot have regretted overmuch the flash of independence that lost him the first of these occupations. Mme Rezeau could count on Barbelivien's subservience once his son 'Petit-Jean' is allowed the ambiguous privilege of sharing the Rezeau boys' tutor, le père Baptiste Vadeboncœur, for, as one might guess, sinister reasons on Mme Rezeau's part. Not all the clerics, as we shall see, qualify for the rogues' gallery. Among the minor characters the not unattractive country wench 'Mado' (Madeleine) has an important function in the story, in so far as her amorous adventure with Jean shows his feudal attitude to a girl in her social position and his absence of any real affection in this brief relationship. This outburst of adolescent sexuality on his part is both defiance of his mother and the result of repressive atmosphere of *La Belle Angerie* and furthermore, an assertion of superiority over his brothers. Jean's disdainful treatment of her is more excusable perhaps because Madeleine, no longer a virgin, surrenders willingly enough, doubtless flattered by the attentions of a son of the manor.

SATIRE IN VIPÈRE AU POING

The target of Hervé's religious satire is not so much the Roman Catholic church – though some of its practices are roundly condemned – as the pomposities and weaknesses of its representatives. The latter include the priest-tutors (dubbed by the Rezeau boys B I – punning on 'A.B.' an abbreviated form of 'Abbé' – B II, and so on to the last, B VIII), whose stays, brief for the most part, end either because of some lapse on their part or their ultimate revulsion against the so-called educational system they are required to implement. B I sums it up: 'Nous sommes payés et même mal payés pour dire *amen*.' These necessarily subservient specimens of their orders are offset by the valiant few, particularly the Abbé aptly named Vadeboncœur, B VI, a lay brother, 'un sain oblat de petite extraction', who defended the children's interests. To Madame's chagrin, and in her absence, he abolished the hated 'examen de conscience' and won back for them their treasured 'droit d'*ourson*'. 'Vos fils ont besoin de muscles, Monsieur,' he observes to M. Rezeau. His presence was becoming a threat to Mme Rezeau. Ingenuously he accepts her offer of a holiday at its face value. As it later transpires, he is asked not to return. Two clerics who are outside the effective orbit of the mistress of La Belle Angerie make a brief appearance. The expert tipulidian, the somewhat colourless Belgian Abbé Rampant of Malines and the robust Abbé Templerot, ex-war comrade of M. Rezeau, and whose lavish hospitality and kindness to Jean and Frédie on their visit with their father provides a paradisal interlude in their lives. It is – one should note – a wholly sympathetic portrait of a priest. Jean's response is significant when he thinks he has missed morning mass celebrated by this kindly man: ' "Et la messe! Est-ce que j'ai manqué la messe?" Car il ne me venait point à l'idée de dédaigner le saint sacrifice celébré par un curé qui m'hébergeait si bien.' The narrator mocks only gently at the piety of Marie, his paternal grandmother, who, following his childish experiment in self-inflicted torture, remarked: 'Surveillez ce petit, mademoiselle. Il m'inquiète. Mais je dois avouer qu'il me donne aussi de bien grands espoirs.' Jean's hatred of religion coincides in fact with his mother's return from China and the advent of père Trubel (B I). Henceforward religion, previously an accepted routine, is to be equated with repression, punishment and – thanks to its association with Mme Rezeau – hypocrisy. To the Rezeau elders the Catholic church represents the last stronghold of law and order, maintaining a proper class hierarchy, keeping the 'reds' at bay. To them there is no more valued privilege than that of the 'indult' – private mass in their family chapel. The main argument advanced by Mme Rezeau for introducing 'confession familiale' – in reality a means of discovering the boys' secrets – is that it is practised by the Kervazecs, the family who had given France a cardinal.

The process of disillusionment with religion is hastened by hopes falsely raised and prayers unanswered. When Folcoche falls ill, apparently mortally, rallies and is in danger of recovering Jean reflects: 'Est-ce que Dieu, qui se trompa si lourdement ce jour-là [the day of his grandmother's death] aurait l'intention de réparer son erreur? Que sa sainte volonté soit faite!'

The word 'péché' becomes coloured by the climate of hypocrisy and oppression: 'le péché? la bonne blague. Un mot, un prétexte à punitions . . . ' Brasse-Bouillon himself castigates their final outbreak into juvenile sacrilege and vandalism: 'jeux détestables, j'en conviens,' adding, 'De quoi s'agissait-il au fond? D'atteindre Folcoche.'

If the language and imagery of war characterize the narration of the main duel, religious allusion and symbolism permeate the satire from the first to the last chapter. Examples abound from the succinct description of the strangled viper collapsing 'en flasque bâton de Moïse' to that of Folcoche: 'ouvrant les bras, en demi-oremus, abandonnant la langue des hérétiques d'Outre Manche . . . cette sainte femme risqua ces mots pesés aux millegrammes sur des balances angéliques . . . ' The Rezeaus are so steeped in the scriptural tradition that even the young 'révoltés' adopt – even if ironically – its idiom. The prearranged warning signal, should Brasse-Bouillon's amorous activities be endangered, is the whistling of the 'Dies irae, dies illa . . . ' In the end, immunized, like Mme Rezeau against belladonna, we ceased to be shocked by such blasphemies as 'Deux jours après – mieux que Jésus-Christ Folcoche était ressuscitée'. But, as we have seen, though the general mood is one of savage attack, there occur touching incidents; the occasion, for example, when Jean's sacrilege takes the attractive form of the theft of a pressed rose-petal from the birth certificate of Rose-Mairette Rezeau, who had died long ago of cholera while still a girl. 'Aucun amoureux ne l'aurait mieux conservé que moi. Je trouvai une cachette sûre: au milieu de mon scapulaire . . . '

Nor are the tutor priests – less vigorous than their cranky counterparts in the novels, say, of Erskine Calder, less sin-obsessed than the priests of Graham Greene, Bernanos or Mauriac – depicted wholly unsympathetically. Before the first of their number, euphemistically described as 'rayé des cadres pour excès d'évangilisation auprès des négresses', reverts to his amorous tendencies and is dismissed, he has already lost his enthusiasm for Mme Rezeau's educational system: 'Je quitte votre maison de fous . . . Vos haricots rouges commencent à m'écœurer.' 'B II' and 'B III', both of whom apparently shared their predecessor's distaste for Mme Rezeau's austerity, lasted a much briefer period. Their successor was 'un petit séminariste . . . Abbé chose, dont le nom ne marque pas dans ma mémoire'. Brasse-Bouillon soon observes: 'Je crois qu'il commence à trouver notre sainteté rebarbative.' He is baffled by the financial inconsistencies of the strange household. Finally, the sympathy of this 'doux conscrit d'évêché' with the boys' grievances, too indiscreetly expressed and overheard by Cropette, loses him his job. 'B V' (Athanase Dupont), 'né dans la banlieue rouge de Trélaze', leaves after only one week, but not without first reporting Mme Rezeau's scandalous treatment of the boys to the bishop. It falls to the embarrassed rector of Soledot, Létendard, to pass the criticism on to M. Rezeau. The rapid turnover of tutors has not gone unnoticed: 'Monseigneur n'est pas satisfait de la façon un peu cavalière dont vous les avez renvoyés les uns après les autres.' However, a little blackmail concerning the 'indult' saves the situation: 'C'était un appel au portefeuille . . . Papa le comprit, tira son chéquier, fit don de deux mille francs aux oeuvres du diocèse. Ainsi fut renouvelé l'indult. Et renouvelé le précepteur.' 'B VII', outwardly unprepossessing ('Quelle sale gueule il a', reports Frédie), does little to correct this impression in his first confrontation with Brasse-Bouillon when the latter, as a reward for a spirited retort, receives a blow reminiscent of his mother's initial effort: 'la première gifle de B VII me déporte de trois mètres.' Gradually, however, even the severe Abbé Traquet, whom the boys systematically 'neutralize', becomes reluctant to carry out punishments ordered by Mme Rezeau: 'Traquet, sans enthousiasme, accepta l'office du bourreau,' Jean reports, following the discovery of the hiding-place. To his honour he refuses to comply when a similar sanction is demanded on a second occasion. On the third occasion he is spared the execution of the order by Brasse-Bouillon's flight. Traquet was not a strong character. The narrator realizes this: 'au fond, comme tous les autres précepteurs, il s'agissait d'un pauvre type engagé au rabais sur le marché des ecclésiastiques sans emploi.' By the time the absconder is brought home, Traquet happens to be on leave, but before he is due to return, the great decision is made. The boys are to be packed off to boarding schools. 'B VII doit revenir dans la semaine, et il sied de lui éviter un voyage qu'il faudrait rembourser.' From now on a more responsible body of clergy will take over: 'Les Jésuites se chargeront de vous apprendre à respecter le divin principe d'autorité.'

The second and no less deliberate target of Bazin's satire is the class-conscious bourgeoisie. The breed of landed proprietors whose die-hard prototype is the Rezeau family of our novel lingers mostly in the north-west corner of France, once the fastness of the *chouannerie*, Royalist and Catholic. In *Vipère au poing* they are seen still hanging on to certain feudal privileges – the 'indult', for example – that date back to the *ancien régime*. At the reception traditionally held at La Belle Angerie and valued as a considerable status symbol by the Rezeaus the official guests range from the local notables to the pharmacist ('reçu de justesse').

The Rezeau servants ('nos serfs' as the narrator ironically calls them) are paid a pittance. Perrault – 'jardinier, garde-chasse' – is allotted as many functions as Maître Jacques in *L'Avare*. Sycophantic to the nobility in the persons of le comte de Soledot, le comte de Poli, and others, and to higher church dignitaries, the Rezeaus are condescending towards the lower strata – as they consider them – of their own class. As for 'le peuple', described ironically as 'ce magma grouillant d'existences obscures et déagré-ablement suantes', they may, if properly respectful, become objects of charitable works, 'Le reste c'est du bolshevisme.' Any reader of the Communist organ, *L'Humanité*, is an outlaw; the Rezeaus subscribe to *La Croix*. The radical-socialist minister Herriot, who had once declared: 'Le coffre-fort dans l'ouest est souvent scellé d'une hostie' is as odious to the Rezeaus as 'cet affreux Voltaire.'

M. Rezeau is unstable even in his prejudices; at one time he affects to despise the nobility, 'ces bons à rien' compared with the Rezeaus, who are 'à l'avant garde de la science et du progrès'. At another time he boasts about his aristocratic antecedents, 'nous descendons des barons de Saint-Elme et des vicomtes de Cherbaye'. His view that the Rezeaus are in the forefront of progress does not prevent him from denigrating the United States of America, which might properly be considered its contemporary representa-tive. In the one term 'le style américain' he condemns indis-criminately jazz, modern architecture, cubism, surrealist poetry, figured-walnut furniture, and tubular chairs. Brasse-Bouillon, despite his ironic observations, can be as inconsistent as his father, sometimes consciously, as on his railway journey to the Plu-vignecs: 'Calé dans le coin droit . . . je fume une cigarette en lisant, Dieu me pardonne! en lisant *Le Populaire*.' In reference to the scarcely cordial reception accorded him at their house, he remarks: 'Je déteste, ou, plus exactement, on m'a appris à détester les grosses bises plébiennes et autres démonstrations de tendresse mais tant de formalités, c'est excessif.' He has observed their butler's attitude towards him, not without evident satisfaction. 'Comment vous appelez-vous, mon ami?' 'Félicien Darcoulle, pour vous servir Monsieur. La déférence de son dos s'accentue. Il a compris. Je chasse de race.' In the long interior monologue from the swamp-cypress he declares: 'Tu es né Rezeau, mais tu ne le resteras pas . . .' But not long after from this same refuge-point he reflects: 'Ma haine qui ne leur pardonnera pas d'être un des leurs et de l'être à jamais . . .' Brasse-Bouillon, narrator, is both satirizer and satirized, attacker and victim; it is in this light that we must interpret his final and bitter invective.

STYLE

Hervé Bazin once referred to: 'tout ce que mon éducation et mon naturel ont toujours eu de cabotin'. There is certainly a touch of the 'cabotin' in the mode of expression of his *alter ego*, the first-person singular narrator of *Vipère au poing*. It is written in a complex style, compounded of adolescent aggressiveness and the sophisticated irony of maturity, informed by hindsight. But before we examine the mechanics of his writing and the significant use of certain figures (which differentiate it from the detached objectivity of some *nouveau roman* exponents) we should say something about the all-important symbolism of the incident which gave the book its title. Based on fact or imagination, the strangling of the viper provides an inspired 'point de départ'.[1] Not only has it a particular relevance in a region where snakes of one sort or another abound but it symbolizes also the love–hate relationship between mother and son. We note the fascination, the kind of 'beauté fatale' the viper has for the narrator: 'trois spires de vipère à tenter l'orfèvre . . . des yeux de topaze brûlée' – eyes whose cold glitter is henceforth to be associated with the light of hatred in the eyes of Folcoche, whose character, until a chink appears in her armour in the penultimate chapter, is, like the viper, 'tout métal'. The elaborate symbolism of the opening pages will be seen to have close links with the final chapter.[2] The allusion in both to Eve is significant; in Chapter I 'la fameuse langue bifide – une pointe pour Eve – une pointe pour Adam – la fameuse langue qui ressemble tout bonne-

[1] Compare the killing of the rat in the opening chapter of Rosamond Lehmann's novel *The Echoing Grove*.
[2] And there are minor echoes elsewhere, e.g. Chapter XXII, 'Aspics du soir, je vous entends siffler'.

ment à une fourchette à escargots' (we are going to hear more on the subject of 'fourchette') and the repetition of the symbol in the last paragraphs of the book, 'Un serpent, m'a-t-on rabâché, siffla pour notre mère Eve. Une belle Folcoche qui a empoisonné pour toujours toute l'humanité . . .' The snake embodies evil 'puissance de moi. Tel est l'archange qui terrasse le serpent.' The child's victory over the viper, 'que je pris cette fois par la queue et à qui j'imprimai un joli mouvement de balancier . . .', is a foretaste of his triumph ('sans lendemain' as we see in the sequel, *La Mort du petit cheval*) over Folcoche and his vehement assertion of independence – 'j'avance dans la vie avec ce trophée . . .' but, we reflect, this time and not as before, 'indemne de toute morsure'.

Bazin's style is reminiscent in the more dramatic passages of an advocate in the grand manner who believes in his cause. His arraignment of his mother is charged with personal emotion that leads him to the most bitter, hyperbolic denunciation: 'ton crime, unique dans l'histoire des mères . . . Tu as trouvé à ton foyer la contre-mère dont les seins sont acides.' But such denunciations, like the passages of protest, 'j'entre à peine dans la vie et grâce à toi je ne crois plus rien', 'je pense donc je contredis', are reserved for the emotional climacterics. For the most part the author creates his effects with a host of less grandiloquent devices than, for example, the dramatic repetition of the verb 'haïr': 'Non, ma mère, il n'y a plus qu'un seul verbe qui compte ici . . . Je te hais, tu me hais, il la haïssait . . .' His succinct juxtapositions amuse and mildly shock: 'putains et nonnes à l'égalité' (a quarter in Angers); the academician great-uncle referred to as 'la brosse à reluire de la famille'. He keeps us alert with puns and oblique allusions: apropos of Soledot 'Luis, mon soleil d'eau'; 'kilomètres sur la carte du non-Tendre'; the allusion to himself as 'le cadet de Casse-cogne'.

The description of the dramatis personæ of the story as 'les Atrides en flanelle' tells us that the author realizes that he is concerned only with a domestic tragedy. Bazin's vocabulary is rich and racy. The verbs in the following few examples are worth studying: 'deux taloches que je viens d'encaisser pour l'amour de la vérité'; 'voilà Paule toute crachée'; 'A Folcoche il (l'oblat) dédia mille sourires fermés'; 'Un de ses sourires (le mondain) fleurit bientôt autour de ses lèvres décolorées' (Mme Rezeau). The effects are always carefully calculated. Compare, for example, the following: 'l'abbé qui se croise le bras et penche la tête du côté gauche, celui du crucifix . . . fiché dans sa ceinture' (hostile; it is B VII) with this, describing the Abbé Templerot's room: 'Les murs, absous à la chaux une fois par an . . . pas une bondieuserie' (sympathetic). Patois (italicized by the author) *'bâche'*, *'fromage en jonc'*, etc.; tribal inventions *'la pistolétade'*, 'le droit d'*oursin*'; neologisms such as *'sourneiller'* (overtones of 'sournois, surveiller, and tourner'); slang, where appropriate – 'moche', 'godiche', 'mal foutu'; archaisms, often for ironic purpose 'si vacances il ya', 'point n'ai intention', 'force m'est', etc; all these enliven the text. Bazin's use of medical or scientific terms in ordinary contexts can be humorously affectionate, as in the description of Fine's miming, 'L'index me touche le sternum,' or indicate an objective and even cruel detachment: the parting scene between Jean and Madeleine: 'Décemment elle s'essuie la caroncule où ne perle aucune larme', or the earlier description of the amorous farm girl: 'Madeleine vient chercher sa ration hebdomadaire de feuilles à l'envers', or this litotes about his own amorous adventures 'des filles dont l'une ne me sera pas cruelle.' This same detachment informs such paradoxical phrases as: 'Lipah-Hong, le secrétaire . . . qui avait huit langues dans la bouche pour se taire' or 'Elle ('grand'mère Pluvignec) braque sur moi toute sa presbytie', and witticisms which combine bathos and irony – apropos of Mme Rezeau: 'Je ne lui connaîtrai que deux ennemis, les mites et les épinards'; the description of the children carrying away the slops: 'le seau serré contre notre cœur comme le ciboire sur la poitrine de Tarcissus'. Zeugma and irony are characteristic of Bazin's style. Examples of the former vary from the rudimentary 'Barbelivien arriva . . . apportant une barre à mine et l'odeur de la vacherie'; the amused 'ma grand'mère (Pluvignec) paraît, encore blonde, poussant devant elle son face-à-main, son ventre et ses parfums'; to the elaborate 'nous vivons affublés d'hypocrisie et de loques, tout cheveu et toute espérance tondus de près'. The reader will have no difficulty in finding other examples of irony no less effective, particularly in attacks on Mme Rezeau. ' "Une maman, c'est bien encore mieux qu'une grand'mere," says Mme Ladourd, a neighbour. 'Je pense bien! J'allais immédiatement en juger.' 'Rendons hommage à sa patience . . . qui grelottait parfois sous le vent d'ouest mais s'acharnait aux futilités de la persécution, héroïquement.' But Bazin can have a light touch; he loves words. Here we see them under a light rein; it is the occasion of the academician great-uncle's anniversary: 'mon père, ivre d'orgueil . . . erre de groupe en groupe. Les moucherons, dans les prés, de croupe en croupe.' And likewise with a similar eye to local colour: 'Le Craonnais, terre des choux, des chouans, des chouettes, et des choucas qui crient autour des clochers, "Je-croa, je cro-a" '

If the author's verve and wit sustain the comic element in a distressing theme and we are carried forward on waves of verbal felicities perhaps it is the relevant aphorisms that are the most telling: 'la haine beaucoup plus que l'amour, ça occupe': 'les principes sont des préjugés de grande taille'; 'pourrir, c'est germer, donc vivre'; 'on ne construit pas un bonheur sur les ruines d'une longue misère'. It is these that stick in the memory and underline the tragedy of the situation.

Select Bibliography

BOOKS

ANGLADE, Jean. *Hervé Bazin*. Paris. Gallimard, 1963.

DE BOISDEFFRE, Pierre. *Une Histoire vivante de la littérature d'aujourd'hui, 1939–1964*. Paris. Librairie Académique Perrin, 5 ième édition, 1964.

COIGNY, Pierre. *Sept romanciers au delà du roman*. Paris, 1963.

GARNIER, Christine. *L'homme et son personnage – confidences d'écrivain*. Paris, Grasset, 1955.

MOUSTIERS, Pierre. *Hervé Bazin ou le romancier en mouvement*. Paris, Editions du Seuil, 1973.

NADEAU, Maurice. *Le Roman français depuis la guerre*, Collection 'Idées', Paris, Gallimard, 1963.

PEYRE, Henri. *French Novelists of Today*. New York, Oxford University Press, 1967.

PICON, Gaëton. *Panorama nouvelle de la littérature française*. Edition 'Le Point du Jour', Paris, Gallimard, 1960.

PINGAUD, Bernard. *Ecrivains d'aujourd'hui*, Paris, Grasset, 1960.

POULET, Robert, *La Lanterne magique*, Paris, Nouvelles éditions Debresse, 1956.

ARTICLES, ETC.

BAZIN, Hervé. Ma conception du roman (interview). *Table Ronde*, November 1958.

HÉRIAT, Philippe. Un Ecrivain de scandale, *Revue des Deux Mondes*, May, 1966.

SMITH, Stevie. *Grasping the Viper* (review of), *World Review*, December 1950.

STEPHANE, Roger. Vipère au poing, *La Nef*, October 1948.

Vipère au Poing

I

L'été craonnais, doux mais ferme, réchauffait ce bronze impec-
cablement lové sur lui-même: trois spires de vipère à tenter
l'orfèvre, moins les saphirs classiques des yeux, car, heureusement
pour moi, cette vipère, elle dormait.

Elle dormait trop, sans doute affaiblie par l'âge ou fatiguée par
une indigestion de crapauds. Hercule au berceau étouffant les reptiles: voilà un mythe expliqué! Je fis comme il a dû faire: je saisis la
bête par le cou, vivement. Oui, par le cou et, ceci, par le plus grand
des hasards. Un petit miracle en somme et qui devait faire long
feu* dans les saints propos de la famille.

Je saisis la vipère par le cou, exactement au-dessus de la tête, et je
serrai, voilà tout. Cette détente brusque, en ressort de montre qui
saute hors du boîtier – et le boîtier, pour ma vipère, s'appelait la
vie – ce réflexe désespéré pour la première et pour la dernière fois
en retard d'une seconde, ces enroulements, ces déroulements, ces
enroulements froids autour de mon poignet, rien ne me fit lâcher
prise. Par bonheur, une tête de vipère, c'est triangulaire* (comme
Dieu, son vieil ennemi) et montée sur cou mince, où la main peut
se caler. Par bonheur, une peau de vipère, c'est rugueux, sec
d'écailles, privé de la viscosité défensive de l'anguille. Je serrais de
plus en plus fort, nullement inquiet, mais intrigué par ce frénétique
réveil d'un objet apparemment si calme, si digne de figurer parmi
les jouets de tout repos.* Je serrais. Une poigne rose de bambin
vaut un étau. Et, ce faisant, pour la mieux considérer et m'instruire,
je rapprochais la vipère de mon nez, très près, tout près, mais,
rassurez-vous, à un nombre de millimètres suffisant pour que fût
refusée leur dernière chance à des crochets tout suintants de rage.

Elle avait de jolis yeux, vous savez, cette vipère, non pas des yeux de saphir comme les vipères de bracelets, je le répète, mais des yeux de topaze brûlée, piqués noir au centre et tout pétillants d'une lumière que je saurais plus tard s'appeler la haine et que je retrouverais dans les prunelles de Folcoche, je veux dire de ma mère, avec, en moins, l'envie de jouer (et, encore, cette restriction n'est-elle pas très sûre!).

Elle avait aussi de minuscules trous de nez, ma vipère, et une gueule étonnante, béante, en corolle d'orchidée, avec, au centre, la fameuse langue bifide – une pointe pour Eve, une pointe pour Adam – la fameuse langue qui ressemble tout bonnement à une fourchette à escargots.

Je serrais, je vous le redis. C'est très important. C'était aussi très important pour la vipère. Je serrais, et la vie se fatiguait en elle, s'amollissait, se laissait tomber au bout de mon poing en flasque bâton de Moïse. Des sursauts, bien sûr, elle en avait, mais de plus en plus espacés, d'abord en spirale, puis en crosse d'évêque, puis en point d'interrogation. Je serrais toujours. Enfin, le dernier point d'interrogation devint un point d'exclamation, lisse, définitif et ne frémissant même plus de la pointe. Les topazes s'éteignirent, à moitié recouvertes par deux morceaux de taffetas bleuâtres. La vipère, était morte ou, plus exactement, pour moi, l'enfant, elle était retournée à l'état de bronze où je l'avais trouvée quelques minutes auparavant, au pied du troisième platane de l'allée du pont.

Je jouai vingt minutes avec elle, la disposant à ma fantaisie, tripotant, maniant ce corps sans membres d'infirme parfait. Rien n'est si bien mort qu'un serpent mort. Très vite, elle perdit toute allure, cette loque, elle perdit tout métal. Elle s'obstinait à me montrer cette couleur trop claire du ventre, que, par prudence, toutes les bêtes dissimulent jusqu'à la mort – ou jusqu'à l'amour.

J'étais en train de la nouer autour de ma cheville, quand retentit la cloche de *La Belle Angerie* sonnant pour les confitures. Il s'agissait ce jour-là d'achever un pot de mirabelles, un peu moisies par quatre ans de buffet,* mais bien plus avantageuses que ces gelées de groseilles qui se laissent odieusement gratter sur les tartines. Je sautai sur mes pieds sales, sans oublier ma vipère, que je pris cette fois par la queue et à qui j'imprimai un joli mouvement de balancier.

Mais, soudain, un hurlement déchira mes premières réflexions scientifiques et, de la fenêtre de la peu courageuse Mlle Ernestine Lion, tomba cet ordre épouvanté:

— Voulez-vous lâcher cela tout de suite!

Puis, en crescendo tragique:

— Ah! le malheureux enfant!

Je restai perplexe. Quel drame! Appels, exclamations entre-croisés, affolement de talons par les escaliers. «Madame! Monsieur l'abbé! Par ici!» Où sont les autres? Aboiement de Capi, le chien (nous avons déjà lu *Sans Famille*).* Cloches. Enfin grand'mère, aussi blanche que sa guimpe, poussant du bout de sa bottine son éternelle longue robe grise, jaillit de la porte d'honneur. En même temps surgissaient de la bibliothèque, aile droite, la tante Thérèse Bartolomi, comtesse de l'Empire, puis mon oncle le protonotaire apostolique et, de la lingerie, aile gauche, la gouvernante, la cuisinière, la femme de chambre . . . Toute la famille et ses satellites débouchaient des innombrables issues de *La Belle Angerie*, cette grande garenne.

Prudente, à la vérité, la famille! et formant cercle aussitôt, à bonne distance de la vipère, qui tournoyait toujours au bout de mes doigts et à qui le mouvement prêtait une suprême apparence de vie.

TANTE THÉRÈSE. — Est-elle morte?

LA BONNE. — J'espère que c'est une couleuvre.

LA GOUVERNANTE. — N'approchez pas, Frédie!

LA CUISINIÈRE, sourde et muette. — Krrrrrhh!

L'ABBÉ. — Je te promets une de ces fessées . . .

GRAND'MÈRE. — Voyons, mon chéri, lâche cette horreur!

Impavide, glorieux, je tendis mon trophée à l'oncle protono-taire, qui, professionnellement ennemi des reptiles, recula d'un bon mètre. Chacun l'imita. Mais grand'mère, plus brave, parce que, n'est-ce pas, c'était grand'mère, s'approcha et, d'un brusque coup de face-à-main, me fit lâcher le serpent, qui tomba, inerte, sur le perron et que mon oncle, rassuré, se mit à retuer, martialement, à grands coups de talon, comme saint Michel, son patron.

Cependant, tout danger écarté, j'avais été déshabillé en un clin d'œil par huit mains féminines, examiné des cheveux aux orteils, reconnu miraculeusement indemne de toute morsure. On me remit vivement une chemise, parce qu'il n'est pas décent qu'un Rezeau, même si jeune, reste nu devant des domestiques. Se détournant d'une bouillie de vipère,* mon oncle s'approcha, raide comme la justice, les deux mains en balance de chaque côté de la soutane.

— Ce petit imbécile a-t-il été piqué?

— Non, Michel.

— Remercions Dieu, ma mère.

Pater, Ave. Un petit ex-voto fut accroché dans le silence. Puis le protonotaire apostolique s'empara de moi, me jeta en travers de ses genoux et, les yeux au ciel, me fessa méthodiquement.

II

«La Belle Angerie?» Un nom splendide pour séraphins déchus, pour mystiques à la petite semaine. Disons tout de suite qu'il s'agit d'une déformation flatteuse de la «Boulangerie». Mais ajoutons que «l'homme ne vit pas seulement de pain, mais de toute parole qui sort de la bouche de Dieu», et l'altération du toponyme se trouvera justifiée, car je vous jure que, *Boulangerie* ou *Belle Angerie*, on y a toujours fabriqué du pain azyme.*

Plus prosaïquement, *La Belle Angerie* est le siège social, depuis plus de deux cents ans, de la famille Rezeau. Cet ensemble de constructions, parti sans doute d'un fournil, est arrivé à faire figure de manoir. Sauvée de l'incohérence, sinon de la prétention, par une façade à qui toute logique intérieure a été sacrifiée, *La Belle Angerie* est très exactement le prototype des faux châteaux chers à la vieille bourgeoisie. Au même degré que les congrégations de nonnes,* les vieilles familles craonnaises ont le vice de la truelle.* Nos paysans, proches parents des paysans bretons, se contentent d'élargir leur pré carré quand ils le peuvent. Les plus riches d'entre eux iront jusqu'à se payer une étable de bonne pierre, matériau rare dans la région et qui doit être amené à grands frais de Bécon-les-Carrières. Mais les bourgeois semblent avoir besoin d'un nombre de pièces inutiles proportionnel à celui des hectares sur lesquels s'étend la domination de leurs redevances et de leurs chasses.*

La Belle Angerie? Trente-deux pièces, toutes meublées, sans compter la chapelle, sans compter les deux nobles tourelles, où sont dissimulés les cabinets d'aisances, sans compter cette immense serre, stupidement orientée au nord de telle sorte que les lauriers-roses y crèvent régulièrement chaque hiver, sans compter la fermette annexe du jardinier, les écuries, qui deviendront garage, les communs divers, les cabanes élevées un peu partout dans le parc et toutes dédiées à quelque saint frileusement recroquevillé dans sa niche et servant de relais aux jours de Rogations . . . J'oublie deux ou trois pigeonniers depuis longtemps abandonnés aux moineaux, trois puits comblés, mais toujours chapeautés d'ardoise taillée,* deux ponts solennels jetés sur le filet d'eau qui s'appelle l'Ommée, quelques passerelles et une trentaine de bancs de pierre ou de bois, répandus çà et là dans le parc, afin que s'y répande éventuellement la distinguée fatigue du maître.

Ce confort des fesses est d'ailleurs à La Belle Angerie le seul dont on jouisse. Téléphone, chauffage central, des mythes! Le simple «E. G. E.»* des petites annonces locatives est ici totalement inconnu. L'eau, à cent mètres, se tire d'un puits douteux, aux margelles fleuries d'escargots. Hormis le salon, dont le parquet, posé directement sur le sol, est à remplacer tous les dix ans, toutes les pièces sont pavées de carreaux de terre cuite. Je dis «pavées», car ces carreaux ne sont même pas jointifs. Qui pis est,* les cuisines n'ont droit qu'à l'ardoise de Noyant-la-Gravoyère, en plaques, vaguement cimentées de terre battue.* Peu de poêles, mais d'immenses cheminées à chenets de fonte. Ajoutez à cela des communications défaillantes par chemins vicinaux encombrés de trognons de choux, un ravitaillement purement local, donc paysan, un climat parfaitement défini par la vieille devise des seigneurs du lieu, les Soledot: «Luis, mon soleil d'eau!», et vous estimerez comme moi, sans doute, que notre *Belle Angerie* n'est habitable qu'en été, lorsque les marais de l'Ommée fument au soleil, puis se dessèchent, forment croûte, se craquellent en forme de dalles, où se hasarde le pas léger des gamins en quête d'œufs d'effarvate.

Ma grand'mère le comprenait ainsi, qui déménageait deux fois par an, à jour fixe, et n'oubliait jamais d'emporter avec elle le piano, la machine à coudre et la batterie de cuisine de cuivre rouge, qui n'existaient point en double. Cependant, nous devions, plus tard, habiter la Maison (grand M) toute l'année et nous en contenter, comme se contentent des leurs, en tous points analogues à la nôtre, les hobereaux de la région.

Ladite région, à l'époque où commence mon récit, c'est-à-dire il y a environ vingt-cinq ans, était du reste beaucoup plus arriérée que maintenant. Probablement la plus arriérée de France. Aux confins des trois provinces du Maine, de la Bretagne et de l'Anjou, ce coin de terre glaise n'a pas de nom défini, pas de grande histoire, sauf peut-être sous la Révolution. Craonnais, Segréen, Bocage angevin, vous pouvez choisir entre ces termes. Trois départements se partagent cette ancienne marche frontière entre pays de grande et de petite gabelle,* abrutie durant des siècles par une surveillance et une répression féroces. Chemin de la Faulsaunière, ferme de Rouge Sel, domaine des Sept-Pendus, les noms sinistres demeurent. Nul pittoresque. Des prés bas, rongés de carex, des chemins creux qui exigent le chariot à roues géantes, d'innombrables haies vives qui font de la campagne un épineux damier, des pommiers à cidre encombrés de gui, quelques landes à genêts et, surtout, mille et une mares, asiles de légendes mouillées, de couleuvres d'eau et d'incessantes grenouilles. Un paradis terrestre pour la bécassine, le lapin et la chouette.

8

Mais pas pour les hommes. De race chétive, très «Gaulois dégénérés», cagneux, souvent tuberculeux, décimés par le cancer, les indigènes conservent la moustache tombante, la coiffe à ruban bleu, le goût des soupes épaisses comme un mortier, une grande soumission envers la cure et le château, une méfiance de corbeaux, une ténacité de chiendent, quelque faiblesse pour l'eau-de-vie de prunelle et surtout pour le poiré.* Presque tous sont métayers, sur la même terre, de père en fils. Serfs dans l'âme, ils envoient à la Chambre une demi-douzaine de vicomtes républicains et, aux écoles chrétiennes, cette autre demi-douzaine d'enfants, qui deviennent, en grandissant, des bicards* et des valets qui ne se paient point.

Dans ce cadre, très piqué des vers, ont vécu nos vieilles gloires, aujourd'hui abolies au même titre que les bonnets de nuit. J'appartiens, achevez de l'apprendre, à la célèbre famille Rezeau. Célèbre, évidemment, dans un rayon qui n'est pas celui de la planète, mais qui a dépassé celui du département. Dans tout l'Ouest, notre carte de visite, gravée si possible, reste en évidence sur les plateaux de cuivre. La bourgeoisie nous jalouse. La noblesse nous reçoit et même parfois nous donne une de ses filles, à moins qu'elle n'achète une des nôtres. (A vrai dire, emporté par un reste d'humide fierté, j'ai oublié de mettre cette phrase à l'imparfait.)

La petite histoire ne vous a sans doute pas dit que Claude Rezeau, capitaine vendéen, entra le premier aux Ponts-de-Cé,* lors de l'avance éphémère de l'armée catholique et royale. (On chante depuis: «catholique et français».) Le nom de Ferdinand Rezeau, d'abord secrétaire du prétendant, puis député conservateur de «leur» république, ne doit pas non plus hanter votre mémoire. Mais René Rezeau? Qui ne connaît René Rezeau,* ce petit homme moustachu qui brandit à bout de bras le chapeau de l'arrière-garde bournisienne,* ce génie largement répandu dans les distributions de prix des écoles chrétiennes? Tenez-vous bien et respectez-moi, car c'est mon grand-oncle. Le retour à la terre, le

9

retour de l'Alsace,* le retour aux tourelles, le retour à la foi, l'éternel retour! Non, vous n'avez pas oublié ce programme. C'est lui «la brosse à reluire* de la famille», c'est lui le grand homme, né trop tard pour s'engager dans les zouaves pontificaux,* mort trop tôt pour connaître les saints triomphes du M. R. P.,* mais glorieusement à cheval sur tous les grands dadas de l'entre-trois-guerres. C'est lui, commandeur de Saint-Grégoire et signataire d'excellents contrats d'éditions pieuses, qui sut asseoir la renommée des Rezeau jusque dans ce fauteuil de l'Académie française, où il se cala les fesses durant près de trente ans. Et je n'ai point besoin de vous rappeler que sa mort, survenue en 1932, après ce lent martyre de vessie qui lui conféra sa dernière auréole, fut l'occasion d'un grand défilé de bien-pensants* consternés, sous une pluie battante de postillons et d'eau bénite.

Ce héros avait un frère, qui fut mon grand-père, et mon grand-père, comme tout le monde, avait une femme répondant au nom évangélique de Marie. Il lui fit onze enfants, dont huit survécurent à leur éducation chrétienne. Il lui fit onze enfants parce que les premiers furent six filles, dont quatre devaient embrasser l'état religieux (elles ont choisi la meilleure part) et qu'il fallait un fils pour perpétuer le nom et les armes, bien que celles-ci fussent roturières. Mon père arriva, bon septième, qui reçut le nom de l'apôtre Jacques* (celui des deux qui est devenu collaborateur en compromettant sa fête avec la Saint Philippe). Et mon vénérable grand-père, après cette naissance d'un héritier enfin mâle, ne voulut point mourir avant d'avoir fait encore quatre enfants à Marie, ma grand'mère, et s'être ainsi rendu digne d'offrir à Dieu un futur chanoine, en la personne de Michel Rezeau, son benjamin, aujourd'hui protonotaire apostolique . . . Amen.

Le hasard donc, le même hasard qui fait que l'on naît roi ou pomme de terre, que l'on tire une chance sur deux milliards à la loterie sociale, ce hasard a voulu que je naisse Rezeau, sur l'extrême branche d'un arbre généalogique épuisé, d'un olivier stérile complanté dans les derniers jardins de la foi. Le hasard a voulu que j'aie une mère . . .

Mais n'anticipons pas. Sachez seulement qu'en 1913 Jacques Rezeau, mon père, docteur en droit, professeur à l'Université catholique (situation non lucrative, comme il sied), avait épousé la forte riche demoiselle Paule Pluvignec, petite-fille du banquier de ce nom, fille du sénateur du même nom, sœur du lieutenant de cuirassiers du même nom, mort depuis au champ d'honneur (ce qui lui permit de doubler «ses espérances»). Elle avait trois cent mille francs de dot. Trois cent mille francs-or. Elle avait été élevée, vacances comprises, dans un pensionnat de Vannes, d'où elle ne sortit que pour épouser le premier homme venu, du reste choisi par ses parents, trop répandus dans le monde et dans la politique pour s'occuper de cette enfant sournoise. Je ne sais rien d'autre de sa jeunesse, qui n'excuse pas la nôtre. Mon père, qui avait aimé une petite camarade protestante (mais René Rezeau veillait!), épousa cette dot qui lui permit de faire figure de nabab jusqu'à la dévaluation de M. Poincaré.* De cette union, rendue indispensable par la pauvreté des Rezeau, devaient naître successivement Ferdinand, que vous nommerez Frédie ou Chiffe,* Jean, c'est-à-dire moi-même, que vous appellerez comme vous voudrez, mais qui vous cassera la gueule si vous ressuscitez pour lui le sobriquet de Brasse-Bouillon,* enfin Marcel, *alias* Cropette. Suivirent, m'a-t-on dit, quelques fausses couches involontaires, auxquelles je ne pense pas sans une certaine jalousie, car leurs produits ont eu la chance, eux, de ne pas dépasser le stade de fœtus Rezeau.

En cet an de grâce 1922, où j'étouffais les vipères, nous étions, Frédie et moi, confiés à la garde de notre grand'mère. Confiés . . . le mot est un euphémisme! L'intervention énergique de cette grand'mère, que nous n'avions pas le droit d'appeler mémé, mais qui avait le cœur de ce diminutif plébéien, nous avait sauvés de sévices inconnus, mais certainement graves. J'imagine les biberons additionnés d'eau sale, les couches pourries, les braillements jamais bercés . . . Je ne sais rien de précis. Mais on ne retire pas ses enfants à une jeune femme sans motifs graves.

Notre dernier frère, Marcel, ne faisait point partie du lot attribué à* la belle-mère. Il était né en Chine, à Changhaï, où M. Rezeau s'était fait nommer professeur de Droit international à l'Université catholique de l'Aurore.

Ainsi séparés, nous vivions un bonheur provisoire, entrecoupé de privations de dessert, de fessées et de grands élans mystiques.

Car, je tiens à le dire, de quatre à huit ans, j'étais un saint. On ne vit pas impunément dans l'antichambre du ciel, entre un abbé réformé du service divin pour tuberculose pulmonaire, un écrivain spécialisé dans le style édifiant, une grand'mère adorablement sévère sur le chapitre de l'histoire sainte et des tas de cousins ou de tantes, plus ou moins membres de tiers ordres, nuls en math, mais prodigieusement calés dans la comptabilité en partie double des indulgences (reportons notre crédit d'invocations au débit des âmes du purgatoire, pour que ces nouveaux élus nous remboursent sous forme d'intercessions).

J'étais un saint! Je me souviens d'une certaine ficelle . . . Tant pis pour moi! Affrontons le ridicule. Il faut bien que vous puissiez renifler l'odeur de ma sainteté, dans laquelle, toutefois, je ne suis pas mort.

Cette ficelle provenait d'une boîte de chocolats. Ces chocolats n'étaient pas empoisonnés, bien qu'ils eussent été envoyés par Mme Pluvignec – il paraît qu'il faut dire aussi «grand'mère», – l'encore belle sénatrice du Morbihan.* Ces chocolats faisaient partie du protocole sentimental de Mme Plugignec et nous parvenaient régulièrement trois fois par an: le premier janvier, à Pâques et lors de l'anniversaire de chacun de nous. J'avais le droit d'en manger deux par jour, l'un le matin, l'autre le soir, après avoir fait le signe de croix réglementaire.

Je ne savais pas exactement quel fut mon forfait. Ai-je dépassé le compte permis en profitant de l'inattention de Mlle Ernestine?

Ai-je seulement commis, tant j'étais pressé, un de ces rapides chasse-mouches qui m'attiraient toujours cette remarque indignée:

— Mais c'est un *singe de croix** que vous faites là, Brasse-Bouillon!

. . . Je ne sais, mais je fus pénétré de remords et de contrition parfaite. Et le soir, dans ma chambre (*La Belle Angerie* est si grande que nous en avions une pour chacun, dès l'âge le plus tendre . . . Ça fait bien. Et puis ça habitue les enfants à rester seuls dans le noir) . . . le soir, dans ma chambre, je résolus, en parfait accord avec Baptiste (le bout de mon prénom, c'est-à-dire mon ange gardien, un peu valet comme il convient à l'ange gardien d'un Rezeau qui ne peut décemment pas porter seul les petits paquets de ses péchés) . . . le soir, dans ma chambre, je résolus de faire pénitence. La ficelle de la boîte de chocolats, qui portait l'inscription «A la Marquise»,* cette ficelle plate, un peu coupante, m'inspira le petit supplice certainement agréable à Dieu. Je me l'attachai autour de la taille et je tordis le nœud, lentement, jusqu'à ce que cela me fît raisonnablement mal. Je serrais, comme pour la vipère, avec beaucoup de conviction au début, avec moins d'enthousiasme au bout de trois minutes, avec regret finalement. Je n'ai jamais été douillet: on ne m'a pas appris à l'être. Mais il y a des limites à l'endurance d'un enfant, et elles sont assez étroites quand on a seulement soixante-douze mois d'expérience du dolorisme expérimental. Je cessai de serrer sous le prétexte que la ficelle, surmenée, pourrait bien casser. Il ne fallait pas détruire mon sacrifice.

Et surtout il ne fallait pas en détruire la trace. Car, enfin, sans aucun doute, Mademoiselle viendrait le lendemain matin me réveiller, comme tous les jours, en disant, comme tous les samedis:

— Allons! dépêchez-vous, paresseux! . . . Remercions le bon Dieu qui nous donne encore cette journée pour le servir . . . C'est le jour de changer votre chemise, Brasse-Bouillon. *Au nom du Père et du Fils* . . . Tâchez de la garder propre. Quand on va aux

13

waters, on s'essuie convenablement. *Notre Père qui êtes aux cieux . . .*, etc.

Glorieux samedi! Elle verrait tout de suite la ficelle. Je m'endormis sans savoir que je venais de commettre, en toute naïveté, le péché d'orgueil sous sa forme la plus satanique: l'orgueil de l'esprit!

Mais, Mademoiselle, le lendemain matin, ne s'en douta point.

— Oh! fit-elle, cet enfant est impossible.

Puis, se ravisant, avec une nuance de considération dans les yeux:

— Jean, Dieu ne permet pas que l'on joue avec sa santé. Je suis obligée d'en référer immédiatement à votre grand'mère.

J'écoutais ces paroles avec une grande satisfaction, mais je feignais, bien entendu, la pudeur et la désolation d'une âme violée. Cinq minutes plus tard, grand'mère, son châle à franges jeté sur sa robe de chambre, se penchait sur moi, m'accablant de reproches. Mais le ton n'y était pas. Le regard non plus, tout luisant de peureuse fierté. Et puis ce doigt, ce long doigt fin de romancière pour enfants de Marie (car elle écrivait un peu, elle aussi), comme il suivait complaisamment la ligne rouge, le stigmate éloquent qui me ceinturait encore!

— Il faut me promettre de ne pas faire de sacrifices sans me le dire. N'est-ce pas, mon petit Jean?

On ne m'appelait point Brasse-Bouillon, ce matin-là! Je promis. Grand'mère sortit, hochant la tête, sur le même rythme que Mademoiselle, toutes deux bien incapables de sévir contre un saint. J'eus l'oreille assez fine pour entendre cette recommandation, faite à mi-voix, derrière la porte:

— Surveillez ce petit, mademoiselle. Il m'inquiète. Mais je dois avouer qu'il me donne aussi de bien grands espoirs.

14

III

Le protonotaire, la gouvernante, les vieux domestiques, *La Belle Angerie*, l'hiver à Angers, le chignon de grand'mère, les vingt-quatre prières diverses de la journée, les visites solennelles de l'académicien, les bérets des enfants des écoles respectueusement dépouillés à notre approche, les visites du curé venant toucher le denier du culte et le denier de saint Pierre* et la cotisation pour la propagation de la foi, la robe grise de grand'mère, les tartes aux prunes, les chansons de Botrel* sur le vieux piano désaccordé, la pluie, les haies, les nids dans les haies, la fête-Dieu, la première communion privée, la première communion solennelle de Frédie avec, en main, le livre qu'avait porté notre père, et, avant lui, notre grand-père Ferdinand, et, avant lui, notre arrière-grand-père également Ferdinand, les marroniers en fleur . . .

Puis, soudain, grand'mère mourut.

L'urémie, mal de la famille, mal d'intellectuels (comme si la nature se vengeait de ceux qui n'éliminent pas l'urée par la sueur), lui pourrit le sang en trois jours. Mais cette grande dame – cette bonne dame aussi, mon cœur ne l'a pas oubliée – sut faire une fin digne d'elle. Écartant délibérément certains sondages* et autres soins répugnants qui l'eussent prolongée quelques jours, elle réclama son fils l'abbé, sa fille la comtesse Bartolomi, qui habitait Segré, et leur déclara:

— Je veux mourir proprement. Taisez-vous. Je sais que c'est fini. Dites à la femme de chambre qu'elle prenne une paire de draps brodés, sur le quatrième rayon de la grande armoire, dans l'antichambre. Quand mon lit sera refait, vous ferez entrer mes petits-enfants.

Ainsi fut fait. Devant nous, grand'mère se tint assise, le dos calé entre deux oreillers. Elle ne paraissait pas souffrir, alors que, je l'ai su depuis, cette fin est l'une des plus douloureuses. Aucun hoquet. Pas un gémissement. On ne donne pas ce spectacle à des enfants qui doivent emporter de vous dans la vie le souvenir ineffaçable d'une agonie en forme d'image d'Epinal.* Elle nous fit mettre à genoux, se donna beaucoup de peine pour soulever la main droite et, à tour de rôle, nous la posa sur le front, en commençant par mon frère l'aîné.

— Que Dieu vous garde, mes enfants!

Ce fut tout. Il ne fallait pas trop présumer de ses forces. Nous nous retirâmes à reculons, comme devant un roi. Et, aujourd'hui, à plus de vingt ans de distance, encore remué jusqu'au fond du cœur, je persiste à croire que cet hommage lui était dû. Grand'-mère!... Ah! certes, elle n'avait pas le profil populaire de l'emploi, ni le baiser facile, ni le bonbon à la main. Mais jamais je n'ai entendu sonner de toux plus sincère, quand son émotion se grattait la gorge pour ne pas faiblir devant nos effusions. Jamais je n'ai revu ce port de tête inflexible, mais tout de suite cassé à l'annonce d'un 37°,5. Grand'mère, avec son chignon blanc mordu d'écaille,* elle aura été pour l'inconnue dont on ne parlait point, bien qu'on priât officiellement pour elle deux fois par jour, elle aura été et restera la *précédente*, l'ennemie parfaite comme une légende, à qui l'on ne peut rien reprocher ni rien soustraire, même pas, et surtout pas, sa mort.

Grand'mère mourut. Ma mère parut.

Et ce récit devient drame.

IV

Maman, bien que ce mot fût par certains de nos proches tout voilé de réticences, maman, parce que nos petits cousins le disaient avec l'air de sucer un berlingot, maman, parce que le protonotaire et la tante Thérèse avaient presque la même manière de le prononcer en parlant de grand'mère, maman, malgré le «madame votre mère» terriblement lourd de Mlle Ernestine, maman, quoi! ça nous chauf- fait les oreilles.*

— Pourquoi qu'elle n'écrit jamais?

— On dit: pourquoi n'ecrit-elle jamais? Vous êtes injuste, Frédie. Madame votre mère vous a écrit à Noël. Et puis, la Chine, c'est loin.

Elle n'avait pas écrit, madame notre mère. Ils, je veux dire M. et Mme Rezeau, ils avaient envoyé une carte classique, imprimée en anglais, qui disait:

We wish you a merry Christmas.

Deux signatures. La première en pattes de mouches:* Rezeau. (Un chef de nom et d'armes ne met pas son prénom.) La seconde, en cunéiforme:* Rezeau-Pluvignec. Toutes deux magistralement soulignées. L'adresse avait été tapée à la machine, sans doute par Li-pah-hong, le secrétaire, que nous imaginions avec une si belle tresse dans le dos et qui avait sept langues dans la bouche pour se taire.

La Chine, c'est loin. Je ne crois pas, même à cet âge, avoir admis que le cœur, cela peut être beaucoup plus loin que Changhaï. Maman! Mme Ladourd, une voisine, qui avait six enfants et ne connaissait rien de la situation, nous débrida l'imagination:

— Une maman, c'est encore bien mieux qu'une grand'mère!

Je pense bien! J'allais immédiatement en juger.

Rappelés par télégramme, M. et Mme Rezeau mirent huit mois à rentrer. Décimés par le mariage ou la vocation religieuse, les oncles ou tantes ne pouvaient remplacer la disparue. Le protonotaire venait de se faire nommer en Tunisie, dont le climat pourrait achever ses derniers bacilles de Koch. Mlle Lion ne désirait pas assumer de trop lourdes responsabilités. Enfin il y avait *La Belle Angerie*, fief d'aîné, à sauver du fisc, des hypothèques et des partages républicains.*

Un beau soir, nous nous trouvâmes alignés sur le quai de la gare de Segré, très excités et difficilement contenus par la pontifiante

17

tante Bartolomi et par notre gouvernante. Je me souviens parfaitement de leurs messes basses et de leurs soupirs inquiets.

Le tortillard, soufflant bas, avec cet air phoque qui n'appartient
qu'aux locomotives de petite ligne, parut avec dix minutes d'un
retard qui nous semblait insupportable, mais que bientôt nous
pourrons souhaiter centenaire. Par un majestueux hasard, le wagon
de nos parents stoppa exactement devant nous. Une paire de
moustaches au ras de la vitre et un chapeau en forme de cloche à
fromage,* tel qu'on les portait en ce temps-là, décidèrent Mademoiselle à passer une suprême inspection:

— Frédie, sortez les mains de vos poches. Brasse-Bouillon,
tenez-vous droit.

Mais la vitre s'abaissait. De la cloche à fromage jaillit une voix:

— Venez prendre les bagages, mademoiselle.

Ernestine Lion rougit, protesta rapidement dans l'oreille de la
comtesse Bartolomi:

— Mme Rezeau me prend pour la femme de chambre.

Mais elle s'exécuta.* Notre mère, satisfaite, découvrit deux dents
d'or, ce que, dans notre candeur, nous prîmes immédiatement pour
un sourire à notre adresse. Enthousiasmés, nous nous précipitâmes,
dans ses jambes, à la portière.

— Allez-vous me laisser descendre, oui!

Nous écarter d'elle, à ce moment, nous eût semblé sacrilège.
Mme Rezeau dut le comprendre et, pour couper court à toutes
effusions, lança rapidement, à droite, puis à gauche, ses mains
gantées. Nous nous retrouvâmes par terre, giflés avec une force et
une précision qui dénotaient beaucoup d'entraînement.

— Oh! fit tante Thérèse.

— Vous dites, ma chère amie? s'enquit madame notre mère.
Nul ne broncha. Bien entendu, nous sanglotions.

— Voilà tout le plaisir que vous cause mon retour! reprit Mme
Rezeau. Eh bien! ça va être charmant. Je me demande quelle idée
de nous a bien pu leur donner votre pauvre mère.

La fin de cette tirade s'adressait à un monsieur ennuyé, que nous sûmes ainsi être notre père. Il portait un grand nez et des bottines à boutons. Engoncé dans une lourde pelisse à col de loutre, il traînait deux longues valises jaunes, criblées de flatteuses étiquettes internationales.

— Voyons, relevez-vous, fit-il d'une voix sourde et comme filtrée à travers ses moustaches. Vous n'avez pas seulement dit bonjour à Marcel.

Où était-il, le petit frère? Tandis que les grandes personnes, sans plus s'occuper de nous, se congratulaient poliment – oh! rien de trop, – nous partîmes à sa recherche et le découvrîmes derrière la malle d'un voyageur anonyme.

— C'est vous, mes frères? s'enquit prudemment ce jeune homme, déjà peu loquace.

Frédie lui tendit une main qu'il ne prit pas. Louchant dans la direction de Mme Rezeau, Marcel venait de s'apercevoir qu'elle l'observait. Au même instant, elle annonça:

— Les enfants! prenez chacun une valise.

Celle qui m'échut* était beaucoup trop lourde pour mes huit ans. Un coup de talon dans le tibia me donna des forces.

— Tu vois bien que tu pouvais la porter, Brasse-Bouillon.

Ce surnom prenait dans sa bouche une valeur intolérable. Le cortège s'ébranla. Frédie, se touchant le nez du bout de l'index, fit à mon intention le signal de détresse. J'entendis distinctement Mlle Lion, qui certifiait à tante Thérèse:

— Ils n'ont pas fini de le faire, leur signal!

Ce qui prouvait au moins deux choses: *primo*, que la signification ultra-secrète de ce geste lui était depuis longtemps connue; *secundo*, qu'elle connaissait une autre énigme, que nous allions avoir tout le loisir de déchiffrer au fond des prunelles aiguës de cette dame que nous n'avions déjà plus aucune envie d'appeler maman.

V

Et nous voici réunis, tous les cinq, réunis afin de jouer le premier épisode de ce film à prétentions tragiques, qui pourrait s'intituler : «Atrides en gilet de flanelle.»*

Nous cinq, les principaux acteurs, dont il faut dire que nous avons tous fort bien joué notre rôle, les demi-caractères n'existant pas dans la famille. Nous cinq et quelques figurants, rapidement éliminés en général par le manque d'oxygène sentimental qui rendait irrespirable pour les étrangers l'atmosphère de notre clan. Campons les personnages.

D'abord le chef de famille, si peu digne de ce titre, notre père, Jacques Rezeau. Si vous voulez bien vous en référer à *L'Explication du Caractère par les prénoms*, opuscule de je ne sais plus quel mage,* vous constaterez que pour une fois la définition se trouve parfaite. «Les Jacques, y est-il dit, sont des garçons faibles, mous, rêveurs, spéculatifs, généralement malheureux en ménage et nuls en affaires.» Pour résumer mon père d'un mot, c'était un Rezeau statique. Plus d'esprit que d'intelligence. Plus de finesse que de profondeur. Grandes lectures et courtes réflexions. Beaucoup de connaissances, peu d'idées. Le sectarisme des jugements pauvres lui tenait quelquefois lieu de volonté. Bref, le type des hommes qui ne sont jamais eux-mêmes, mais ce qu'on leur suggère d'être, qui changent à vue de personnage dès que le décor tourne et qui, le sachant, s'accrochent désespérément à ce décor. Au physique, papa était petit, étroit de poitrine, un peu voûté, accablé par le poids de ses moustaches. Quand je l'ai connu, le cheveu, encore noir, commençait à lui manquer. Toujours plaintif, il vivait entre deux migraines et se nourrissait d'aspirine.

Agée, à la même époque, de trente-cinq ans, madame mère avait dix ans de moins que son mari et deux centimètres de plus. Née Pluvignec, je vous le rappelle, de cette riche, mais récente maison Pluvignec, elle était devenue totalement Rezeau et ne manquait pas d'allure. On m'a dit cent fois qu'elle avait été belle. Je vous autorise à le croire, malgré ses grandes oreilles, ses cheveux secs, sa bouche serrée et ce bas de visage agressif qui faisait dire à Frédie, toujours fertile en mots:

— Dès qu'elle ouvre la bouche, j'ai l'impression de recevoir un coup de pied au cul. Ce n'est pas étonnant, avec ce menton en galoche.*

Outre notre éducation, Mme Rezeau aura une grande passion: les timbres. Outre ses enfants, je ne lui connaîtrai que deux ennemis: les mites et les épinards. Je ne crois rien pouvoir ajouter à ce tableau, sinon qu'elle avait de larges mains et de larges pieds, dont elle savait se servir. Le nombre de kilogram-mètres dépensés par ces extrémités en direction de mes joues et de mes fesses pose un intéressant problème de gaspillage de l'énergie.

Pour être juste, Frédie en eut sa très juste part. L'héritier présomptif tenait de mon père tous ses traits essentiels. Chiffe! Inutile d'aller plus loin. Ce surnom lui conviendra toujours. Sa force d'inertie était proportionnelle aux coups de poing et aux coups de gueule. N'oublions pas son nez, tordu dès le plus jeune âge par la déplorable habitude de se moucher invariablement du côté gauche.

Quant à Marcel, dont je n'ai jamais su pourquoi lui avait été attribué le sobriquet de Cropette (étymologie obscure), point n'ai l'intention de l'abîmer. On pourrait croire que je le jalouse encore. Pluvignec cent pour cent, par conséquent doué pour la finance, amateur de grandes pointures, péniblement studieux, froid, tenace, personnel, corollairement hypocrite... Je m'arrête, car je suis en train de ne pas me tenir parole. Signes distinctifs, côté face: un épi au milieu du front* et, à fleur de tête, les gros yeux du myope qui ne peut pas ramasser ses lunettes. Signes distinctifs, côté pile: un certain déhanchement et la fesse un peu croulante.* Quand il était petit, il avait toujours l'air d'avoir fait dans son pantalon.

Reste la cinquième carte de ce méchant poker. Retournons-la. Dans le brelan de frères, je suis le valet de pique.

Je ne réciterai pas le *Confiteor*. Qu'il vous suffise de savoir que l'on ne m'a pas vainement rebaptisé Brasse-Bouillon, selon un tic familial agaçant, qui nous apparente aux vieilles familles romaines, où le surnom était de rigueur. Le cadet de casse-cogne,* le révolté, l'évadé, la mauvaise tête, le voleur d'œufs qui volera un bœuf, «le petit salaud qui a bon cœur». Brun, joufflu jusqu'à l'âge de douze ans et désespéré de l'être, à cause des claques. Resté petit tant que j'ai conservé mes amygdales. Affligé des oreilles maternelles, du menton maternel, des cheveux maternels. Mais très fier de mes dents, du type Rezeau, le seul organe sain de la famille, rendant les casse-noix inutiles. Gourmand de tout et, en premier lieu, de vivre. Très occupé de moi-même. Egalement très occupé des autres, mais dans la limite où ceux-ci ont le bon esprit pour me tenir pour un des éléments importants de leur propre vie. Plein de considération envers les mentalités fortes, amies ou ennemies, avec un léger avantage pour ces dernières: j'ai un sourcil plus haut que l'autre et ne le fronce qu'en leur faveur.

Moi compris, nous voici donc cinq sur la scène de *La Belle Angerie*. Tableau unique. Dès l'arrivée de mes parents, la maison d'Angers avait été liquidée. Mon père décida de rester toute l'année à la campagne et donna sa démission de professeur à la Faculté catholique. Le prétexte invoqué fut le paludisme.* En réalité, M. Rezeau n'avait qu'une hâte: réunir sous son sceptre indolent les terres de la famille et y régner sans gloire, meublant son ennui de recherches généalogiques et surtout d'études entomologiques sur les sirphides.* Papa était l'un des plus grands sirphidiens du monde. C'est, il est vrai, une corporation qui ne compte pas cent membres. Les fameuses valises jaunes qu'il traînait à son arrivée recélaient précisément ses plus précieux *cotypes*. (Pour les barbares, je précise qu'un cotype est le premier spécimen connu et décrit, à quoi se réfèrent les catalogues des spécialistes.) Mon père avait bien travaillé en Chine. Il en ramenait cinquante espèces nouvelles. C'était sa fierté, l'œuvre forte de sa vie. En vertu de quoi, sa première décision, en s'installant à *La Belle Angerie*, fut de se faire aménager en musée personnel le grand grenier du pavillon de droite. La chose faite, il s'occupa de ses enfants et les pourvut d'un précepteur.

Et voilà un sixième personnage, épisodique, il est vrai, mais important, parce qu'il sera toujours remplacé par un autre et parce qu'il portera toujours le même uniforme impersonnel, en l'espèce une soutane.*

La première de ces soutanes devait être blanche. Le révérend père Trubel appartenait, en effet, à cette compagnie de missionnaires blancs spécialisés dans les noirs et dont le grand homme demeure ce cardinal Lavigerie, premier primat d'Afrique, premier archevêque de Carthage depuis la conquête des crouillats.* Le révérend se déclara hépatique. Nous devions apprendre plus tard que son ordre l'avait rayé des cadres pour excès d'évangélisation auprès des négresses. Mais, quand il arriva, l'impression fut considérable: trois griffes de lion pendaient à la breloque de sa montre, sous le crucifix.

Seuls, Alphonsine, plus rapidement *Fine*, le trouva louche. Un curé blanc, ça ne se fait pas. Elle vit tout de suite un empiétement sur les droits vestimentaires de Sa Sainteté Pie XI, glorieusement régnant . . . Mais je m'aperçois que je fais rentrer en scène un septième personnage sur lequel je ne vous ai point fourni de lumières. «Fine» . . . ne l'était guère. Il faut dire à sa décharge qu'elle était sourde et muette et au service de la famille depuis une trentaine d'années, ce qui eût largement suffi à l'abrutissement d'une personne normale. Ma mère venait de l'hériter de grand'mère, qui payait cette malheureuse cinquante francs par mois. Malgré toutes les dévaluations, elle devait rester à ce tarif, mais fut décorée de l'ordre des vieux serviteurs. Elle sera d'ailleurs également décorée des titres de femme de chambre, lingère, bonne d'enfants, cireuse de parquets, elle qui n'était d'abord que cuisinière. Mme Rezeau, qui trouvait le train de vie de feu sa belle-mère au-dessus de ses moyens, renvoya successivement tous les domestiques. Fine, que son infirmité mettait à sa merci, dut accepter toutes ces augmentations, mais en conçut pour la seconde Mme Rezeau une respectueuse inimitié, qui nous sera fort utile, parfois, et qu'elle exprimait à sa façon, en «finnois» (encore un mot de Frédie), cette langue exclusivement parlée à *La Belle Angerie* et qui utilisait les doigts, les sourcils, les épaules, les pieds et même quelques sons primitifs.

Enumérons maintenant nos serfs.

D'abord le *père* Perrault. (Le titre de père, en Craonnais, est obligatoirement accolé au nom des hommes, même célibataires, qui ont dépassé la quarantaine et n'ont pas droit, de naissance, à s'entendre appeler «monsieur». Il est officiellement employé en chaire.) Les contes de Perrault,* entendez: ses histoires de chasse, ou plutôt de braconnage, sont une des rares choses qui aient enchanté mon enfance. Perrault était jardinier, garde-chasse et propriétaire d'une épicerie dans le bourg de Soledot.

Ensuite, la tribu des Barbelivien. Jean, le père, le dernier Gaulois, tenancier de la fermette annexe; la mère Bertine, championne du battoir et du pilon à beurre (on fait le beurre, en Craonnais, dans une haute jarre, où tombe et retombe inlassablement un genre de piston); Bertinette, la fille, qui avait le cou tordu par une facétie des tendons; le gars Jean, dit Petit-Jean, dénicheur.

Puis les Huault, tenanciers de *La Vergeraie*, accablés de filles, dont l'une ne me sera pas cruelle; les Argier, tenanciers de *La Bertonnière*, grands amateurs de nos carpes, secrètement raflées de nuit dans notre étang à la bâche ou au tramail.*

Enfin, Jeannie, avec qui s'en est allé le secret du *fromage en jonc,* le père Simon, son homme, poussant dans les fossés quatre vaches pie, le curé Létendard, les vicaires, le marchand de peaux de lapins et trois cents paysans qui allaient régulièrement à la messe du dimanche, trois cents paysans pour nous anonymes comme les corbeaux, mais qui, eux, nous connaissaient bien et nous gratifiaient au passage d'obséquieux: «Bonjour, mon petit Monsieur».

VI

Le 27 novembre 1924, la loi nous fut donnée.

Cropette, galopant à travers les couloirs, Cropette, héraut de madame mère, criait:

— Tout le monde en bas, dans la salle à manger!

La cloche sonnait, au surplus.

— Que peut-on nous vouloir à cette heure-ci? Nous sommes en récréation, bougonna Frédie, en se mouchant violemment à gauche.

Pas question de faire attendre Mme Rezeau. Nous dégringolâmes l'escalier sur la rampe. Dans la salle à manger, l'aréopage était au complet.* Papa occupait le centre. Notre mère tenait sa droite et le révérend fumait la pipe, à sa gauche. Au bas bout de la table était plantée, toute raide, Mlle Lion. A l'autre, Alphonsine.

— Non, mais vous allez vous presser, tous les deux! glapit Mme Rezeau.

Papa étendit une main solennelle et commença à débiter sa leçon:

— Mes enfants, nous vous avons réunis pour vous faire connaître nos décisions en ce qui concerne l'organisation et l'horaire de vos études. La période d'installation est terminée. Nous exigeons maintenant de l'ordre.

Il reprit son souffle, ce dont sa femme profita immédiatement pour lancer à l'adresse de nos silences un retentissant:

— Et tâchez de vous taire!

— Vous vous lèverez tous les matins à cinq heures, reprenait mon père. Vous ferez aussitôt votre lit, vous vous laverez, puis vous vous rendrez à la chapelle pour entendre la messe du père Trubel, que vous servirez à tour de rôle. Après votre action de grâces, vous irez apprendre vos leçons dans l'ex-chambre de ma sœur Gabrielle, transformée en salle d'études, parce qu'elle est contiguë à celle du père.

qui aura ainsi toutes facilités pour vous surveiller. A huit heures, vous déjeunerez . . .

— A ce propos, mademoiselle, coupa madame mère, je précise que ces enfants ne prendront plus désormais de café au lait, mais de la soupe. C'est plus sain. Vous pourrez donner un peu de lait à Marcel, qui a de l'entérite.

— Après le petit déjeuner, une demi-heure de récréation . . .

— En silence! coupa Mme Rezeau.

— Votre mère veut dire: sans faire trop de bruit, pour ne pas la réveiller, soupira M. Rezeau. Vous reprendrez le travail à neuf heures. Récitations, cours, devoirs, avec un quart d'heure d'entr'acte aux alentours de dix heures, cela vous amènera jusqu'au déjeuner. Au premier son de la cloche, vous allez vous laver les mains. Au second coup, vous entrez dans la salle à manger.

M. Rezeau se frisa longuement les moustaches d'un air satisfait. Il regardait fixement devant lui, dans la direction des chrysan-thèmes, disposés en large bouillée* au milieu de la table. Sa main partit d'un coup sec. La mouche capturée, il l'examina longuement.

— Curieux! fit-il. Je me demande comment cette *Polyphena* peut avoir échoué ici. Enfin, elle est de bonne prise.

Aussitôt, il extirpa de la poche quatre (en bas, à droite) de son gilet le tube de verre dont le fond était garni de cyanure de potas-sium et que nous commencions à bien connaître. Ma mère fronça les sourcils, mais ne dit rien. Elle respectait la science. Papa reprit tranquillement, tandis que périssait la *Polyphena:*

— Nous vous accordons, après le déjeuner, une heure de récréation, qui pourra être supprimée, par punition. Vous devrez obligatoirement jouer dehors, sauf s'il pleut.

— Mais s'il fait froid? hasarda mademoiselle.

— Rien de meilleur pour les aguerrir, rétorqua madame mère. Je suis pour une éducation forte. Alphonsine est de mon avis, j'en suis sûre.

26

A tout hasard, la sourde et muette, reconnaissant son nom sur les lèvres de la patronne, fit un geste de dénégation.

— Vous voyez, elle ne veut pas non plus qu'on les élève dans une boîte à coton.

Papa s'impatientait.

— Nous n'en finirons jamais, Paule, si tout le monde m'interrompt. Je disais donc . . . Ah! oui, je disais que, sur le coup d'une heure et demie, vous reprendriez le collier.* Goûter à quatre heures. Je laisse au père Trubel le soin d'organiser votre emploi du temps avant et après la tartine. A la cloche du souper, mêmes formalités au lavabo, je vous prie. Le soir, en mangeant, nous ne parlerons que l'anglais. Il ne sera répondu à aucune demande de pain ou de vin . . .

— D'eau, Jacques!

— . . . Il ne sera répondu à aucune demande si elle n'est pas exprimée dans la langue de Disraeli, qui, du reste, était juif. Telle est la meilleure méthode pour contraindre les enfants à s'intéresser aux langues étrangères. De mon temps, l'abbé Faire, mon précepteur, avait imposé le latin. Je modernise le procédé. Aussitôt après les *grâces*, prière du soir, en commun, à la chapelle. Tout le monde doit être couché à neuf heures et demie, au plus tard. Voilà. Maintenant, je vous laisse. J'ai des mouches à piquer.*

Mme Rezeau se tourna vers la gouvernante, tandis que son époux s'éloignait en traînant de la bottine.

— Mademoiselle, vous voudrez bien aider un peu Alphonsine dans ses travaux de lingerie. La présence du père allège en effet votre tâche.

Ernestine Lion ne répondit pas. Notre mère continuait:

— Je dois ajouter aux décisions de votre père diverses dispositions que je prends moi-même en tant que maîtresse de maison. En premier lieu, je supprime les poêles dans vos chambres: je n'ai pas envie de vous retrouver asphyxiés, un beau matin. Je supprime également les oreillers: ils donnent le dos rond. Les édredons suivront les oreillers. Une couverture en été, deux en hiver suffisent largement. A table, j'entends que personne ne parle sans être interrogé. Vous vous tiendrez correctement, les coudes au corps, les mains posées de chaque côté de votre assiette, la tête droite. Défense de vous appuyer au dossier de votre chaise. En ce qui concerne vos chambres, vous les entretiendrez vous-mêmes. Je passerai l'inspection régulièrement, et gare à vous si je trouve une toile d'araignée! Enfin, je ne veux plus vous voir cette tignasse de bohémiens. Désormais, vous aurez les cheveux tondus: c'est plus propre.

— Aux colonies, remarqua le père Trubel, dont la pipe venait de s'éteindre, la chose est réglementaire.

— Mais, objecta courageusement mademoiselle, c'est que nous ne sommes pas aux colonies. Il fait froid, et surtout humide, en ce pays.

— Les enfants s'habitueront, mademoiselle, reprit sèchement Mme Rezeau. J'ai retrouvé la tondeuse qui servait à tondre Cadichon, le petit âne que ma belle-mère employait pour faire des courses au village, jadis. Je tondrai moi-même ces enfants.

La nuit tombait. Madame mère passa rapidement la main devant ses yeux, de gauche à droite, ce qui signifiait, en finnois: «Allumez la lampe!» Notre mère s'assimilait très vite les langues vivantes. Fine alluma la majestueuse lampe à pétrole, à pied de marbre vert, puis agita la main gauche (sens général: «vite!» ou «ça presse»), tandis que son index pointait dans la direction de ses fourneaux (donc, sens restreint: «Ma cuisine me réclame d'urgence»). Mme Rezeau déchiffra correctement et, de la version se lançant dans le thème, tapa dans ses mains, comme pour applaudir. (Allez-vous-en!)

— Vous aussi, vous pouvez vous retirer, les enfants, émit le père Trubel.

— Et un peu vite! renchérit notre mère, qui, emportée par l'étude du finnois, se mit à applaudir frénétiquement.

VII

Si draconien soit-il, un règlement trouve toujours des accommode-
ments. Notre mère, qui avait raté sa vocation de surveillante pour
centrale de femmes,* se chargea de veiller à sa plus stricte application et de l'enrichir peu à peu de décrets prétoriens. Nous étions
déjà habitués à la mentalité de la méfiance, d'origine sacrée, qui
cerne tous les actes et mine les intentions de tout chrétien, ce
pécheur en puissance.* Du soupçon, Mme Rezeau fit un dogme.
Compliquées de commentaires et de variantes, ses interdictions
devinrent un véritable réseau de barbelés. La contradiction même
ne nous fut pas épargnée. C'est ainsi que nous devions faire notre
chambre avant la messe. Pour vider notre seau de toilette (il n'y a
naturellement pas de tout-à-l'égout* à *La Belle Angerie*), il nous
fallait utiliser les water-closets de la tourelle de droite, contigus à
la chambre des maîtres. Et ce, en pleine nuit, à la lueur d'une lampe
Pigeon,* qui nous fut bientôt supprimée . . . Or nous devions
également éviter le moindre jaillissement d'eau sale et surtout le
moindre bruit susceptible de contrarier le repos de notre auguste
mère. Afin d'éviter, dans l'ombre, toute collision malodorante,
nous prîmes le parti d'aller vider nos ordures à pas de loup, le seau
serré contre notre cœur, comme le ciboire sur la poitrine de
Tarcisius.*

Au début, la présence de Mlle Lion nous évitait de perpétuelles
frictions. La gouvernante, à l'occasion, nous défendait. Mais Mme
Rezeau le remarqua très vite.

— Ma parole, mademoiselle! Mais vous vous faites l'avocat de
ces vauriens. Vous leur cédez aussitôt que j'ai le dos tourné.

Le père Trubel, lui, se contentait de fumer sa pipe. En vain la
pauvre Ernestine cherchait-elle à l'amener à ses vues.

— Ma bonne demoiselle, comprenez donc! Ni vous ni moi n'en
avons pour bien longtemps. Que cette femme élève ses enfants
comme elle l'entend, cela ne regarde qu'elle. Nous sommes

payés – et même mal payés – pour dire *amen*. Pour ma part, je ne puis trouver facilement un autre préceptorat . . .

Cette conversation, surprise entre deux portes, m'édifia sur le compte du père. Mais la gouvernante ne se résignait pas: elle nous aimait, cette vieille fille, et c'était bien là le pire grief de notre mère, qui ne l'avait provisoirement conservée à son service que pour donner satisfaction à l'opinion. Certaines réformes, dont rêvait Mme Rezeau, ne pouvaient être entreprises qu'après le départ d'Ernestine. Le premier prétexte pour la renvoyer fut le bon.

Il se présenta sous la forme d'une courte maladie de Frédie. Rien de grave. Une simple indigestion, due à la surabondance de haricots rouges dont nous gavait économiquement notre mère. Notre aîné ne put se lever, un matin, et mademoiselle proposa de le prendre dans sa chambre, qui était chauffée. Mme Rezeau refusa.

— Cet enfant s'écoute. Nous allons simplement le purger.

A l'huile de ricin, vous vous en doutez. Une pleine cuillère à soupe de cette bonne saleté fut présentée aux lèvres de Frédie, qui détourna la tête et osa dire:

— Grand'mère nous donnait du chocolat purgatif.

Mme Rezeau serra les dents et, pour toute réponse, pinça rudement le nez de son fils, qui dut ouvrir la bouche pour respirer. Incontinent, cette douce personne en profita pour lui entonner l'huile dans le gosier. Le résultat fut immédiat. Dans un irrésistible haut-le-cœur, Frédie revomit le tout sur la robe de chambre de sa mère.

— Quel immonde enfant! hurla-t-elle, en lui lançant à la volée une gifle retentissante.

C'en était trop pour le cœur et pour les principes de Mlle Lion, gouvernante diplômée.

— Madame, dit-elle, je ne puis plus approuver ces méthodes.

L'interpellée se retourna et, sifflante:

— Ni moi les vôtres, ma fille!

Mlle Lion s'indigna.

— Vous vous oubliez, madame. Je ne suis pas une femme de chambre.

Mais son antagoniste n'avait que faire de la forme.

— Je ne sais pas ce que vous êtes, mais je vous paie pour vous occuper de mes enfants et non pour les dresser contre leur mère. Vous avez admirablement profité des leçons de ma belle-mère, qui s'entendait bien à ce travail de division. Si je ne puis plus rien obtenir de mes fils, je sais maintenant à qui je le dois.

— Dans ces conditions, madame, je n'ai plus rien à faire ici.

— J'allais vous le dire.

Mademoiselle se retira, toute raide, et Mme Rezeau fit ingurgiter à Frédie, non pas une, mais deux cuillères d'huile de ricin.

Les réformes suivirent.

Cette fois, point de comparution solennelle. Le tour de vis fut donné, progressivement, au fur et à mesure des inspirations maternelles. Affirmer son autorité chaque jour par une nouvelle vexation devint la seule joie de Mme Rezeau. Elle sut nous tenir en haleine, nous observer, remarquer et détruire nos moindres plaisirs.

Le premier droit qui nous fut retiré fut celui de l'*ourson** . . . ou petit tour (signé Frédie). Nous avions jusqu'alors licence de nous promener dans le parc, à la seule condition de ne pas franchir les routes qui le bordent. Mademoiselle n'était pas encore partie, lorsque notre mère prit feu, en plein déjeuner, ce qui était contraire à ses habitudes, car, en principe, elle préférait manœuvrer son mari dans l'intimité.

— Jacques, tes enfants deviennent impossibles, surtout Brasse-Bouillon. Je ne peux pas les laisser galoper comme des veaux échappés. Un de ces jours, nous en retrouverons un sous les roues d'une auto. Ils ne sont jamais rentrés à l'heure exacte. N'est-ce pas, mon père?

— Euh! fit celui-ci, entre deux cuillerées de potage.

— Tes mains, Brasse-Bouillon! cria Mme Rezeau.

Et, comme je ne les remettais pas assez vite sur la table, un coup de fourchette, dents en avant, vint les ponctuer de quatre points rouges.

— Avec le dos, Paule! Avec le dos. Cela suffit, gémit papa, qui reprit: Tu ne peux tout de même pas attacher ces gosses.

— Non, mais je pense qu'il devient nécessaire de leur interdire de dépasser les barrières blanches.

Elle nous parquait ainsi dans un espace de trois cents mètres carrés.

— Vous n'êtes pas de mon avis, Jacques?

Le «vous» décida mon père à céder. Il le lui rendit d'ailleurs, ce qui signifiait chez lui non la colère, mais la lassitude.

— Faites comme vous l'entendrez, ma chère.

— *Mother, will you please give me some bread*, susurra Cropette dans le silence.

Alors, madame mère, condescendante, lui offrit le croûton qu'il préférait.

Mlle Lion dut s'en aller comme une voleuse. Nous ne fûmes pas autorisés à lui faire nos adieux. Mais le lendemain de son départ nous étions *autorisés* à gratter les allées du parc.

— Au lieu de gaspiller vos forces en jeux stupides, vous vous amuserez désormais d'une manière utile. Cropette ratissera. Frédie et Brasse-Bouillon gratteront.

Cette corvée de désherbage devait durer des années. Elle nous devint naturelle, mais, au début, nous vexa profondément. L'étonnement des fermiers, leur sourire nous étaient insupportables. Madeleine, de *La Vergeraie*, revenant de l'école, n'en croyait pas ses yeux.

— Voilà-ti pas que ces messieurs grattent leurs *allées et venues*, à présent!

— On s'amuse, tu vois bien, rétorqua bravement Frédie.

On s'amusait ferme, en effet. Mme Rezeau corsa l'affaire* en

32

installant son pliant à quatre mètres de nous. Elle avait dû vaguement entendre parler du stakhanovisme.* Ses conseils sur la meilleure méthode d'arracher les pissenlits, sur la manière d'économiser les coups de raclette et de leur donner le maximum d'efficacité nous furent prodigués avec taloches à l'appui. L'art de tailler les bordures au ciseau fut inventé. Rendons hommage à sa patience, qui grelottait parfois sous le vent d'ouest, mais s'acharnait aux futilités de la persécution, héroïquement.

Et, maintenant, voici l'invention des sabots.

La glaise de Craonnais est mortelle aux souliers. Grand'mère nous chaussait de galoches en été et de bottillons de caoutchouc en hiver. Madame mère les trouva dispendieux et, par ces motifs, les déclara malsains.

— Vous me pourrissez toutes vos chaussettes.

Papa résista quelques semaines. Il n'avait pas vu sans déplaisir ses enfants transformés en petits serfs. Sa conception de l'honorabilité en souffrait. Mais, comme toujours, il céda. Nous dûmes porter les sabots, que Mme Rezeau commanda spécialement au sabotier du village, Et non pas des sabots de fermière, relativement légers, recouverts de cuir, mais de bons gros sabots de champs, taillés en plein hêtre et ferrés de clous en quinconce. Des sabots de trois livres, qui nous annonçaient de loin. Marcel, toujours fragile, eut le droit de les porter avec chaussons. Pour Frédie, pour moi, la paille suffisait.

Quelques jours après, rafle générale dans nos chambres et dans nos poches. Interdiction de conserver plus de quatre francs (ces derniers étant réservés pour les quêtes). Bien entendu, nous n'avions jamais reçu un sou de nos parents, mais il arrivait que nos oncles et tantes nous fissent quelques dons. La prime de deux francs, instituée par grand'mère pour notes satisfaisantes, avait été supprimée depuis longtemps. Restait aussi le bénéfice des générosités Pluvignec.

Madame mère, ayant décrété la réquisition de nos bourses,

saisit également tous objets de valeur en notre possession: timbales d'argent de nos baptêmes,* chaînes de cou à médailles d'or, stylos offerts par le protonotaire, épingles de cravate. Le tout disparut dans le tiroir aux bijoux de la grande armoire anglaise, qui servait de coffre-fort à notre mère. Nous ne devions jamais rien récupérer.

En même temps, des serrures étaient posées sur les placards les plus anodins. Les clefs, étiquetées, furent suspendues à l'intérieur de la fameuse armoire dont je viens de parler et qui devint le saint des saints de *La Belle Angerie*. La clef suprême, celle qui défendait toutes les autres, celle de l'armoire anglaise, ne quitta plus l'entre-deux-seins* de la maîtresse de maison. Et Frédie trouva un nom pour cette politique: la *cleftomanie.**

De cette époque, date ma science de Louis XVI amateur, mon amour des passe-partout. Quelques clefs, chipées çà et là, furent d'abord cachées sous un carreau descellé de ma chambre, puis travaillées avec plus ou moins de bonheur en vue de crocheter certains placards. Simple forfanterie, au début. Nous n'en étions pas encore au stade du vol domestique, mais nous avancions gaillardement sur cette voie.

Déjà, nous avions faim, déjà, nous avions froid. Et nous louchions sur les entrebâillements d'armoires, d'où notre mère, parcimonieusement, retirait linge ou victuailles. Et nous ragions, lorsque notre *frère de Chine* était appelé:

— Tiens, Cropette! Tu as été convenable depuis huit jours. Attrape ça.

Généralement, il ne s'agissait que d'une vieille nonnette, car la gueuse ne se mettait point en frais. Mais ce privilège exorbitant exaltait la morgue de Cropette, le maintenait en douce vassalité, l'incitait à crachoter entre deux portes ses petites délations.

Au surplus, ces nonnettes, elles nous avaient été volées, et nous le savions. L'arrière grand'mère Pluvignec nous les envoyait de Dijon, où elle s'éteignait en bourgeoisie, depuis trois quarts de siècle, sans daigner nous connaître.

34

Déjà, nous avions faim, déjà, nous avions froid. Physiquement. Moralement, surtout. Passez-moi le mot, s'il recouvre vraiment quelque chose.* Un an après la prise du pouvoir par notre mère, nous n'avions plus aucune foi dans la justice des nôtres. Grand'-mère, le protonotaire, la gouvernante avaient pu nous paraître durs, quelquefois, mais injustes, jamais. Nous ne doutions pas un instant de l'excellence de leurs principes, même si nous les observions avec hypocrisie. En quelques mois, Mme Rezeau eut ruiné cette créance salutaire. Les enfants ne réfléchissent que comme les miroirs: il leur faut le tain du respect. Tout système d'éducation (tant pis pour ce grand mot!) leur apparaît mal fondé, s'il n'embauche pas leur piété filiale. Cette expression, à *La Belle Angerie*, vaut un ricanement.

C'est pourquoi cette tragédie, encore froide, rejoignit-elle le comique, lorsque notre mère s'improvisa directrice de conscience.

Mon père faisait, deux fois par semaine, dans la chapelle, une lecture spirituelle. L'une d'elles ouvrit à Mme Rezeau des horizons nouveaux.

— . . . Nous ne connaissons plus aujourd'hui que la confession privée. Mais, chez les premiers chrétiens, la confession était publique. Certains ordres monastiques ont conservé cet usage et, chaque soir, «battent leur coulpe»* devant leurs frères . . .

Quel admirable biais pour entrer, toute casquée, dans l'intimité de nos fautes vénielles ou autres! Au souper suivant, entre les haricots rouges et le fromage de ferme, les paupières de notre mère s'abattirent sur un visage sublime. Ouvrant les bras, en demi-orémus, abandonnant la langue des hérétiques d'outre-Manche,* toujours en vigueur à cette heure-là, cette sainte femme risqua ces mots pesés au milligramme sur des balances angéliques:

— Jacques, j'ai beaucoup médité la lecture spirituelle que vous nous avez faite. J'ai une proposition à vous faire. Je sais qu'elle pourrait paraître singulière en toute autre famille que la nôtre. Mais, Dieu merci! nous pouvons nous moquer ici des libres penseurs et des athées. Nous ne sommes pas pour rien la souche d'où jaillissent tant de défenseurs de la foi, écrivains, prêtres ou religieuses. Mais que faisons-nous pour mériter un tel honneur? Il faudrait que nos enfants soient élevés dans le meilleur sens de ce terme . . . élevés vers les sommets de la foi.

Un temps. Papa ne sourcillait pas: cette terminologie conventuelle lui était familière. La sainteté, apanage Rezeau.* La foi de notre père n'était pas de celles qui soulèvent les montagnes, mais elle était lourde et encombrante comme le mont Blanc. Des enfants bien encordés pour l'alpinisme mystique, rien ne pouvait lui sembler plus souhaitable.

— Mais où veux-tu en venir, chère amie?

— A la confession familiale quotidienne. J'ai entendu dire que les Kervazec la pratiquent depuis longtemps.

Suprême argument! Les Kervazec sont, dans le canton, la famille rivale en sainteté. Ils ont donné un cardinal à la France.

Papa hésitait encore. Notre mère entreprit le père Trubel:

— Vous êtes certainement de mon avis, mon père?

Professionnellement, le précepteur était obligé de l'approuver. Il se contenta d'un signe de tête.

— Bon! conclut M. Rezeau.

Jamais ce vague adjectif ne m'apparut si dénué de sincérité. Une heure après, la prière du soir expédiée, eut lieu notre premier déshabillage de conscience. Je m'en souviens comme d'une chose odieuse.

— Je m'accuse, disait Marcel, d'avoir oublié mon signe de croix avant l'étude de quatre heures. Et puis j'ai dit zut à Fine, qui ne voulait pas me donner une seconde tartine. Et puis j'ai donné un croche-pied à Ferdinand, qui ne voulait pas me rendre *Le Capitaine de quinze ans*.

— Cet enfant est d'une remarquable franchise, pontifia ma mère. Allez, Marcel! reprit-elle en employant le vous, pour bien marquer qu'elle était dans l'exercice de ses plus sublimes fonctions. Allez! le bon Dieu, votre père et moi, nous vous pardonnons.

Quant à moi, je me tus. Ce déballage me trouvait aphone.*

— Qu'attendez-vous? Qu'avez-vous à cacher, mon garçon?

— J'ai certainement fait des péchés . . . mais . . . je ne m'en rappelle plus . . .

— Je ne me les rappelle plus, corrigea le père blanc.

— Faut-il que je vous aide? reprit sèchement Mme Rezeau.

Tout plutôt que cela. Je me lançai dans tous les détails du *Confiteor*. Impatience, gourmandise (avec quoi, mon Dieu!), paresse, orgueil . . . toute la liste bénévolement acceptée par le curé de Soledot, le samedi soir.

— Mais précisez donc, mon garçon! exigeait madame mère.

— Pour aujourd'hui mieux vaudrait s'en tenir là, proposa le père, à qui je vouai, séance tenante,* une éternelle reconnaissance.

Frédie, à son tour, se mit à genoux.

— J'ai été très sage, aujourd'hui, fit-il. Le père m'a même promis une griffe de lion. J'ai 12 de moyenne . . .

— Orgueilleux! glapit notre mère. Et cette histoire de livre que vous avez volé à votre plus jeune frère? Vous serez privé de lecture pendant huit jours.

— Mais, madame, objecta le père, le secret de la confession . . .

— Justement! Il n'a rien avoué du tout, rétorqua Mme Rezeau. Il faut qu'il sache bien qu'il n'a aucun intérêt à dissimuler ses fautes. Quand il l'aura bien compris, il sera plus franc.

Marcel aussi l'avait bien compris. Désormais ses petits rapports devenaient inutiles. Sans avoir l'air d'y toucher et sous couleur de scrupules, il pourrait tous les soirs poignarder dans le dos, au besoin.

Frédie, lecteur passionné, était devenu enragé.

— La folle! La cochonne! répétait-il en se déshabillant, si haut que ses injures traversaient la cloison.

Et, tout à coup, contractant ces termes énergiques, il rebaptisa notre mère:

— Folcoche! Saleté de Folcoche!

Nous ne la connaîtrons plus que sous ce nom.

VIII

Perrault reniflait, prenait le vent avec le pouce mouillé, braconnait pour le patron, Le père Trubel, martial, mais désarmé, avait retroussé sa soutane: il portait en dessous des culottes de velours gris. Papa tenait son fusil sous le bras droit et, sur l'épaule gauche, en bandoulière, son filet démontable à poche de mousseline. Tous trois, nous battions la haie à l'aide de badines de châtaigniers. «Ravissant», cet affreux bâtard de mâtin et d'épagneule, tournait autour de nous, les oreilles rongées de tiques blanchâtres. Soudain, il se jeta dans le hallier.

— Attention! cria Perrault.

Un premier lièvre, classiquement jailli du talus, déboula, cherchant à gagner l'abri d'une rangée de choux, fut posément suivi par le fusil jusqu'à la distance convenable et, foudroyé, termina une quadruple culbute entre deux touffes de ravenelle.

Frédie se précipita. Ravissant *broussait* bien, mais rapportait mal.* M. Rezeau remit une cartouche de 7 dans le canon droit de son vieux Damas et pérora:

— Quand un lièvre vous part *dans la culotte*,* il faut attendre pour le tirer et viser aux oreilles.

Prenant sa victime des mains de mon frère, papa, d'un pouce victorieux, lui pressa longuement sur le ventre, afin de la faire pisser. Machinalement, il se mit à siffloter l'air célèbre:

> *La petite Emilie*
> *M'avait hier promis*
> *Trois poils de son cul*
> *Pour faire un tapis . . .*

Mais, soudain, il se rappela la présence du père blanc.

— Excusez-moi, l'abbé!

— On sait ce que c'est qu'un chasseur, répliqua l'autre. Mais je ne comprends pas comment vous pouvez tirer avec cette vieille pétoire qui ne supporte pas la poudre pyroxylée* et qui fait une fumée du diable.

Mon père considéra longuement son vieux fusil à chiens et soupira :

— J'y suis habitué. A vrai dire, je voulais m'offrir une arme à ma couche,* chez Gastine-Rennette. Mais ma femme trouve la dépense excessive. Elle est pourtant ravie quand je lui rapporte du gibier.

Certes ! Nous en avions même une indigestion. Rien n'est plus écœurant que le civet quotidien. La saison de la chasse nous était cependant bien précieuse. Folcoche ne s'y hasardait jamais : elle craignait trop pour ses bas, encore que ceux-ci, depuis quelque temps, ne fussent plus de soie, mais de fil. Malgré tous ses efforts pour nous priver de ce plaisir, sous divers prétextes, elle n'avait pu y parvenir. M. Rezeau avait besoin de ses rabatteurs.

Nous devions faire, ce jour-là, un «tableau» mémorable. Le Craonnais, parce qu'il est presque entièrement terre de seigneurs, est resté giboyeux. Le poil l'emporte sur la plume, hélas! car les perdreaux sont trop souvent empoisonnés par les bouillies arséniatées employées contre le doryphore.* Râles, ramiers, tourterelles pullulent. Le lapin part à tous les coins de haie. On aperçoit de temps en temps un renard, qui trotte très loin, très vite, la queue entre les pattes et si ramassé sur lui-même qu'il faut un œil exercé pour le distinguer de ces gros chats de ferme assassins de couvées. (Par représailles, à partir de cent mètres des granges, mon père les exécutait tous sans distinction.)

Nous avions déjà rempli le carnier, et la poche à dos de M. Rezeau se gonflait à vue d'œil : un lièvre, sept lapins de garenne, deux perdreaux gris, deux rouges, un râle de genêt, quatre tourterelles. Je n'oublie pas : cinq mouches peu communes.

Sur le coup de six heures (avis du clocher de Soledot), comme nous rentrions, un renard traversa rapidement le chemin creux de la Croix-Chouane. M. Rezeau avait l'arme à la bretelle.* Il eut à peine le temps d'épauler et de tirer, au jugé,* dans la haie même où le renard venait de rentrer.

Nous l'en retirâmes, mort.

— Vous avez un fameux coup d'œil! s'exclama le révérend.

Je vous laisse à penser quel fut le succès de notre retour. Frédie et moi, nous portions le renard attaché par les pattes à une grosse branche, comme les nègres quand ils ont tué un lion. Le père venait de nous donner cette recette. Perrault nous emboîtait le pas, tenant au bout de chaque bras, par les oreilles, les deux plus gros lapins, qu'il balançait mollement dans leur mort, pour l'édification des populations. Mon père fermait la marche, arborant cette négligence d'allure propre aux triomphateurs. Sa culotte à choux,* large et fendue comme les pantalons des dames du temps jadis, commençait à le quitter, et sa cartouchière, desserrée, bringuebalait sur son ventre. Il sifflotait le reste de son air favori.

> . . . *Le poil est tombé,*
> *Le tapis est foutu,*
> *La petite Emilie*
> *N'a plus de poil au cul!*

C'est dans cet équipage que nous atteignîmes *La Belle Angerie*, après avoir fait quatre signes de croix, le premier en passant devant le calvaire, le second devant Saint-Joseph-du-Grand-Chêne, le troisième devant Saint-Aventurin-du-Puits-Philippe, le dernier en contournant la chapelle.

Déjà nous nous refroidissions. L'enthousiasme tomba tout à fait lorsque nous aperçûmes, au bas du perron, Mme Rezeau, raide, empalée sur son indignation.

— Vous n'avez pas entendu la cloche?

— Quelle cloche? répondit innocemment mon père.

Mme Rezeau haussa les épaules. Il n'y a qu'une cloche dans le pays: la nôtre.

— Voilà trois fois que je fais sonner à toute volée. Le comte de Soledot est venu vous voir. Vous savez pourquoi . . . Il s'agit de ce poste de conseiller, qui vous revient de droit.

— Mais je n'en veux pas! cria M. Rezeau, vous savez bien, vous aussi, que je n'en veux pas!

— Ceci est une autre question. En attendant, je ne peux pas croire qu'aucun d'entre vous n'ait entendu la cloche.

— Nous avons dépassé le vallon des Orfres, hasardai-je.

— Toi, je ne te demande rien, mon garçon! Je me doute bien que vous avez tout fait pour détourner l'attention de votre père. Tu n'iras pas à la chasse la prochaine fois.

Alors se produisit un événement condidérable. Le grand chasseur se campa devant son épouse, les veines de son cou se gonflèrent et le tonnerre de Dieu lui sortit de la bouche:

— Non, mais, Paule! Est-ce que tu vas nous foutre la paix, oui!

— Vous dites?

Folcoche restait pétrifiée. Papa ne se contrôlait plus. Ce lymphatique devint violet.

— Je dis que tu nous casses les oreilles. Laisse ces enfants tranquilles et fous-moi le camp dans ta chambre.

Nous jubilions. Mais l'excès même de cette colère de faible, bien douce à nos tympans, nuisait à notre cause. Folcoche connaissait son métier. Elle ne bougea pas d'un centimètre, se statufia dans le genre noble.*

— Mon pauvre Jacques, dans quel état te mets-tu . . . devant tes enfants! Tu dois être souffrant.

Déjà M. Rezeau regrettait ses cris. D'un ton bourru, qui voulait sauver la face, il commanda:

— Portez ce gibier à la cuisine. Moi, je vais me changer.

Il battit en retraite, tels ces généraux vainqueurs qui ne savent exploiter un succès provisoire. Restée maîtresse du terrain, Folcoche eut le soin de ne pas se venger trop vite.

— Perrault, qu'est-ce que c'est que cette bête-là?

41

— Mais c'est un renard, madame! et un charbonnier,* encore!

— Il n'est pas gros.

Perrault, vexé, lui dédia un mauvais regard.

— Vous en ferez tout de même une belle fourrure, madame.

Une nuance d'intérêt passa dans les yeux de Folcoche, mais les remerciements lui coûtaient trop. Depuis plusieurs mois, elle cherchait à balayer* le garde-chasse-jardinier, dont les fonctions, dans son esprit, étaient déjà dévolues à Barbelivien. (De fait, Perrault fut liquidé peu après.)

— Allons, venez, les enfants, reprit-elle d'un ton neutre. Il faut aller vous laver les mains.

La manœuvre consistait à nous isoler des témoins. Mme Rezeau se contint jusqu'au palier. Mais là . . . les pieds, les mains, les cris, tout partit à la fois. Le premier qui lui tomba sous la patte fut Cropette et, dans sa fureur, elle ne l'épargna point. Notre benjamin protestait en se couvrant la tête:

— Mais, maman, moi, je n'y suis pour rien.

Petit salaud qui l'appelait maman! Folcoche le lâcha pour se ruer sur nous. Remarquez que, d'ordinaire, elle ne nous battait jamais sans nous en donner les motifs. Ce soir-là, aucune explication. Elle réglait ses comptes. Frédie se laissa faire. Il avait un chic particulier pour passer le bourreau en s'effaçant sous les coups, en le contraignant à frapper à bout de bras. Quant à moi, pour la première fois, je me rebiffai. Folcoche reçut dans les tibias quelques répliques du talon et j'enfonçai trois fois le coude dans le sein qui ne m'avait pas nourri. Evidemment, je payai très cher ces fantaisies. Elle abandonna tout à fait mes frères, qui se réfugièrent sous une console, et me battit durant un quart d'heure, sans un mot, jusqu'à épuisement. J'étais couvert de bleus en rentrant dans ma chambre, mais je ne pleurais pas. Ah! non. Une immense fierté me remboursait au centuple.

Au souper, papa ne put ne pas remarquer les traces du combat. Il fronça les sourcils, devint rose . . . Mais sa lâcheté eut le dessus. Puisque cet enfant ne se plaignait pas, pourquoi rallumer la guerre?

Il trouva seulement le courage de me sourire. Les dents serrées, les yeux durs, je le fixai longuement dans les yeux. Ce fut lui qui baissa les paupières. Mais, quand il les releva, je lui rendis son sourire, et ses moustaches se mirent à trembler.

IX

Poussées par de solides bras de vent, les giboulées giflaient interminablement le Craonnais avec la même constance dont Folcoche savait faire preuve à notre égard. Les carreaux étaient verts, l'Ommée débordait largement sur les prés bas, noyant les grillons. Depuis deux ans, déjà – deux ans! savez-vous ce que c'est? – nous vivions affublés d'hypocrisie et de loques, tout cheveu et toute espérance tondus de près.* Depuis deux ans, le révérend au trois griffes de lion nous apprenait le latin et le grec, entre deux pipes de «gros cul».*

Contrairement à ses prévisions, il avait tenu le coup. Madame mère le soutenait malgré la qualité médiocre de son préceptorat et le zèle fâcheux qui le poussait vers les filles de ferme. On le payait peu. On pouvait le traiter cavalièrement. Il se lavait toujours les mains et passait la cuvette de Ponce Pilate* à la dictatrice. Une seule ombre au tableau: il avait le nez fin et ne pouvait renifler sans humeur l'odeur de nos chaussettes sales, changées toutes les six semaines.

— Encore vos patates pourries! maugréait-il.

Tout a une fin. En mars, le jour anniversaire de l'assassinat de César, comme le père nous ânonnait quelque passage du *De Viris,** M. Rezeau, les moustaches retournées au plafond, fit irruption dans la salle d'études.

— L'abbé! fit-il d'un ton rogue, j'ai à vous parler. Passons de l'autre côté.

Immédiatement, trois oreilles furent collées contre la porte.

— Ça barde!* jubilait Frédie.

Ça bardait, en effet.

— L'abbé! criait M. Rezeau, vous exagérez, vous déshonorez votre soutane. La mère Mélanie, de *La Vergeraie*, sort de mon bureau. Il paraît que vous avez essayé de tripoter sa fille aînée. Je me doute maintenant du véritable motif pour lequel vous avez dû quitter votre ordre. Je vous retire l'éducation de mes enfants.

Mais la note comique manquait encore.

— Je me demande si, par hasard, vous ne seriez pas interdit . . . si vos messes étaient valables!

Un rire énorme nous apprit que le père Trubel laissait glisser son masque sur le parquet de sa chambre. Un rire homérique qui devait déboutonner tous les petits boutons de sa soutane et faire sauter les griffes de lion de sa breloque. Enfin cette hilarité s'apaisa. Nous pûmes entendre:

— Mais oui, mon bon monsieur, je quitte votre maison de fous . . . Vos haricots rouges commençaient à m'écœurer . . . et le parfum des chaussettes de vos enfants, ces petites bêtes puantes . . . Je vous laisse sous la férule de Folcoche . . . Ah! vous ne connaissez pas le surnom que ses fils ont donné à . . .

Pour la seconde fois, rugit la colère paternelle:

— Nom de Dieu! Allez-vous vous taire! Je fais atteler.* Vous partirez séance tenante.

De la chambre du révérend, jaillit mon père, cramoisi. Surpris par la brusque poussée de la porte, nous fûmes renversés, les quatre fers en l'air. M. Rezeau traversa la salle sans même s'en apercevoir.

Le père Trubel partit aussitôt. Je le vois encore s'engouffrer dans la vieille victoria qui puait le cuir et le crottin (et qui allait être remplacée par une cinq chevaux Citroën). Il avait eu le temps, cependant, de me glisser une griffe de lion dans la main et de me confier, dans un brusque tutoiement:

— Prends ça, gamin! Il n'y a que toi qui la mérites.

Le père disparu et remplacé, nous payâmes les pots cassés.* Recrudescence de vexations. Nouvelles réformes. Folcoche nous a toujours considérés comme responsables des ennuis survenus à la maison. Or *La Belle Angerie* connaissait la série noire. Le scandale de la soutane blanche était à peine apaisé que se produisit l'incident des armoires. La plus pauvre de nos tantes, Mme Torure, osa réclamer la normande* de la petite salle à manger et – accessoirement* – deux paires de draps. Quelle prétention! Les vingt et une armoires du manoir grincèrent sur leurs gonds. Par la bouche exaspérée de Mme Rezeau, les cinquante paires de draps déclarèrent qu'elles n'étaient jamais sorties de *La Belle Angerie*. On n'a pas idée de remettre en question un partage équitable, qui avait tout attribué à M. Rezeau, notre père, par désistement pur et simple de tous ces cohéritiers, respectueux d'une tradition qui, à chaque génération, permettait de sauver le domaine. Gabrielle, baronne de Selles d'Auzelles, Thérèse, comtesse Bartolomi, le protonotaire, mère Marie de Sainte-Anne-d'Auray, mère Marie de la Visitation, mère Marie de je ne sais plus quel saint (ces trois dernières épouses de Dieu, malgré la polygamie) avaient tous et toutes signé le document. La tante Torure aussi, stupidement mariée à un pauvre, veuve de ce pauvre et fidèle au souvenir de ce pauvre! Alors, que venait maintenant réclamer cette indigente? Folcoche en étouffait d'indignation.

M. Rezeau hésitait. Il était honnête, cet homme. Pour calmer sa conscience, il abandonna, en grand secret, à sa sœur, les droits d'auteur* hérités de grand'mère. Et les armoires demeurèrent sur place, à la grande satisfaction de Folcoche, qui décida, par prudence, de les rendre toutes indispensables en transformant celles qui étaient vides en cabinets de toilette.

Histoire réglée. Mais voilà que les chevaux se mirent à crever mystérieusement. La série continuait. Ils ne donnèrent aucune explication, ces chevaux, à leur mort subite. «Morve»* prétendit le *méjéyeux* (*alias* vétérinaire).* Folcoche haussa les épaules. Elle savait à quoi s'en tenir. La version de l'empoisonnement des chevaux par les enfants ne fut pas formulée, mais, pendant des semaines, Folcoche surveilla, enquêta, insinua, espéra la preuve ou le semblant de preuve qui lui permettait de condamner les coupables à la maison de correction, le rêve de sa vie. Peine perdue. Nous étions innocents. Et nous étions sur nos gardes. M. Rezeau remplaça les chevaux par une Citroën.

Et le traintrain, pieux et perfide, reprit son cours.

Nous ne grandissions guère. Nous ne nous décidions pas à pousser. Folcoche nous mesurait tous les trois mois, le long d'une planche quasi historique, où toutes les tailles de Rezeau avaient laissé un trait de crayon, un prénom et une date. En vain. Sans doute avions-nous trouvé le truc inverse des grognards de la garde,* qui se glissaient des jeux de cartes sous la chaussette pour atteindre le niveau requis.

— Tiens-toi droit, Chiffe !

Mais Chiffe ne prenait pas un centimètre.

Non, la seule chose qui eût grandi en nous, disons-le, c'était un certain sentiment, impossible à mesurer, mais qui eût encombré des kilomètres sur la carte du non-Tendre,* si elle existait. Dans cet ordre d'idées, nous avions atteint le gigantisme.

Je me souviens, je me souviendrai toute ma vie, Folcoche... Les platanes, pourquoi portent-ils ces curieuses inscriptions, ces V. F. quasi rituels, que l'on pourra retrouver sur tous les arbres du parc, chênes, tulipiers, frênes, tous, sauf un taxaudier que j'aime? V. F... V. F... V. F... C'est-à-dire, vengeance à Folcoche! Vengeance! Vengeance à Folcoche, gravée dans toutes les écorces, et sur les potirons de fin d'année, et sur le tuffeau des tourelles, cette pierre tendre qui se laisse bien creuser à la pointe du canif, et même en marge des cahiers. Non, ma mère, cela n'est point, comme on vous l'a quelquefois prétendu, une ressource mnémo-technique : verbes français, ne pas oublier d'apprendre tes verbes français. Non, ma mère, il n'y a plus qu'un seul verbe qui compte ici, et nous le déclinons correctement à tous les temps. Je te hais, tu me hais, il la haïssait, nous nous haïrons, vous vous étiez haïs, ils se haïrent! V. F... V. F... V. F... V. F...

46

Et la *pistolétade*? Tu sais, Folcoche, la pistolétade!

— Moi, je l'ai *pistolétée* pendant quatre minutes! se vantait Frédie.

Pauvre chiffe! Petit prétentieux à paupières faibles! Si quelqu'un t'a pistolétée, c'est bien moi, je m'en vante. Tu t'en rappelles? Pardon! Tu te le rappelles? . . . Tu dis toujours:

— Je n'aime pas les regards faux. Regardez-moi dans les yeux. Je saurai ce que vous pensez.

Ainsi tu t'es toi-même prêtée à notre jeu. Tu ne pouvais pas ne plus t'y prêter. Et puis, ça ne te déplaît pas, ma tendre mère! Au dîner, en silence, voilà le bon moment. Rien à dire, Tu ne me prendras pas en défaut. J'ai les mains sur la table. Mon dos n'offense pas la chaise. Je suis terriblement correct. Aucune faille légale dans mon attitude. Je peux te regarder fixement. Folcoche, c'est mon droit. Je te fixe donc, je te fixe éperdument. Je ne fais que cela de te fixer. Et je te parle en moi. Je te parle et tu ne m'entends pas. Je te dis: «Folcoche! regarde-moi donc», «Folcoche, je te cause!» Alors ton regard se lève de dessus tes nouilles à l'eau, ton regard se lève comme une vipère et se balance, indécis, cherchant l'endroit faible qui n'existe pas. Non, tu ne mordras pas, Folcoche! Les vipères, ça me connaît. Je m'en fous, des vipères. Tu as dit toi-même, un jour, devant moi, que, tout enfant, j'en avais étranglé une . . . «Une faute impardonnable de ma belle-mère, sifflais-tu, un manque inouï de surveillance! Cet enfant a été l'objet d'une grande grâce!» Et, ce disant, le ton de ta voix reprochait cette grâce au ciel.

Mais ton regard est entré dans le mien et ton jeu est entré dans mon jeu. Toujours en silence, toujours infiniment correct comme il convient, je te provoque avec une grande satisfaction. Je te cause, Folcoche, m'entends-tu? Oui, tu m'entends. Alors je vais te dire: «T'es moche!* Tu as les cheveux secs, le menton mal foutu,* les oreilles trop grandes. T'es moche, ma mère. Et si tu savais comme je ne t'aime pas! Je te dis avec la même sincérité que le «va, je ne te hais point»* de Chimène, dont nous étudions en ce moment le cornélien caractère. Moi, je ne t'aime pas. Je pourrais te dire que je te hais, mais ça serait moins fort. Oh! tu peux durcir ton vert de prunelle, ton vert-de-gris de poison de regard. Moi, je ne baisserai pas les yeux. D'abord, parce que ça t'emmerde.* Ensuite, parce que Chiffe me regarde avec admiration, lui qui sait que je tente de battre le record des sept minutes vingt-trois secondes que j'ai établi l'autre jour et qu'il est en train de contrôler sans en avoir l'air sur la montre-bracelet de ton propre poignet. Je te pistolète à mort, aujourd'hui. Ce faux jeton de Cropette* me regarde aussi: il est bon qu'il sache que je ne le crains pas. Il est bon qu'il ait peur, lui, qu'il réfléchisse aux inconvénients auxquels il s'expose. Je commence à bien lui pincer les fesses quand c'est nécessaire et je serai bientôt assez fort pour lui casser sa sale petite gueule, comme dit Petit-Jean Barbelivien qui ne l'aime pas, car personne, pas même toi qui t'en sers, personne vraiment ne l'aime. Tu vois, Folcoche, que j'ai mille raisons de tenir le coup, la paupière haute et ne daignant même pas ciller. Tu vois que je suis toujours en face de toi, mon regard tendu vers ta vipère de regard à toi, tendu comme une main et serrant, serrant tout doucement, serrant jusqu'à ce qu'elle en crève . . . Hélas ! pure illusion d'optique. Façon de parler. Tu ne crèveras pas. Tu siffleras encore. Mais ça ne fait rien. Frédie, par de minuscules coups d'ongle sur la table, vient de m'annoncer que j'ai battu le record, que j'ai tenu plus de huit minutes la pistolétade. Huit minutes, Folcoche! Et je continue . . . Ah! Folcoche de mon cœur! Par les yeux, je te crache au nez. Je te crache au front, je te crache . . .»

— Frédie! Tu as fini de faire l'imbécile avec tes ongles.

C'est fini! Tu es vaincue. Tu as trouvé le prétexte pour te détourner. L'héritier présomptif, tu le gratifies d'un coup de fourchette, pointes en avant, et, moi-même, tu me gratifies d'un rapide battement de tes cils trop courts, ce qui signifie: «Petit crétin, je te rattraperai à la première occasion.» Et, comme je souris au millimètre, d'un sourire à peine perceptible pour tout autre que toi, tu te venges en réitérant le coup de fourchette sur le dos de la main de Frédie, en choisissant l'endroit le plus sensible, à la jointure des doigts, là où l'on compte les mois de trente ou trente et un jours. Quatre petites perles de sang apparaissent, parce que tu as frappé un peu trop fort. Frédie me regarde de travers, maintenant. Papa proteste faiblement :

— Je t'ai déjà dit, Paule, de n'employer que le dos de la fourchette.

Et l'abbé, outré, baisse de vertueuses paupières. Il ne s'y fera pas non plus, celui-là. Il s'en ira bientôt.

Tiens ! c'est vrai, je deviens négligent, j'ai oublié de parler de cet abbé numéro quatre. Quatre, oui. En voilà déjà deux qui, depuis le père, ont refusé d'adopter « un système d'éducation trop austère » (euphémisme sacerdotal !), deux qui ont foutu le camp, au trot, l'un pour soigner sa mère, l'autre pour soigner sa décalcification. Le petit nouveau, c'est un séminariste qui s'est engagé pour les vacances. Il montrait, en arrivant, beaucoup d'enthousiasme. Pénétrer sous le toit qui a vu naître le plus grand défenseur de l'Eglise, pensez donc ! Je crois qu'il commence à trouver notre sainteté rébarbative et à regretter le séminaire, où l'on se promène, entre soutanes, six en avant, six à reculons, d'un cœur plus léger que sous les ombrages humides des platanes de *La Belle Angerie*.

Il n'en a pas pour longtemps, l'abbé chose,* dont le nom ne marque pas dans ma mémoire. Mais pourquoi, diable ! pourquoi revois-je encore le visage de ce doux conscrit de l'évêché ? Voyons, cherche, Brasse-Bouillon. Eh ! pardi, j'y suis. C'est ce passant qui a recueilli madame mère dans ses bras épouvantés.

Dans ses bras, oui, le soir même du record. En pleine prière du soir. La tension nerveuse à laquelle j'ai soumis ma pauvre mère a-t-elle précipité l'heure de la crise ? Si oui, quelle consolation ! Maintenant je me souviens de tout, le moindre détail me revient. Je vois ma mère qui devient toute blanche. Mon père entame allégrement le *Souvenez-vous*.

— Souvenez-vous, ô très douce vierge Marie, qu'on n'a jamais entendu dire qu'aucun de ceux . . .

«Au fait, qu'est-ce que c'est qu'une vierge?» suis-je en train de penser. Petit-Jean dit que c'est une femme qui n'a pas eu d'enfants. Mais la sainte Vierge en a eu un. Mme Rezeau se lève, en se tenant le ventre. Frédie me jette un coup d'œil.

— ... qu'aucun de ceux qui ont eu recours à votre protection, imploré votre assistance et réclamé vos suffrages ait été abandonné...

La bonne blague!* J'ai tout essayé auprès de cette dame, sur la foi de ces paroles. Elle n'a jamais rien fait pour adoucir Folcoche.

— ... animé d'une pareille confiance, ô vierge des vierges...

Parce qu'il y a sans doute plusieurs degrés dans la virginité. On dit bien roi des rois.

— ... je viens, je cours à vous et, gémissant sous le poids de mes péchés... Mais, Paule, qu'avez-vous?

Elle gémit, Paule, votre femme, ô mon père! Elle gémit sous le poids de ses péchés. Elle gémit faiblement là où d'autres gueuleraient à pleins poumons. Elle se tord peu à peu, vacille, essaie de se redresser, puis, d'une seule masse, s'effondre dans les bras du séminariste qui la reçoit respectueusement, encore que s'effeuillent à son intention toutes les pivoines de la terre.

Bien entendu, papa s'affole.

— Paule! Ma petite Paule! Mais qu'as-tu? Allons, l'abbé, transportons-la sur le Récamier* du salon. Fine! Fine! Ah! mais c'est vrai qu'elle n'entend pas.

Grand signe de détresse, la main tapotant le sternum.* Alphonsine, à tout hasard, se jette sur la cruche d'eau craonnaise (donc légèrement trouble) et en vide la moité sur le front de Folcoche, qui ne bronche pas. Fichtre! c'est grave. Nous sommes tous très intéressés, très mouches du coche.* Folcoche se tord toujours, inconsciente, les deux mains sur le foie. Sa respiration siffle. Dois-je le dire? mais nous respirons mieux depuis qu'elle étouffe.

Enfin papa prend le seul parti raisonnable: il saute dans sa voiture et va chercher Cacor, le médecin de Soledot. Pendant ce temps, Fine et Bertine Barbelivien, qu'on est allé *quérir*,* transportent notre mère, la déshabillent, la couchent. Quand le docteur arrive, elle n'a point repris ses sens.

— Pardi! fait Cacor, c'est la Chine. Crise hépatique. Je crains une lithiase vésiculaire.* Il faudra radiographier. Je vais faire une piqûre de morphine.

— Allez vous coucher, les enfants, dit doucement notre père.

Je ne dormirai que très tard. C'est que je me souviens de la mort de grand'mère. Ce désastre avait très vite été consommé. Est-ce que Dieu, qui se trompa si lourdement ce jour-là, aurait l'intention de réparer son erreur? Que sa sainte volonté soit faite! Ah! oui, cela m'arrangerait bien que sa volonté soit faite.*

La maison est calme, maintenant. L'odeur de la bouse fraîche me parvient à travers l'œil-de-bœuf de ma chambre. Barbelivien rentre de la vacherie, et sa lanterne se balance dans la nuit. Et, dans ma tête, qui devient lourde, se balance un dernier espoir sacrilège.

X

Deux jours après – mieux que Jésus-Christ, – Folcoche était ressuscitée. Provisoirement du moins: les hépatiques* ont de ces sursis. Elle refusa la radio, l'algocoline Zizine, l'eau de Vichy et surtout les doléances.* Pour ménager sa femme, notre père voulait décommander la réception annuelle. Elle s'y opposa.

— Mon suaire n'est pas encore filé, disait-elle.

Et la réception eut lieu. Mme Rezeau, qui devenait de plus en plus économe, ne tenait cependant pas tellement à cette fête dispendieuse, qui réunissait tous les ans les deux cents notables du coin, du pharmacien (celui-ci reçu de justesse) à la duchesse (celle-là traversant les groupes avec condescendance).

— Pour six mille francs, je rends d'un seul coup toutes les politesses, affirmait notre père. Et puis ça pose . . .

Six mille francs! Avce cette somme, à l'époque, on habillait décemment une famille pendant deux ans. Six mille francs! Le sixième de nos revenus environ.

Une complication surgit. Malgré toute la bonne volonté du monde, ou, plutôt, malgré toute la mauvaise volonté du monde, Folcoche ne pouvait plus, comme les autres années, nous interdire de paraître à cette réception. Nous étions maintenant trop grands pour passer inaperçus. Mais nous n'avions pas de costumes satisfaisants. A vrai dire, nous n'en avions pratiquement pas du tout: culottes et chandails sortaient des mains de Fine. A la dernière minute, Folcoche fit l'acquisition d'un complet. Je dis bien: d'un complet. Un seul. Nous avions, disait-elle, sensiblement la même taille, Cropette, qui tenait des Pluvignec, étant relativement plus grand que ses aînés.

— Chiffe s'habillera le premier et paraîtra pendant une heure. Ensuite Brasse-Bouillon endossera le costume, qu'il refilera, au bout d'une heure également, à Cropette. Personne ne s'en apercevra. L'économie est importante. D'autre part, ainsi séparés, vous serez moins tentés de faire quelque sottise et vous pourrez faire vos devoirs comme tous les autres jours. Votre heure de présence comptera, en effet, comme récréation.

Cet arrangement déplut visiblement à M. Rezeau, qui l'accepta de mauvaise grâce. Quant à l'abbé (il faut dire: AB IV et, plus brièvement, B IV), il en resta «soufflé».*

— J'avoue ne rien comprendre aux usages de cette maison, osat-il nous dire. Vous dépensez une somme considérable pour donner une fête et vous n'avez rien à vous mettre sur le dos.

— Nous ne sommes pas riches, monsieur l'abbé, répondis-je, et nous devons tenir notre rang aux moindres frais.

— En sacrifiant le nécessaire au superflu?

— Qu'appelez-vous le nécessaire?

L'abbé s'enferra.*

— D'ordinaire, dit-il, vous défendez moins chaudement la tribu!

J'étais entièrement de son avis, mais il ne me venait pas à l'idée qu'il ait pu l'émettre sincèrement. Je n'y voyais qu'un piège pour me soutirer des plaintes, qui, le soir, à l'examen de conscience, me seraient véhémentement reprochées. Cropette nous avait déjà joué le tour.

— Singuliers enfants! marmonna le séminariste.

Puis, comprenant soudain:

— Ah! j'y suis! Vous me prenez aussi pour un ennemi. Mon pauvre petit . . .

Je n'aime pas la pitié. Je déteste les pleurnicheries. Sous la main de B IV, qui tentait de me caresser les cheveux, je rentrai la tête plus vivement que sous une taloche.

Cropette écoutait sans mot dire.

La fête eut donc lieu sous la pâle présidence de Folcoche. Notre «heure de récréation» fut une corvée remarquable, pire que le grattage des allées. Faire le quatrième au bridge, ramasser les balles de tennis, distribuer les baisemains* sur les nobles phalangettes* de la comtesse de Soledot douairière ou de Mme de Kervazec, galoper à la recherche de tel chauffeur, tenir la couverture du grand-oncle académicien, qui fit une brève apparition, telles furent nos distractions. Frédie, qui était tout de même un peu grand, et Cropette, qui était tout de même un peu petit, se trouvèrent désavantagés par le complet collectif. Bénéficiant de ma position centrale, j'apparus presque élégant. Mme Rezeau s'en aperçut et me glissa, dans l'oreille, au passage:

— Decends tes bretelles.

Je n'en fis rien. Mais elle trouva l'occasion de me coincer dans un couloir désert, entre deux courses, et opéra elle-même cette contre-amélioration. Papa, qui s'entretenait poliment avec M. Ladourd, le marchand de peaux de lapins devenu le plus gros propriétaire de la province (hélas!), me trouva godiche.*

— Tu ne vois pas que ton pantalon ressemble à un accordéon? Remonte-le.

J'obtempérai. Mais Folcoche ne tarda pas à revenir. Je la vis arriver, minaudant au bras de M. de Kervazec. Elle tenait debout par habitude. A la vue de mon pantalon correct, un peu de rose lui fut rendu. On venait de me confier une assiette de petits fours : elle trouva le biais pratique.*

— Ne t'empiffre pas ainsi, mon garçon !

Je n'en avais pas mangé un seul, me contentant de les offrir aux invités. Mais le neveu du cardinal coupa dans le pont.* Me retirant lui-même l'assiette des mains, paternellement, ce barbu de Kervazec me fit un cours mondain sur le péché de gourmandise. Un cours à l'usage d'enfants gâtés, où revenait sans cesse le mot «vilain». Cette gronderie sucrée m'écœura. J'étais surtout vexé de paraître encore assez jeune pour la subir. Si mes douze ans en paraissaient dix, j'avais la dureté des garçons de quatorze. Folcoche, qui devinait tout ce qui pouvait m'être désagréable, le comprit aussitôt. Elle reprit à son compte, non sans la vinaigrer, cette miè-vrerie agaçante :

— Allez, *vilain* ! Rentrez dans votre chambre et dites à votre frère Marcel que sa tante de Selles d'Auzelles l'attend pour marquer ses points au besigue.

Sursis pour les représailles. Le fiel de Folcoche se remit à brasser des cailloux.* Mais cette fois Mme Rezeau sentit venir la crise. Elle quitta le grand salon, encore plein de monde, sans donner l'alarme, et s'en fut* tout droit à l'armoire de pharmacie, dont elle retira la seringue de Pravaz* et une ampoule de morphine. Une heure plus tard, nous la retrouvions sur son lit. Elle avait eu le courage d'enlever sa robe de lamé, de l'accrocher sur un cintre. Elle dormait, bien détendue, enroulée dans sa robe de chambre. Je fus étonné de l'expression de son visage. Les traits de Folcoche, dans le sommeil, s'amollissaient. Le menton lui-même perdait de sa sécheresse. Oui, <u>la vipère</u>, tous yeux éteints, la vipère du pied du platane, une fois morte, manquait de métal.

— Papa, vous ne trouvez pas que maman *ne se ressemble pas* quand elle dort?*

M. Rezeau considéra sa femme quelques instants et me fit soudain cette étonnante réponse:

— C'est vrai qu'elle est mieux sans masque.

Et il m'embrassa. Son inquiétude était moins vive que lors de la précédente crise. L'essentiel, pour lui, se nommait «l'habitude». Toute nouveauté le trouvait sans défense. Mais cette rechute et les suivantes perdaient toute allure tragique. Mon père, qui avait fait la guerre, ne dut avoir peur que les premiers jours. Les hommes de son genre s'accoutument à tout, même à la mort, et surtout à la mort des autres, dès qu'elle fait partie de cette seule vie qu'ils sachent vivre: la vie courante.

Mais, encore une fois, Folcoche ne mourut point. Le lendemain, elle était sur pied. Ses joues arboraient la nuance cadavre, mais son menton se promenait devant elle, plus menaçant que jamais. Sa bouche, entr'ouverte la veille, s'était pincée au maximum. Sa première victime fut l'abbé. J'ignore ce qui se passa dans la bibliothèque, mais il nous en revint tout penaud, les yeux rouges. Ce dernier détail me scandalisa. Qu'est-ce que c'est qu'un homme qui pleure! Je résumai mon opinion:

— Folcoche se tient mieux que ça.

— Oui, consentit mon frère, on ne peut pas dire qu'elle manque d'allure. Hier soir, elle n'a pas hésité à se piquer elle-même.

— Comme les scorpions qui vont mourir, fit remarquer Cropette, qui avait quelque chose à se faire pardonner.

Tout beau! Il ne s'agissait point d'admirer Folcoche ... Cette mauvaise pente nous eût conduits jusqu'où? Par bonheur, la répression continuait. Fine comparut, elle aussi, et se fit savonner la tête* (au figuré, car, au propre, la chose ne lui est jamais arrivée). Il paraît qu'elle avait tenu des propos subversifs en finnois. La pauvre fille vint me chercher dans la salle d'études. Le simulacre d'enfoncer une alliance ... (Traduisez: «madame».) Trois ou quatre crochets de l'index droit ... (Traduisez: «vous demande».)

Une douzaine de chiquenaudes données à l'air, suivies d'un retour du pouce vers la poitrine . . . (Traduisez: «Moi, ce qu'elle m'a dit, je m'en moque».) Enfin le signe que vous connaissez déjà, en forme d'applaudissement: «Allons, vite!»

Je me dirigeai vers la bibliothèque. Madame mère faisait de la chaise longue de principe.* Je veux dire qu'elle y était assise, les jambes formant une équerre parfaite avec le corps et le dos indifférent aux coussins. Elle me toisa.

— Tu t'es permis de me tenir tête,* hier soir, je crois bien!

Je ne répondis pas. Elle souriait. Je vous assure qu'elle souriait. Folcoche avait à sa disposition une demi-douzaine de sourires différents. Celui-ci recouvrait son visage, comme le sirop enrobe le marron.

— Laissons cela. En principe, quand je te donne un ordre, rappelle-toi que ton père lui-même n'a pas le droit de le contredire. Je ne t'ai pas convoqué pour ce motif. Je veux savoir ce que vous a dit exactement votre précepteur, qui, lui, s'est permis de vous tenir sur mon compte des propos inqualifiables.

Ma paupière gauche battit.

— Oui, je sais aussi que son zèle est superflu. Votre grand'mère et Mlle Lion ont fait bien mieux que lui.

— C'est inexact, ma mère. Grand'mère ne parlait jamais de vous et mademoiselle nous a toujours ordonné de prier pour vous, le matin et le soir.

Mme Rezeau n'osa pas dire: «Ça me fait une belle jambe!*», mais, par suite d'une silencieuse association d'idées, elle se caressa longuement le tibia.

— Que disait donc l'abbé? insista-t-elle.

Pas question de trahir le séminariste, déjà trahi d'ailleurs par Cropette. Pas question non plus de ramener ses propos à leur juste valeur. Ce curé-là n'avait rien dans le ventre, et, tout compte fait, mieux valait qu'il fût expulsé de *La Belle Angerie*.

— Pour cet office-là, ma mère, répondis-je calmement, vous avez Cropette.

La gifle attendue, la gifle inévitable claqua. Comment! Je n'avais encore que douze ans et je me permettais de ne plus conserver les formes de la terreur. Je me contentai de reculer d'un pas, sans me couvrir, comme Chiffe, le spécialiste de l'esquive.* Cette attitude ne sembla pas déplaire à Folcoche, qui eût fait un excellent officier de corps francs. Un mélange d'inquiétude et de considération se lisait sur son visage.

— Tu n'es pas encore le plus fort, mon garçon, dit-elle posément, mais il faut avouer que tu ne manques pas d'un certain courage. Tu me détestes, je le sais. Pourtant je vais te dire une chose: il n'y a aucun de mes fils qui me ressemble plus que toi. Allez! Fiche-moi le camp.

Ne vous y trompez pas. Une flèche venait de la traverser dans la région du cœur. Je me demande même si, avec de la diplomatie, je n'aurais pas pu . . . mais non! Nous étions installés sur nos rancunes, comme les fakirs sur leurs lits de clous.

L'abbé fut renvoyé.

Un autre survint: B V, selon notre classification; Athanase Dupont, pour l'état civil.* Mais il ne tint que huit jours et s'en fut,* claquant les portes. Avant de prendre le tortillard d'Angers, Athanase risqua une visite à la cure de Soledot, pour mettre au courant le curé Létendard du scandale de notre éducation. Mais les Rezeau sont influents à l'archevêché, leurs dons font vivre l'école libre,* leur nom est un symbole qui ne peut être affaibli par des vétilles de ce genre. Le curé Létendard, malgré son nom, eut peur et se garda bien d'intervenir. Athanase, né dans la banlieue rouge de Trélazé, Athanase, l'intrépide, alerta directement l'archevêché, qui prit l'affaire en main et délégua le recteur de Soledot. Je le vois encore arrive rouge de confusion et les mains secouées par un commencement de paralysie agitante.* M. Rezeau prit très mal la chose:

—Et de quoi se mêle-t-on, à l'archevêché? Ma vie privée ne regarde pas Monseigneur.

— C'est que, monsieur, les derniers précepteurs appartenaient au clergé de ce diocèse. Monseigneur n'est pas satisfait de la façon un peu cavalière dont vous les avez renvoyés les uns après les autres. Il est de notoriété publique maintenant que vos enfants . . . heu! ne reçoivent pas . . .

— Dites que nous les martyrisons! C'est bon, monsieur le curé. Je verrai Monseigneur.

Le recteur prit la tangente.

— L'archevêché me fait savoir également que l'indult accordé à cette maison devient renouvelable.

Mon père devint très blanc. L'indult! Remettre en question ce glorieux privilège, le supprimer peut-être . . . Impossible! Toute la gloire Rezeau, si pénible aux Kervazec (dont la chapelle particulière ne bénéficie pas de la même faveur), reposait sur ce droit d'entendre la messe à domicile, même le dimanche. Mon père fit un geste d'horreur.

— Ma femme a un caractère difficile, j'en conviens. Veuillez transmettre mes excuses à Monseigneur. Désormais, je m'adresserai à des ordres réguliers.

— Ne serait-il pas préférable de mettre vos enfants au collège? Mais notre père leva les bras au ciel.

— Monsieur le curé, nos terres ne rapportent presque rien. Nos rentes, depuis la guerre, se sont effondrées, comme celles de tout le monde. Je ne puis faire face à une triple pension. Il faut vous l'avouer, les Rezeau sont devenus pauvres.

— Votre générosité, conclut le vieux prêtre, en transformant en accents circonflexes* les trois accents aigus de ce mot, votre générosité n'en a que plus de mérite.

C'était un appel au portefeuille. Papa le comprit, tira son chéquier, fit don de deux mille francs aux œuvres du diocèse.

Ainsi fut renouvelé l'indult.

Et renouvelé le précepteur.

Oblat de Marie Immaculée, tuberculeux depuis sa dernière

campagne dans l'Athabaska-Mackenzie, le père Baptiste Vadeboncœur nous arriva de Québec. Mme Rezeau, pour éviter la contagion, se contenta de lui assigner un couvert personnel. Cet homme, d'ailleurs, toussait peu et très poliment dans un immense mouchoir à carreaux, auquel deux médailles étaient toujours attachées par une épingle de nourrice. Véritable poncif de piété, il émaillait son discours de clichés sacerdotaux. Le bienheureux saint Joseph. Le vénérable curé d'Ars. La très sainte Vierge. Jamais «Dieu», mais toujours «le bon Dieu». Jamais «le pape», mais toujours «notre très saint père le pape». Au demeurant, un fort brave paysan, qui ne sut point forcer notre confiance, mais nous divertit longtemps. Rompu à toutes sortes de sports, indispensables pour son ministère en pays glacial, il pouvait indifféremment pêcher le brochet à la carabine, grimper aux arbres, tricoter des chaussettes, scier du bois et marcotter les rosiers. Son latin était faible. Endurci aux rigueurs canadiennes, il trouva presque naturels nos gros sabots, nos cheveux tondus, les grattages d'allées, nos examens de conscience et le reste. J'ai toujours pensé que son immense mouchoir, si souvent déplié, lui cachait une partie de la réalité. Vivement embauché par Folcoche, qui sut mettre à profit ses petits talents et lui imposer des travaux pratiques inattendus pour un précepteur, B VI profita de circonstances favorables. Les crises de notre mère devenaient en effet si fréquentes et si pénibles qu'elle dut provisoirement relâcher sa surveillance, conclure avec nous une sorte de trêve tacite.

Cacor conseillait l'ablation de la vésicule biliaire, mais par tous les moyens Mme Rezeau cherchait à éviter l'opération. L'idée de s'absenter pour deux mois l'épouvantait: que resterait-il de son empire lors de son retour? Depuis quelque temps, nous avions brusquement consenti à grandir. Et notre mère, changeant d'avis regardait avec inquiétude monter nos épaules.* Déjà, celles de Frédie parvenaient à la hauteur des siennes.

XI

Le 14 juillet 1927 – mais oui, elle avait tenu si longtemps! – le 14 juillet, jour anniversaire de «leur» république et fête de la liberté, Mme Rezeau se piqua vainement trois fois. Un calcul plus gros que les autres, engagé dans le canal cholédoque,* se refusait à passer. Cacor, cette fois, fut impératif.

— En fait de vésicule,* madame, vous n'avez plus qu'un sac de sable. Sans opération immédiate, je ne réponds plus de rien.

Folcoche se débattit en vain. Au bout de sept heures de crise, elle capitula. Mais, avant de partir pour la clinique, elle tint à nous faire, en public, les plus sanglantes menaces pour le cas où nous abuserions de son absence. B VI fut dûment chapitré. Mille recommandations et objurgations furent faites à notre père, descendu sans enthousiasme de son grenier à insectes et promu lieutenant général du royaume. Fine reçut les clés indispensables, mais les autres restèrent accrochées dans l'armoire anglaise fermée à double tour. Ses adieux consistèrent en trois baisers, jetés du bout des lèvres, comme trois signes de ponctuation, au milieu du front de chacun de nous. Comme d'habitude, elle y ajouta la petite croix: papa la traçait avec le gras du pouce, Folcoche avec la pointe de l'ongle.

Enfin, toutes précautions prises, la mégère (nous venons d'ajouter ce terme à notre collection d'épithètes en cours) consentit à monter dans l'ambulance, qui s'éloigna par l'allée des platanes. Nos V. F. la saluaient au passage. Selon le rite, nous nous portâmes tous, par un raccourci, à un endroit du parc qui borde la route et où les voitures doivent repasser pour prendre la direction d'Angers. Au commandement, nos mouchoirs furent agités: ils étaient absolument secs.

Plus tard, au collège, il m'arrivera de trouver déserte une salle de classe surpeuplée de camarades anonymes, et je la sentirai se remplir d'une intense présence à la seule entrée du préfet d'études. Ce n'est pas le nombre des vivants, c'est leur autorité qui meuble une maison. Folcoche partie, *La Belle Angerie* parut désaffectée. Les portes claquaient dans le silence comme des coups de maillet sur une futaille vide.

Cette voix criarde qui assassinait les échos pour appeler «les enfants», comme s'il s'agissait de démontrer que ces vauriens avaient franchi le périmètre légal, cette voix qui affirmait à tout propos, alors que nous n'avions pas la moindre intention de la contredire: «C'est vrai, puisque je te le dis», cette voix qui couvrait toutes les autres, même quand elle se réduisait à un murmure, cette voix... sa voix... la voix de Folcoche nous manquait.

Certes, nous étions satisfaits. Heureux, non. On ne construit pas un bonheur sur les ruines d'une longue misère. Notre joie n'avait pas de boussole. Nous étions désorientés. J'imagine assez le désarroi des adorateurs de Moloch ou de Kali,* soudain privés de leurs vilains dieux. Nous n'avions rien à mettre à la place du nôtre. La haine, beaucoup plus encore que l'amour, ça occupe.

Le lieutenant général se montrait nerveux. Il n'aimait point les responsabilités et, surtout, il en détestait le détail. Au souper, devant un certain relâchement de mains et de dos, il crut nécessaire de s'impatienter:

— Ne profitez pas de l'absence de votre mère pour vous tenir comme des singes.

Mais il n'insista pas. Très occupé à se couper des tartines de beurre – de ce beurre sacro-saint dont lui seul touchait une demi-livre par semaine pour suralimenter ses veilles studieuses, – «le vieux» ne desserra plus les dents. Je dis: le vieux, parce que ce mot vient d'entrer dans notre vocabulaire. Les moustaches grises le rendaient maintenant légitime. Nous ne dirons «la vieille» que dix ans plus tard.

Ce 14 juillet, qui est à peine une fête légale en pays craonnais (où la fête nationale est plutôt celle de Jeanne d'Arc),* s'achevait par un crépuscule radieux. Le soleil entrait de biais par les fenêtres,

61

Go back to doing petty things — nothing outrageous at present.

Go back to old tradition

qui sont orientées de telle sorte que ce phénomène ne peut se produire qu'aux jours les plus longs de l'année. D'un dernier effort et pour quelques secondes seulement, l'extrême pointe d'un rayon de bonne volonté vint toucher la plus précieuse tapisserie de la salle à manger : *Amour et Psyché*. Le fait est rare, et une vieille tradition, datant de l'époque où les Rezeau étaient réellement une famille, une vieille tradition, naturellement abolie depuis la mort de grand'mère, veut qu'en pareille occasion toute l'assistance se lève pour se donner le baiser de paix.

Soudain papa s'aperçut de la chose . . . Son regard oscilla de la tapisserie à la chaise vide de Mme Rezeau. Personne ne bronchait. Il fit timidement :

— Mais, les enfants ! le soleil est sur l'*Amour* !

Husch, comme disent les Anglais (donc, ce soir-là, nous avions oublié parler la langue), duel léger des prunelles, l'ange frais qui passe. Non, le baiser de paix n'eut pas lieu. Mais le mépris du tendre, pour un instant, devint seulement la pudeur du tendre. Notre père . . . Notre père qui étiez si pue sur la terre, quel souvenir ressuscitait en vous ? Quelle vision d'une *Belle Angerie*, peuplée de jeunes filles, vos sœurs, vos amies, parmi lesquelles votre cœur avait peut-être choisi ?

Ce fut tout. Déjà, Fine enlevait les assiettes sales. Déjà, le soleil glissait sous l'horizon, s'éteignait. Déjà, les chauves-souris, sur leurs ailes de peau, venaient remplacer les hirondelles.

L'examen de conscience n'eut pas lieu. Je surpris le coup d'œil entre B VI et papa. Comme Marcel se mettait à genoux, l'oblat intervint :

— Vous êtes maintenant trop grands pour vous confesser en public. Vos aveux pourraient quelquefois nous gêner. Conservez toutefois, mes enfants, l'habitude de vous confesser directement au bon Dieu. Je propose à cet effet deux minutes de silence, après quoi nous prierons pour la guérison de votre maman.

Une chouette cria : je crus entendre la protestation de Folcoche.

Mais son vol feutré* s'éloignait dans la nuit, agacée par les récriminations des grenouilles de l'Ommée.

Et la «reconquête» continua.

Dès le lendemain, le périmètre fut forcé. L'oblat fournit lui-même l'argument nécessaire.

— Vos fils ont besoin de muscles, monsieur. Ils ont depuis longtemps franchi l'âge du boulier.

Le parc entier nous redevint accessible. Je poussai même des reconnaissances jusqu'aux fermes. Les pissenlits étoilèrent les allées oubliées par nos raclettes. De passage à Segré, papa se laissa convaincre (indirectement par B VI) de la nécessité de nous acheter des galoches. Nos cheveux repoussèrent avec son autorisation.

Fait curieux, les migraines paternelles s'espaçaient. Toujours friand de sirphides,* M. Rezeau nous confia ses filets, avec mission de ramasser toutes les mouches sans distinction.

— Je trierai ensuite!

Il fit mieux encore: il nous embaucha dans ses travaux d'étalage et de piquage. Nous eûmes l'honneur de manier ses épingles, ses loupes et ses ampoules de sulfure de carbone. Quatre mouches inconnues, récemment expédiées du Chili par un de ses correspondants aux fins de détermination, reçurent les noms de «Jacobi, Ferdinand (?), Johannis et Marcelli Rezeau». A son sens, M. Rezeau ne pouvait nous donner nulle preuve plus péremptoire de sa tendresse.

A vrai dire, nous préférions les séances de pêche au carrelet ou les savantes approches de la bache sous les aris, tandis que l'oblat tenait le bateau et que nous ribotions furieusement.* J'avais déniché de vieilles nasses rouillées dans le grenier, naguère interdit, et, tous les matins au petit jour, avant la messe, je me tirais du lit avec enthousiasme pour aller les relever. Elles étaient rarement vides. J'y voyais se débattre dards et tanches, brochets et gardons, parfois même une couleuvre d'eau égarée. Tout cela puait la vase, mais les paysans, moins délicats que nous* (qui pourtant ne l'étions guère sur ce chapitre), les acceptaient volontiers. En échange, on m'offrait quelques pots de rillettes.* Mme Rezeau avait oublié de laisser la clef de l'armoire aux confitures.

A propos de Mme Rezeau, je dois vous dire qu'elle n'allait pas mieux. L'ablation de la vésicule biliaire n'avait point suffi. Les chirurgiens se penchaient sur son cas, aggravé par une négligence sans nom envers sa propre santé. Elle avait d'abord refusé toute visite, hormis celle de son mari. Je gage que Folcoche ne tenait pas à paraître devant nous la malade, la vaincue du moment. Enfin, au bout de trois mois, elle changea d'avis et nous réclama. Papa décida de lui donner satisfaction en deux fournées.* Je fis partie de la première, avec Frédie.

Les trente-trois kilomètres qui séparent *La Belle Angerie* d'Angers me parurent courts. Au fond, nous étions inquiets pour nos cheveux, qui avaient insolemment repoussé, et nous n'avions pas tort, car à peine avions-nous franchi la porte de sa chambre que Folcoche s'écria:

— Mais, Jacques, vous avez oublié de les faire tondre. Ces enfants ne sont pas présentables.

— *Maman*, répondis-je aussitôt, papa estime que nous sommes désormais trop grands pour être tondus.

Folcoche ne sourcilla pas. Je m'assis, le dos volontairement bien calé contre la chaise. J'espérais des reproches qui ne vinrent pas. Notre mère venait de comprendre que la position horizontale lui enlevait toute majesté, toute puissance. Se donner le ridicule de déployer ses foudres en cet état, pas si bête!* Un de ses sourires (le mondain) fleurit bientôt autour de ses lèvres décolorées. Quand mon père, reprenant son chapeau et ses gants, lui annonça la visite prochaine de Cropette, elle protesta poliment:

— C'est inutile, mon ami. Je rentrerai bientôt.

Dieu merci! Elle ne devait pas rentrer avant plusieurs mois. Mais l'alerte fut chaude.* Le soir, au dîner, papa se montra maussade, l'oblat absorbé, mes frères soucieux. Frédie renversa la soupière.

— Vous en prenez un peu trop à votre aise depuis quelque temps!

tonna le vieux, qui se vengea sur le beurre (il lui fallait maintenant sa livre par semaine).

Cependant, une fois la prière du soir expédiée, l'insouciance naturelle des enfants reprit le dessus, notre père se dérida et consentit même à *faire un pont*.

Cette expression, propre au jargon familial, peut se traduire par le verbe pronominal «se promener», avec une nuance de va-et-vient. La grande allée des platanes, en effet, bifurque devant le manoir et descend jusqu'à la rivière, qu'elle traverse sur un pont solennel. Elle perd alors son nom pour devenir l'«allée rouge», qui file vers *La Bertonnière*, entre deux rangées de hêtres pourpres.

La saison s'avançait. Papa s'enveloppa dans sa vieille peau de bique, pelée aux coudes et au derrière, remonta son col, s'enfonça dans la nuit avec nous. L'oblat suivait, à quelques mètres, égrenant son rosaire. La dissertation commença.

Je ne saurais vous dire sur quel sujet. Faire un pont avec ses enfants et leur faire un cours avait dans l'esprit de notre père sensiblement le même sens. Il y avait en lui un professeur sans élèves, dont ces occasions de pérorer décongestionnaient la cervelle.* M. Rezeau lisait beaucoup, non des romans, mais des ouvrages scientifiques. Son érudition, servie par une prodigieuse mémoire, ouvrait au hasard ce que Frédie appellera plus tard «la discothèque du vieux». Certains disques revenaient souvent. D'autres, les plus intéressants généralement, ne se sont fait entendre qu'une ou deux fois. Faisait-il beau? Notre père, excité par les étoiles, se lançait dans la cosmographie. Sirius, qui fut Sothis, Bételgeuse, les rois mages, Proxima du Centaure, que l'on ne voit pas à l'œil nu, mais qui semble être notre voisine immédiate, Vénus et quelques autres clous de ciel me percent depuis lors la sclérotique, avec la même familiarité dont usaient les hiboux pour nous percer le tympan. Allait-on s'asseoir, quelques instants, sous le grand chêne du Puits-Philippe? Nous apprenions immédiatement que cet arbre n'était pas de la variété *Quercus robur*, mais bien le *Quercus americana*, qu'il ne fallait pas confondre avec le *Quercus cerrys*, à glands hirsutes, dont un exemplaire figurait parmi les tulipiers (*Lyrodendron tulipiferus*) de la futaie. Le pissenlit, l'edelweiss, l'if, le cyprès, je cite en vrac, se nomment encore pour moi *Taraxacum dens leonis, Gnaphalium leontopodium, Taxus viridis, Cupressus lamberciana*. Une allusion, un nom historique jeté dans la conversation, et nous voilà aiguillés vers le glorieux passé des Rezeau, du Craonnais et de la France (dans l'ordre d'importance). A bas Michelet! Vive Lenôtre, Funck-Brentano et Gaxotte! Nous sommes tout près de la politique, nous la frôlons, nous ne l'éviterons pas. M. Rezeau se préparait des fils bien-pensants. Un coup de canne bien placé, éteignant un vers luisant, faisant voler un caillou, ponctuait ses arguments. La bête noire, l'opprobre de ce temps, le génie malfaisant de la franc-maçonnerie s'appelait M. Herriot, l'homme qui avait eu le toupet de dire, en plein congrès radical tenu par bravade en la bonne ville blanche d'Angers, que le coffre-fort dans l'Ouest est souvent scellé d'une hostie. Le radicalisme représentait pour mon père l'opinion sérieuse, mais détestable de la *boutiquaillerie** française. Ne parlons pas des communistes, ni même des socialistes: on ne discute pas le bien-fondé* des sentiments politiques que peuvent avoir les voleurs et les assassins. Or, ces gens-là, que sont-ils d'autre? Le parti de son cœur, M. Rezeau ne le nommait jamais. Depuis sa condamnation par le pape, *L'Action Française* avait disparu de *La Belle Angerie*. On n'y lisait plus que *La Croix*, où, parfois, le grand-oncle pondait un leader.*

Ce magma de connaissances nous était présenté, il faut le reconnaître, dans une langue très pure, qui avait la vertu des très bonnes sauces: elle faisait passer chaque bouchée, elle nous garantissait de l'indigestion. Un léger excès d'imparfait du subjonctif, une pointe de déclamation sorbonnarde me faisaient cependant tiquer.* Au surplus, nous n'avions pas le droit d'interrompre le conférencier:

— Tais-toi. Tu me fais perdre le fil de mes idées, criait-il.

Tout au plus pouvions-nous, lorsqu'il reprenait le souffle, risquer une question respectueuse, demander des éclaircissements. A la seule condition qu'il ne s'agît point d'une objection déguisée, M.

Rezeau répondait, souvent de biais. Puis il remontait le gramophone et nous accablait d'aphorismes.

Le bon ton, le bon goût, les bonnes manières, le droit, le droit canon, tous les substantifs précédés de l'adjectif bon ou de l'adverbe bien, tous les jugements rectifiés, tous les *imprimatur*, tous les *nihil obstat** de cette encyclopédie du nom qui s'appelle l'Index,* toute l'honorable décalcomanie des images d'Épinal* trouvaient en lui leur meilleur champion. Cependant, n'en doutez pas, les Rezeau sont à l'avant-garde de la science et du progrès. Les Rezeau sont l'élite de la société contemporaine, le frein, le régulateur, le volant de sécurité de la pensée moderne. La noblesse est une caste vaine qui a trahi sa mission historique et ne présente plus que l'intérêt de relations ou d'alliances flatteuses. « Ces bons à rien . . . », disait mon père, qui enchaînait je ne sais comment et finissait par dire avec orgueil: « Nous descendons des barons de Saint-Elme et des vicomtes de Cherbaye. »

Quant à la bourgeoisie (dont il ne vit jamais qu'elle était en train de trahir, à son tour, sa mission historique), M. Rezeau la subdivisait en castes et sous-castes, à la tête desquelles, nous le répétons, marchait la nôtre, la *bourgeoisie spirituelle*, la vraie, la pure, la très vaticane, la non moins patriote, le sel de la terre, la fleur des élus. Trente familles au plus, mettons quarante pour être généreux, en font partie. Au-dessous d'elle, il y a la bourgeoisie des professions libérales. On trouve, à côté de cette dernière, la *bourgeoisie financière*, dont font, hélas! partie les Pluvignec. (Sous-entendez: « Vous, mes propres enfants, vous n'êtes, somme toute, que des métis de cette variété. ») Enfin il y a la *bourgeoisie commerçante*. Les négociants sont donc des bourgeois, d'une qualité inférieure cependant. Le cas des pharmaciens est extrêmement discutable. On peut à la rigueur les recevoir, mais il est tout à fait impossible de fréquenter un épicier, même en gros.

La peuple, il y a aussi le peuple, qui fait si grossièrement fi de l'humanisme, qui boit du vin rouge sans y mettre d'eau, qui a du poil sur la poitrine et dont les filles se conduisent mal avec les étudiants . . . le peuple, à qui fut accordé par les radicaux le privilège exorbitant d'avoir par tête de pipe autant de droits civils et politiques qu'un Rezeau, le peuple, non pas *populus*, mais *plebs*, ce magma grouillant d'existences obscures et désagréablement suantes . . . le peuple (à prononcer du bout des lèvres comme «peu» ou même comme «peuh!»), le peuple, cela se considère comme l'entomologiste étudie la termitière, en faisant des tranchées et des coupes, qui écrabouillent quelques insectes pour le plus grand bien de la science et de l'humanité. Bien sûr, il faut aimer le peuple et lui venir en aide, lorsqu'il est raisonnable. La conférence de Saint-Vincent de Paul,* la visite des ouvroirs, l'intégrité dans l'établissement des fiches de paie,* la rédaction d'opuscules édifiants, le tricot pour layettes, la fermeté des tribunaux, l'indulgence envers les conscrits, les assurances sociales qui sont toutefois inférieures aux sociétés de secours mutuels, le droit de grève limité par la grève du droit, le «bonjour, mon brave», le verre de vin au facteur sur le seuil de la cuisine . . . tels sont les aspects de la sollicitude qui peut lui être vouée. Le reste, c'est du bolchevisme.*

Ainsi documentés sur les valeurs sociales, nous étions rejetés incontinent dans les valeurs scientifiques, non négligeables, certes, mais considérablement surfaites. M. Rezeau s'exaltait:

— Constater l'admirable harmonie de l'univers – car je ne crains pas, vous le voyez, de citer cet affreux Voltaire, – découvrir les lois physiques pour s'en servir au mieux-être des hommes, classer, étiqueter, comme je le fais pour les sirphides, les plantes et les animaux, en vertu des services qu'ils peuvent rendre et des maux qu'ils peuvent causer à notre race, instituée par Dieu, propriétaire de ce globe, tirer de toutes ces connaissances des arguments valables pour la dialectique de la Foi, la seule véritable science, tel est le rôle historique de notre famille. Si tous les hommes étaient sincères, si la plupart d'entre eux n'étaient pas les dupes ou les complices de la franc-maçonnerie, ils troqueraient toutes les encyclopédies contre une apologétique.

Confondus par tant d'éloquence, nous trottions aux côtés de

notre père, tandis que l'oblat suivait toujours à cinq mètres. Nous marchions quelque temps en silence, méditant ces hautes spéculations de l'esprit. Mais, généralement, M. Rezeau tombait de la métaphysique dans la migraine.

— Il se fait tard, disait-il soudain, allons nous coucher.

Et la fleur des élus, Rezeau le père, Rezeau le fils aîné Rezeau, cadet, Rezeau benjamin, suivis d'un sain oblat de petite extraction, rentraient à *La Belle Angerie*, tandis que les chats-huants, gavés de mulots, poussaient de grands éclats de rires.

XII

Folcoche ne rentrait toujours pas. Une nouvelle complication surgit. Je ne suis pas médecin et ne vous dirai pas exactement laquelle. Réclamé par télégramme, M. Rezeau reprit la route d'Angers, avec l'intention de profiter de ce voyage pour «faire d'une pierre deux coups et acheter chez son fournisseur attitré un lot d'épingles et de boîtes vitrées». Le soir même, il rentrait, doublement navré :

— Impossible de trouver des extra-fines, dit-il. Je ne peux pourtant pas empaler mes bestioles sur des aiguilles à tricoter !

Puis enchaînant :

— Mes pauvres enfants, votre mère est au plus mal : il est possible qu'elle ne passe pas la semaine. Je lui ai proposé de recevoir . . .

— . . . la sainte extrême-onction, acheva l'oblat.

— Mais elle a refusé, disant que les médecins se faisaient des illusions sur son état et qu'elle rentrerait bientôt. Je n'ai pas voulu lui révéler toute la gravité de son cas. Allons, bonsoir, mes petits ! Je vais me coucher. Pour changer, j'ai la couronne de fer.*

Il s'en fut,* suivi de l'oblat, sincèrement ému à l'idée que Mme Rezeau pourrait décéder sans sacrements. Cependant, tous les trois, Frédie la Chiffe, Jean le Brasse-Bouillon, Marcel dit Cropette, nous nous regardions les uns les autres avec une immense satisfaction. Mânes de mes ancêtres, voilez-vous la face! Ces trois enfants dénaturés, que vous contemplez du haut de vos cadres dorés, ces trois enfants, voilà soudain qu'ils manifestent un affreux enthousiasme, qu'ils se donnent la main pour une ronde infernale et braillent à qui mieux mieux sur l'air des lampions:*

> Folcoche
> Va crever,
>
> Folcoche
>
> Va crever,
>
> Folcoche
>
> Va crever . . .

Mais la porte s'entr'ouvre. Une paire de moustaches apparaît. L'oreille paternelle reçoit de plein fouet un dernier: «Folcoche va crever!»

— Pet-pet. Le vieux qui revient! crie Frédie.

Mais la porte s'est refermée et notre trio consterné entend s'éloigner dans le couloir un pas qui racle du talon* et qui titube comme celui d'un vieillard.

Evidemment, Folcoche ne mourut point. Elle fut seulement réopérée. La nature de cette nouvelle intervention ne devait nous être révélée que dix ans plus tard, la pudibonderie familiale interdisant d'expliquer à des enfants ce qu'est une double ovariotomie. Mme Rezeau, que son sang trahissait, voyait ses organes gagnés un à un par une infection généralisée. Mais elle continuait à déclarer, catégorique:

— Je ne mourrai pas.

Et, finalement, le chirurgien confirma cette intention:

— Le cas de Mme Rezeau est grave, et, s'il ne s'agissait pas d'elle, je l'eusse condamnée. Mais, avec une pareille volonté, on arrive toujours à se tirer d'affaire.

Nous dûmes nous convaincre, peu à peu, de l'inévitable . . . Elle vivrait! Mais nous faisions des calculs, nous supputions la durée d'une convalescence très difficile. Un certain répit nous restait. Papa, de son côté, s'efforçait de gagner du temps. Nous avions, pendant l'absence de notre mère, suivi le mouvement donné par Cropette et collectionné les centimètres. Nous étions déjà «grandelets»,* comme disent les dames visiteuses de familles pauvres en tâtant les biceps naissants des apprentis qui pourront bientôt travailler pour leurs époux industriels. Folcoche aurait du mal à manier les petits jeunes gens que nous étions en train de devenir.

— Paule devrait comprendre que la charge d'une grande maison est trop lourde pour une convalescence, répétait mon père à la comtesse Bartolomi, sa sœur, venue l'aider quelques jours à tenir *La Belle Angerie*.

— Pourquoi ne mets-tu pas tes fils au collège avant que ta femme soit rentrée? répondait notre tante, abordant de biais la véritable question, ainsi qu'il est de bon ton.

— La pension des jésuites coûte cher, et Paule ne veut pas en entendre parler.

— Mais n'as-tu donc aucune autorité sur elle? finissait par s'écrier la comtesse, se rapprochant du centre du sujet.

M. Rezeau l'en écartait vivement:

— Ma chère, nous sommes mariés sous le régime de la séparation de biens et la fortune de Paule lui appartient en propre.

Finalement, aucune décision ne fut prise.

Si . . . pour être juste, il faut noter qu'une décision fut prise. M. Rezeau convoqua ses collègues entomologistes à *La Belle Angerie*. Il était urgent de régler un certain nombre de questions pendantes. La *Stretomenia sinensis* avait été décrite le, même mois, par notre père sous le nom précité et par le professeur Chadnown sous celui de *Stretomenia orientalis*. Laquelle de ces deux appellations serait retenue pour la détermination internationale? Il devenait également nécessaire d'instituer un judicieux système d'échanges.

— Chadnown a osé m'envoyer de vulgaires drosophiles* contre de rarissimes *Arulæ*! Et qu'est-ce-que ça peut me foutre, à moi,* spécialiste des sirphides, de recevoir des papillons du Brésil, que ces brutes de Portugais ne savent même pas étaler correctement . . . quand ils ne les ont pas descendus au pistolet!

Furent invités le professeur Chadnown, de Philadelphie, l'abbé Rapant, de Malines, Ibrahim-Pacha, du Caire, et le señor Bichos-Rocoa, de São-Paulo. Tous s'occupaient des diptères, *alias* mouches à deux ailes, mais le premier s'intéressait plus spécialement aux puces («Pas aux poux ni aux pucerons, mes enfants! Car ce sont des hémiptères»), le second, aux tipules; ces fausses araignées qui galopent sur l'eau, le troisième, aux moustiques, qui sont restés la troisième plaie d'Egypte, et le dernier, aux tabanides,* qui comprennent toutes les variétés de taons du monde. Bien entendu, M. Rezeau avait invité d'autres éminents diptéristes, mais ceux-là vinrent qui en avaient les moyens ou purent saisir une occasion, tel Bichos-Rocoa, exportateur de cuirs bruts, dont les peaux servaient de matière première aux godillots de l'intendance.

Ibrahim et Bichos ne firent que passer. Le premier ne parlait qu'arabe ou latin; le second torturait l'anglais. Tous deux fort grands seigneurs et petits savants, ils déçurent beaucoup notre père.

— Ibrahim ne s'intéresse aux moustiques que dans l'espoir de se faire bien voir de son gouvernement: il ne connaît que les moyens de les détruire et n'est pas fichu de déterminer correctement un sujet! Même remarque pour Bichos-Rocoa, pour qui les tabanides sont avant tout des insectes piqueurs, qui trouent les peaux et en diminuent la valeur. Ni l'un ni l'autre ne sont vraiment désintéressés. J'aime les spéculatifs, moi . . .

Le professeur Chadnown, sous ce rapport, le combla. L'*alise** craonnaise, le *fromage en jonc* sortis des mains de Jeannie Simon ne l'eussent sans doute pas retenu longtemps, mais, le soir, tandis que

nous *faisions un pont* en sa compagnie, un petit animal, qui trotti-
nait le long de l'allée, se roula en boule à notre approche.

— Oh! fit l'Américain, *a rabbit?*

— *No*, répondit mon père, ce n'est pas un lapin, c'est un hérisson.

— Hé-ris-son!. . . répéta Chadnown, songeur.

Et, soudain, le professeur prit ses jambes à son cou et fila comme
un zèbre vers *La Belle Angerie*. Nous l'attendions, perplexes, mais
devinant qu'il allait tenter quelque expérience. Du bout de sa canne,
M. Rezeau agaçait le hérisson, qui resta prudemment roulé en
bolue, risquant à peine, de temps en temps, un coup d'œil sur nos
galoches. Il s'agissait d'un nez-de-cochon, que les *rabouins** distin-
guent de la variété nez-de-chien et font cuire à l'étouffée dans la
glaise. Bientôt nous vîmes revenir Chadnown, toujours courant,
tenant de la main droite un flacon d'éther et de la main gauche le
seau hygiénique de sa chambre.

— Sapristi! Que voulez-vous faire?

Mais Chadnown, les yeux brillants et marmonnant un chewing-
gum d'Anglais, enveloppait délicatement le hérisson dans son
foulard et, ainsi protégé contre les piquants, le transférait au fond
du seau. Après quoi, sans hésiter, il lui vida sur le nez son flacon
d'éther et referma le couvercle.

— La pauvre bête! protesta l'oblat, qui se méfiait des protestants.

Le professeur de Philadelphie attendit trois minutes, sans daigner
nous expliquer son étrange conduite, puis découvrit le seau où
gisait le malheureux nez-de-cochon, dûment parmé. Alors l'Américain tira sa poche une pince à insectes et se pencha vers sa victime.
De petits points noirs parsemaient la porcelaine.

— Les puces! s'écria papa. Il a pensé aux puces du hérisson!

Le mystère devenait limpide: le professeur enrichissait sa collection. Ces parasites sont, en effet, propres à chacune des espèces dont
ils vivent. Ceux du hérisson européen ne figuraient point au musée
entomologiste de Philadelphie. Trop petits pour être épinglés,
ils furent collés immédiatement sur des morceaux de moelle de
sureau. Quant au hérisson, rendu à la nature craonnaise, il se

réveilla sans doute une ou deux heures plus tard, bien épucé jusqu'à ses prochaines amours.

Chadnown s'en fut, ayant, avec grandeur d'âme, abandonné à notre père la priorité dans la déterminaison du *Stretomenia sinensis*, qui portera donc éternellement cette parenthèse (Jacobus Rezeau, 1927). Il fut remplacé par le grand tipulidien, l'abbé Rapant, de Malines. Professeur de rhétorique dans un collège wallon, il était affligé de verbosité et d'adiposité. Les vacances de Noël, qu'il nous consacra, étaient plus rudes que d'habitude : la neige tenait, ce qui est plutôt rare en pays craonnais. Emmitouflé dans un cache-nez considérable et portant deux douillettes l'une sur l'autre, le gros homme s'amena sans crier gare : nous n'étions pas allés le chercher à Segré et il dut «se taper» les six kilomètres à pied.

— ... Que c'est bon pour la santé, savez-vous ! fit-il en décrottant ses souliers. Mais c'est une bien mauvaise saison pour nous, cher monsieur. Les tipules ne courent pas sur la glace.

Sa présence sanctifiait l'entomologiste et le manoir. Nous fûmes gratifiés de deux messes quotidiennes, la sienne faisant double emploi avec celle de l'oblat, mais ne pouvant, par politesse, être «séchée».* Au surplus, comme le Belge payait quarante sous ses enfants de chœur, de graves contestations surgirent entre nous, Frédie, que sa grande patience envers les discours entomologiques avait rendu sympathique au professeur de rhétorique, prétendait en garder le monopole. La rente de la *messe des tipules* lui semblait très préférable aux restants de vin de la *messe des cupules*. (Cette dernière étant ainsi dénommée parce que l'oblat avait la manie d'enterrer partout des glands de chêne, famille des cupulifères. Petit buveur, il ne vidait jamais complètement ses burettes.) Une conférence tenue dans ma chambre trancha ce débat : Frédie verserait soixante pour cent de ses pieux pourboires à la caisse secrète que nous venions de constituer pour pallier le retour éventuel de Folcoche.

Cette décision du «Cartel des Gosses», mené, comme toutes les formations politiques, par les éléments d'extrême-gauche (c'est-à-dire moi), ne fut d'ailleurs pas la seule prise lors de ce meeting, qui avait des buts plus vastes et plus ambitieux. Décidés à tenir tête à la contre-attaque que Folcoche n'allait point manquer de lancer contre nos libertés, nous venions de réaliser officiellement le front commun. Cropette en était, ainsi que Petit-Jean Barbelivien, le fils du tenancier de l'annexe, menacé dans le privilège, qu'il prisait fort, de partager nos jeux (depuis qu'il s'était, ce manant, pour escroquer de l'instruction,* découvert une irrésistible vocation sacerdotale). Nous pouvions compter sur la neutralité de l'oblat et sur la sympathie de Fine. A l'imitation de celui des gauches, notre cartel était donc assez disparate et surtout partisan de garnir l'assiette au beurre.

La question primordiale était, en effet, celle du ravitaillement. Petit-Jean promit des œufs, qu'il chiperait dans les pondoirs. Ne pouvant plus, en hiver, monnayer contre des pots de rillettes les tanches et les dards de l'Ommée, je cherchai autre chose à vendre. Tous les matins, en grand secret, je sortis armé de la carabine Remington 6 millimètres de papa, dont le tir ne fait pratiquement pas plus de bruit qu'un coup de fouet et peut être facilement confondu avec lui. Embusqué derrière une haie, j'attendais la sortie des lapins, qui, à la brune, quittent les garennes pour les champs de choux. Argent, œufs, confitures, tout fut mis en réserve dans le *coffre-fort*. Ce dernier avait été aménagé, depuis déjà longtemps, entre le toit et la fausse cloison de ma chambre, qui est mansardée. La plinthe en masquait l'entrée. Il reçut également un certain nombre de vieilles clefs et le texte de «La Déclaration des Droits», rédigée par Frédie sur le modèle de la Déclaration des Droits de l'Homme et revêtue des quatre signatures des membres du cartel.

C'est dans ces dispositions d'esprit que nous trouva madame mère, quand, soudain, nonobstant les recommandations des médecins, elle quitta la clinique et débarqua du car, récemment mise en service sur la route d'Angers, et qui s'arrêta, tout spécialement pour elle, à la barrière blanche de *La Belle Angerie*. Nous étions en train de souper. Les talons de Folcoche, reconnaissables entre tous, sonnèrent dans les couloirs. La porte s'ouvrit sèchement. En un clin d'œil, rectifiâmes tous la position.

— Revenir seule, mais c'est de la folie, Paule! protesta faiblement papa, aussi blanc que nous.

Folcoche sourit et, avant toute réponse, referma le beurrier.

XIII

Folcoche avait du pain sur la planche.* Sa première contre-attaque, engagée de front, échoua.

— Mais, Jacques, vos enfants se moquent complètement du périmètre que nous leur avons assigné.

La première ligne paternelle se comporta bien:

— C'est moi-même qui les ai autorisés à circuler librement. Que voulez-vous, ma chère! Ce sont presque des jeunes gens. Il faut vous en apercevoir, malgré l'extrême jeunesse que vous avez su conserver.

La mégère dut se contenter de cette galanterie. Aussitôt après la prière du soir, comme nous nous relevions en nous brossant les genoux, nouvel étonnement de sa part:

— Comment? Vous avez supprimé l'examen de conscience?

Cette fois, l'oblat intervint:

— Madame, mon saint ministère doit vous garantir contre toute interprétation hâtive. A l'âge de vos enfants, la liberté spirituelle devient nécessaire.

Pas de doute, Mme Rezeau avait affaire à une coalition. Elle le sentit, mais s'entêta: je l'ai déjà dit, elle n'était point très intelligente et sa forte volonté ne trouvait que progressivement les lumières utiles à sa gouverne. La présence de Petit-Jean, parmi nous, aux heures de récréation, lui arracha des cris.

— Non et non! Je ne veux pas que mes enfants s'encanaillent.

L'oblat se dévoua pour la seconde fois.

— Madame, le petit Barbelivien se prépare à la vocation religieuse. M. Rezeau et moi avons pensé que vos enfants ne sauraient être en meilleure compagnie. Moi-même, qui ne suis qu'un cadet de ferme, j'ai jadis bénéficié de la même sollicitude de la part d'une grande famille de mon pays.

— C'est bon, coupa Folcoche, j'ignorais. Mais je voulais vous demander autre chose. D'où viennent les rillettes que mangent ces enfants à leur goûter? Je ne leur en ai point donné.

— Jean vend du poisson dans les fermes, je crois.

— Qu'est-ce que c'est que ce trafic! Au surplus, je ne vois pas comment il peut pêcher en hiver.

— Il doit vendre aussi du gibier.

— Mon fils braconne! C'est complet!*

M. Rezeau, alerté, me demanda des précisions, que je lui donnai très franchement.

— En somme, sacré petit bonhomme! tu me fauches des cartouches* et tu tires mes lapins à la barbe de mon garde.

J'en convins. Folcoche crut triompher. Mais mon vieux chasseur de père reconnaissait son sang et, très fier de mes coups de carabine, m'alloua six cartouches par semaine, à la seule condition de lui en rendre compte.

Mme Rezeau n'insista pas. Quatre ou cinq gifles, distribuées en pure perte sur des joues qui ne rougissaient même plus, venaient de lui faire comprendre enfin la nécessité de changer de tactique.

Du jour au lendemain, son attitude changea. Elle devint non pas conciliante, mais presque silencieuse. Sans doute ne pourrait-elle jamais récupérer le lest que nous l'obligions à jeter par-dessus bord, mais l'essentiel était de reprendre bien en main les rênes du gouvernement. Cette Albion des marais craonnais, pour coloniser les siens, retrouva les immortels principes de division lente qui ont fait la fortune de l'Angleterre.

Petit-Jean fut neutralisé le premier. Un peu de surenchère suffisait. Mme Rezeau proposa que ce «pieux enfant» devînt désormais élève officiel de l'oblat.

— Je crois que c'est une bonne action à faire. N'est-ce pas, mon père? dit-elle en arborant le plus précieux de ses sourires (le numéro un, l'archangélique, celui des enfants de Marie qui reviennent de la table sainte).

B VI et papa n'en demandaient pas tant. Leur flair diplomatique peu développé ne renifla qu'une odeur de sainteté. L'oblat répondit avec émotion:

— En effet, madame, c'est bien, c'est très bien ce que vous faites là.

A la merci de la mégère, qui pouvait désormais, d'un seul mot, anéantir ses ambitions studieuses, Petit-Jean cessa ses importations d'œufs, nous refusa des courses compromettantes. Folcoche, toutefois, ne put en faire un espion. Le gamin tenait à nous ménager également, nous qui pouvions éventer ses projets de futur défroqué.*

Du côté de Fine, qui nous manifestait une trop vive sympathie et qui, selon notre mère, avait, durant son absence, scandaleusement dilapidé le contenu de ses armoires,* Folcoche tenta vainement une diversion. Une promesse d'augmentation faite à la sourde et muette ne la rangea point dans son camp. Fine se moquait de l'argent, qui ne lui servait à rien. Rectifiant son tir. Folcoche parla de la remplacer. Peine perdue! Papa s'y opposa farouchement: tous les Rezeau ne manqueraient pas de lui en faire de sanglants reproches. Alphonsine était un meuble sacré de *La Belle Angerie*. Au surplus, Fine ne s'émut point de telles menaces. Elle se savait irremplaçable. Nulle autre bonne ne tiendrait plus de huit jours sous la férule de Folcoche.

Inlassable, Folcoche se tourna vers Cropette et lui prodigua les avances. Malgré ses maigres talents, elle entreprit de lui tricoter un chandail, lui fit couper des flanelles. Son huile de foie de morue fut remplacée par du sirop iodotannique. Enfin, après avoir préparé le terrain par de fréquentes insinuations sur l'excellence de ses devoirs et l'espoir qu'elle avait de le voir un jour réussir à l'Ecole Centrale, elle décréta :

— Il faut remonter Marcel d'une classe. Il est nettement en avance. Nous lui gagnerions ainsi une année, qui lui sera infiniment précieuse lorsqu'il sera en mathématiques spéciales.

L'oblat ne demandait pas mieux. Cette mesure simplifiait son travail. Je faisais figure d'imbécile qui s'est laissé rejoindre par son cadet, mais tant pis ! Cropette accepta cette nouvelle faveur comme toutes les autres, dignement, tranquillement, comme un dû. Notre frère savait très bien à quoi s'en tenir sur l'affection de sa mère, dont les plus vives attentions ne pouvaient d'ailleurs dépasser le tiers de ce que fait une mère normale pour le bien-être et la joie de ses enfants. Il savait aussi que sa signature figurait au bas de la déclaration des droits. Profiter des uns et des autres, se faire prier des deux côtés à la fois, telle demeurait sa politique. A Folcoche, il dédia mille sourires fermés. A nous-mêmes, mille serments de fidélité. Pour le mettre à l'aise, je lui donnai la bénédiction du cartel :

— Ne repousse pas inutilement Folcoche. Tu pourras nous être utile. Préviens-nous dès qu'elle te confiera quelque chose intéressant *la défense nationale.*

Agent double, Cropette nous donna d'abord satisfaction. C'est ainsi qu'il nous prévint à temps d'une fouille générale qui devait avoir lieu et dont Mme Rezeau l'avait averti, afin d'être certaine de ne rien trouver chez lui de répréhensible. Je pus prendre toutes précautions utiles et transporter au grenier le contenu du coffre-fort de la communauté. La fouille ne donna aucun résultat, et, par surcroît de prudence,* je ramenai la majeure partie du trésor dans la chambre de Frédie, qui était également mansardée et nous offrait une cachette analogue. Cropette ne fut pas avisé de ce dernier transfert. Son loyalisme, qui jouait de la prunelle gauche en direction de ses frères et de la prunelle droite en direction de Folcoche, devait être surveillé de très près.

Ainsi, durant deux mois, les deux camps s'observèrent, la grande puissance Folcoche ceinturée provisoirement (telle une Russie) par une poussière de petits Etats et de neutres tremblants. Mais cette situation ne pouvait s'éterniser. La mégère, toujours douçâtre, cherchait un biais, une occasion... quand papa la lui offrit.

Ce dernier se croyait autorisé à respirer librement.

— Aucun doute, Thérèse, disait-il à sa sœur, la comtesse Bartolomi, venue passer quelques jours sous nos lambris,* aucun doute! Le fichu caractère de ma femme* avait des causes physiologiques. Son opération l'a transformée. Evidemment, elle sera toujours un peu châtaigne sous bogue,* mais elle devient *vivable*.

— Pourvu que ça dure! répondait notre tante, en paraphrasant Lætitia Ramolino.*

Cela dura jusqu'à Pâques. Quelques jours avant cette fête, M. Rezeau reçut une lettre d'un de ses anciens amis de Changhaï, qui l'invitait à passer une quinzaine chez lui. Revenu de Chine depuis peu, cet ancien magistrat colonial, idéalement veuf, propriétaire d'un grand âge, d'un grand nom, d'une fortune, d'une fille, d'un château dans le Gers et de nombreuses décorations, le comte de Poli, s'il vous plaît, se cherchait une nouvelle raison sociale et croyait l'avoir trouvée dans l'entomologie. Il hésitait toutefois entre les coléo-hyméno - névro - ortho - hémi-lépido-diptères. L'arracher à la séduction des arachnides semblait urgent, car sa fille rapportait, dans une lettre annexe, qu'il avait donné l'ordre de ne plus se servir de la tête de loup.* Devant nous, au déjeuner, M. Rezeau, dévoré d'un zèle apostolique, sollicita l'avis de Folcoche.

— Nous pourrions, dit-il, emmener notre aîné et laisser les cadets à la garde du père Vadeboncœur.

Mais Folcoche ne voulait point quitter *La Belle Angerie*. Une expérience avait suffi.

— Il n'est pas question de me lancer dans un voyage aussi fatigant, mon ami.

— Pour une fois que tu es prudente, laisse-moi te féliciter, reprit

mon père, qui voyait poindre l'aubaine d'une randonnée céliba-
taire. Mais qui vais-je emmener?

— Il faut y réfléchir, fit prudemment Folcoche, pour qui la
chose était toute réfléchie, mais qui ne tenait pas à démasquer trop
vite ses batteries.

Le lendemain seulement, elle consentit à nous communiquer ses
décisions, au déjeuner, encore une fois, selon cette habitude qui
consistait à débiter bonnes ou mauvaises nouvelles en se mettant à
table, les mauvaises étant généralement prioritaires (et majoritaires).

— Marcel n'est pas très bien en ce moment, dit-elle. Je ne peux
pas l'autoriser à faire un voyage, qu'il mérite pourtant plus que
tout autre.

Le nez rond de Cropette s'allongea.

— Je te dédommagerai autrement, mon pauvre enfant.

Papa devint radieux. Frédie se moucha violemment dans le sens
favori. Quant à moi, je comprenais parfaitement la manœuvre,
mais la perspective d'une évasion de quinze jours dissipait mes
appréhensions. Après nous, le déluge!* Seul l'oblat ne semblait
pas très rassuré.

— Je pense que nous devons bien quelques jours de vacances au
révérend père, qui s'est montré si dévoué pour nos enfants, continua Folcoche. N'avez-vous pas de la famille en Normandie, mon
père?

Tout guilleret, l'oblat accepta la proposition. Ainsi, sauf Marcel,
nous étions tous servis chaud. Notez que Folcoche n'avait pas dit:
«Ce sont Frédie et Jean qui accompagneront leur père dans le
Gers.» L'imméritée faveur était sous-entendue. Toute politique
que fût cette concession, l'énoncer en clair lui eût écorché la
langue.

Petit détail dont je me moquais bien! A la récréation, pour
respirer un avant-goût de liberté, j'allai chercher de l'air pur au
sommet du taxaudier, mon arbre favori, d'où l'on découvrait
toute *La Belle Angerie*.

XIV

Non, Folcoche tu ne parviendras pas à empoisonner notre joie. C'est en vain que tu as essayé de nous faire tondre avant de partir. Papa s'y est formellement opposé. Il est vrai que j'étais devant lui, rouge et contracté, et qu'il commence à me craindre: quel scandale ce petit meneur ne pourrait-il point déclencher? Non, Folcoche, il faut abandonner certaines petites persécutions qui ne portent plus. Pourquoi avoir rallongé subrepticement les costumes neufs que notre père nous a offerts, afin d'être dignes de lui? Je sais suffisamment coudre et, dès ce soir, je rétablirai l'ourlet. Pourquoi me donner une cravate qui jure atrocement avec ce complet? Je ne demanderai pas à notre père de m'en acheter une autre, car il m'enverrait au bain, mais Frédie fera une remarque désobligeante à son égard et M. Rezeau se jettera sur cette occasion d'affirmer son autorité et son bon goût, tandis que je rendrai le même service à mon aîné, dont les chaussures sont éculées.

Et voilà! L'heure du départ est arrivée. Pour rien au monde tu ne modifierais ton plan, ma mère, mais il faut avouer que ses prémices te coûtent. Allons! choisis donc un de tes sourires et tâche de jouer le *fair play*.

Papa s'est mis en frais. Quel dessous de porte m'a soufflé un jour que la petite de Poli ne lui avait pas été indifférente?* Il est presque moderne, notre vieux, dans un costume bleuardoise (l'ardoise, c'est très craonnais). Je ne sympathise pas beaucoup cependant avec cette épingle de cravate, qui fut celle de grand-père et qui représente un sanglier d'or aux yeux de rubis. Mais, fait prodigieux, les bottines ont fait place à des souliers bas.

— Ah! bougonne-t-il, je me tordrai les chevilles avec ces Richelieu.*

Enfin, il se glisse dans la Citroën, où Frédie et moi sommes déjà entassés (sans avoir reçu le baiser en forme de croix, tracé de la pointe de l'ongle). La voiture démarre, les vitesses protestent contre l'inexpérience du chauffeur, qui ne saura jamais les passer correctement. Par la vitre arrière, je considère un instant la silhouette de Folcoche, qui cherche à se tenir droite comme jadis et n'y parvient que péniblement. Cropette rentre déjà, accentuant son allure déhanchée, ce qui est signe chez lui de profond mécontentement. L'oblat fouille dans sa poche et en tire son mouchoir médaillé.* De l'autre main, il esquisse une bénédiction. *Bye-bye*, tout le monde!

La route d'Angers est hideuse. D'interminables haies détruisent l'horizon. Tous les cent mètres, une barrière à bascule, dont les poids sont remplacés par de grosses pierres. Elles portent, peintes en blanc, les initiales du propriétaire, et ces initiales, qui sont souvent les mêmes durant des kilomètres, nous rappellent que nous sommes ici en terre quasi féodale. Par leurs trouées, on aperçoit des pommiers en fleur, des champs de colza qui font chanter canari le printemps, des paysans de velours côtelé. D'innombrables carrefours précédés de triangles jaunes. Les chemins creux qui s'en échappent ont tous l'air d'une petite ligne de chemin de fer: ce sont les ornières pleines d'eau qui trompent l'œil.

— Eh bien! mes enfants, vous n'êtes pas loquaces. Avez-vous déjà le mal du pays?

— Ça, répond Frédie, pas question.

Papa sourit et fredonne:

— Où peut-on être mieux qu'au sein de sa famille?

Puis, d'une voix de basse-taille:

— Partout ailleurs!

Pour un homme de goût, c'est un peu patte d'éléphant dans le plat d'épinards.* Mais tel sera toujours notre pauvre vieux quand il cherche la camaraderie de ses fils. Il force la note,* il devient compromettant. On ne sait jamais sur quel pied danser avec ce Jupiter, dès que Junon cesse de lui préparer ses foudres.* Frédie récite sa leçon, avant que nous n'atteignions Angers et ses boutiques propices.

— Tu aurais pu mettre une autre cravate, mon vieux. La tienne est horrible.

— Et puis après! Nous allons pas chez le prince de Galles. D'ailleurs tu as quelque chose à dire, avec tes *pompes* de mendiant!*

M. Rezeau jette un coup d'œil, enregistre et opine:

— Vous ne serez jamais fichus de vous nipper convenablement. Nous ferons le nécessaire à Angers.

Angers. Cinq minutes d'arrêt. Sa cathédrale Plantagenet. Sa maison d'Adam. Putains et nonnes à égalité.* Étudiants. Ralliement. L'ange qui joue à saute-mouton du monument aux morts. Une ville où l'on pense bien. Rectifions une ville où l'on pense «biens». Prendre de préférence le trottoir de droite ou le quai de droite, le long de la Maine.

M. Rezeau met la main au portefeuille, entre avec nous aux *Dames de France*, rue d'Alsace (comme ces noms flattent l'oreille!). On achète en courant une cravate bleue et une paire de souliers jaunes, parce que Frédie les veut jaunes, malgré tous les conseils de son père qui trouve le noir beaucoup plus digne. Et l'on repart.

Le programme est chargé. Nous n'allons pas seulement dans le Gers convertir le comte de Poli à la diptéromanie. Nous allons, en passant, cueillir des renseignements essentiels sur certains de nos ancêtres, les plus nobles, bien entendu, car il est inutile de s'inquiéter des autres. M. Rezeau, depuis quelque temps, est tout à fait *mordu* pour la science de d'Hozier.* Exactement depuis qu'il a découvert que nous descendions des barons de Cherbaye et de cette autre famille qui portait le nom curieux de de Tanton et avait droit à ces prodigieuses armoiries: *d'azur a deux fleurs de lis et demie.** Quel passionnant mystère! Sans doute les de Tanton avaient-ils reçu du roi ces armes étonnantes depuis qu'un des leurs, portant devant le souverain l'écu de France ... Ce ne sont que suppositions, bien sûr, mais, sans doute, était-ce à Bouvines.* Sans doute ce Tanton a-t-il protégé le roi de la malemort. Sans doute reçut-il, ce faisant, quelque mauvais coup, partageant en deux la troisième fleur de lis, ce dont son maître bienveillant voulut éterniser la mémoire. Frédie irrévérencieusement, prétend bien que ce pourrait être non pas

84

une histoire de lis, mais une histoire de lit royal. Toujours est-il qu'il y a du roi là dedans. Et nous, Rezeau, descendants des de Tanton, nous sommes *tout de même* roturiers, malgré nos armoiries (*de gueules au lion d'or passant*)* enregistrées sous Louis XVI, au titre bourgeois, malgré nos alliances (avec la fleur des pois de) ce royaume,* inconsidérément devenu république.

Nous rendons enfin visite, selon un itinéraire soigneusement tracé au crayon bleu sur le guide Michelin, à certains camarades de guerre de M. Rezeau. Car, je ne vous l'ai peut-être pas encore dit, mais Monsieur a fait la guerre. Il était réformé au début des hostilités, réformé pour déficience générale, mais un Rezeau, en ce cas-là, s'engage immédiatement et, reconnaissons-le, jamais dans l'intendance. M. Rezeau a donc fait la guerre et en a la croix. Il garde de son séjour à Verdun une extrême fierté, l'horreur des poux (ces hémiptères!), une certaine tolérance pour *La Marseillaise* et *La Madelon*,* enfin une glorieuse blessure. Une blessure . . . dans le dos, vous avouerez que c'est embêtant pour un engagé volontaire, que c'est une infâme déveine, car il a été touché, notre héros de père, par une balle rasante,* alors qu'il rampait vers une mitrailleuse boche, alors que son dos, en quelque sorte, attaquait le premier!

Je vous raconte toutes ces choses, j'en fais une petite salade. Ne me croyez pas inconséquent. Pour la *n-ième* fois, papa nous les raconte, avec des variantes et des compléments d'information, tandis que la «cinq chevaux» se dirige vers Doué-le-Fontaine, première étape – généalogique, celle-là – de notre randonnée.

A midi, nous déjeunons, sur l'herbe, aux portes du village. Mme Rezeau nous a pourvus d'œufs durs, de salade de haricots et de pommes de terre en robe de chambre (je proteste au passage; on devrait dire: pommes de terre en robe des champs). Elle nous en a pourvus pour deux ou trois jours. Economie. Souci de nous gâcher notre plaisir. Hormis les œufs, rien n'est mangeable. Nos provisions sont affreusement salées.

— Ce soir, nous dînerons chez un traiteur, déclare M. Rezeau, qui affectionne ce mot noble et ajoute aussitôt, dans notre style : Fine nous a donné des saloperies.

Il ne précise pas : « Sur l'ordre de votre mère », mais nous autorise à le penser. Faut-il le dire ? Nous trouvons que son silence est un peu lâche. On n'abandonne pas si vite ce que l'on a soutenu si longtemps de son autorité.

Compulser les registres de l'état civil et, surtout, se faire confier les plus anciens d'entre eux par ces secrétaires de mairie qui sont la plupart du temps instituteurs, donc communistes, ce n'est pas une petite affaire. Le nom des Rezeau et la qualité de la carte de visite de notre père ne les impressionnent pas toujours. Il faut quelquefois aller voir le maire ou l'adjoint, expliquer le coup, longuement, à des paysans obtus ou méfiants, savoir distinguer ceux d'entre eux qui attendent un pourboire et ceux qui s'en offenseront. M. Rezeau, reconnaissons-le, ne s'en tirait pas trop mal.

Le secrétaire de mairie de Doué-la-Fontaine fut charmant. Il portait barbiche, lorgnon et col cassé, comme les portera Tafardel.* Mais il laissait percer des opinions respectueuses de l'ordre établi.

— Un type très bien, décida notre père, un malheureux qu'on laisse moisir dans ce trou, parce qu'il n'est pas franc-maçon.

Pendant trois heures, nous nous penchâmes sur les grimoires de feu les curés de Doué. Nous rencontrâmes quelques ancêtres, notamment ce Louis Rezeau qui, à plusieurs reprises, reconnaissait des enfants comme « nés de ses œuvres ». Papa tournait pudiquement la page, en cherchait d'autres, plus pompeuses, où dormaient ces paraphes compliqués,* lacés, relacés, de la prétention bourgeoise, ou ces signatures en forme de coups d'épée (« Sa main digne, quand il signe, égratigne le vélin ») des *écuyers* et autres seigneurs, ou enfin ces croix pesantes et rudes comme l'existence des paysans qui les tracèrent.

Si vaine que soit la constitution d'un arbre généalogique, où pend toujours une quantité considérable de bois mort (cet arbre poussant dans le passé, on devrait logiquement dire une *racine* généalogique), si vaine que soit la recherche et le dosage plus ou moins truqué d'une ascendance,* je ne dédaigne pas totalement ce petit jeu. L'origine de mes vingt-quatre paires de chromosomes m'intéresse. Mais surtout le dépouillement d'un registre présente en lui-même un attrait analogue à celui du miracle de Lazare. L'acte de naissance de ces morts du XVIIe siècle, qui n'ont même plus de tombe, les restitue partiellement à la vie. Tandis que mon père, avec ce vain instinct de collectionneur qu'il manifestait en toutes choses, accumulait les notes, épinglait les dates, donnait de subtils coups de filet dans le temps et dans l'espace, j'aimais derrière lui m'emparer des registres, choisir un nom (ce nom fourni par le baptême au hasard de la conception), le suivre de page en page. Quelquefois, il s'arrêtait tout de suite, ainsi que beaucoup d'autres, rayés par une épidémie. Quelquefois, on le retrouvait sur deux, trois, cinq, dix registres successifs, baptisé, marié, remarié, père de plusieurs enfants, parrain de beaucoup d'autres, témoin de ses amis, enfin «décédé muni des sacrements de notre mère la sainte Eglise». La grande histoire peut mépriser ces humbles en elle anonymes, comme sont en nous anonymes les millions de globules de notre sang. Mais ni elle, ni la petite histoire, ni même le roman, quelles que soient les précisions et la couleur de son récit, ne peuvent donner ce caractère d'authenticité, ce parfum de fleur desséchée qui a pourtant fleuri. Soit dit en passant, il arrive que des fleurs bi ou tricentenaires soient collées sur les feuillets des registres, et c'est injustement à Doué-la-Fontaine que j'ai retrouvé l'acte de naissance d'une certaine Rose-Mariette Rezeau, fille de noble homme Claude Rezeau et de dame Rose Taugourdeau . . .

— Aucun intérêt, fit mon père. J'ai suivi la piste.* Elle est morte à seize ans. l'année du choléra.

Elle était morte à seize ans, en effet, la petite arrière-grand'tante. Elle était morte, voilà deux cent dix-huit ans, mais son acte de naissance était toujours orné d'un pétale de rose, qu'avait collé sa maman, qui ne savait sans doute pas signer et qui pourtant avait su signer mieux que tous les autres, mieux que Folcoche,

87

certainement, cette spécialiste du cunéiforme, ne l'avait su faire à mon baptême.

Je suis, vous le savez bien, un peu sacrilège. J'emportai le pétale de rose. Aucun amoureux ne l'aurait mieux conservé que moi. Je lui trouvai une cachette sûre: au milieu de mon scapulaire,* entre un morceau de toile «ayant touché sainte Thérèse de l'Enfant Jésus» et l'image imprimée sur flanelle et lavée de sueur de Notre-Dame des Sept-Douleurs.

De Doué-la-Fontaine, nous eûmes le temps, dans la même journée, d'aller essuyer la poussière de quelques vieilles reliures, à Vihiers, puis à Trémentines. A huit heures moins le quart, le secrétaire de mairie de cette dernière localité nous mettait poliment à la porte, et nous allions coucher à Cholet.

Avec des fortunes diverses, les deux jours suivants furent employés à prospecter généalogiquement les Deux-Sèvres et la Vendée. Le soir du troisème jour, quittant la région où nous avions des chances de rencontrer des ancêtres dans leurs linceuls de papier jauni, nous nous lancions à travers la Charente, ce département qui a la forme d'un foret, coincé entre l'autre Charente (qui n'est pas inférieure, mais maritime), et la Dordogne truffée. L'étape obligatoire était Montenveau-sur-la-Dronne, dont le curé, à l'époque s'appelait Toussaint Templerot.

«Ce gaillard-là m'a sauvé la vie en me transportant sur son dos, entre les lignes, lorsque je fus blessé pour la seconde fois», nous avait dit notre père.

L'abbé Templerot méritait bien l'épithète de gaillard. A notre arrivée, vers vingt heures, un géant d'un mètre quatre-vingt-sept poussa la porte de son presbytère et accola M. Rezeau, qui avait l'air très ému et nous découvrit un nouvel aspect de sa mentalité. Comment pouvait-il donc refouler pendant des années des affections apparemment si profondes?

— Mon vieux Templerot! s'exclamait cet homme disert, soudain dépourvu de mots.

— Sacré Jacques! répondait le curé, qui n'avait pas le coup de gueule plus nuancé, Sont-ce là tes gamins?

Mes quatorze ans tout ronds,* les quinze ans et demi de Frédie allaient s'offusquer du terme, mais Templerot ne nous en laissa pas le temps. L'un après l'autre, nous fûmes soulevés de terre et embrassés de façon sonore. Ce curé, décidément, ne ressemblait pas aux abbés que nous avions connus jusqu'alors et dont l'affection, les jours de gala, allait jusqu'au baiser de paix, ce frotti-frotta de joues mal rasées.

— Entrons chez moi, reprit Templerot. Vous ne serez peut-être pas aussi dorlotés que dans votre manoir, mais la Marguerite a fait pour le mieux.

Je pense bien! Jamais je n'avais vu tant de victuailles sur une table. Les assiettes étaient de faïence et les couverts d'aluminium, mais la selle d'agneau, le canard rôti aux navets, l'*île flottante,* le blanc cacheté, le rouge poudreux nous affolèrent.

— Arrête, Templerot! Ces enfants n'ont pas l'habitude de pareilles agapes.

— C'est bien pour ça qu'ils sont ch'tifs, disait la Marguerite, tout en servant. Le vin, c'est la force de l'homme. Dans vos pays de là-haut, le vin est pâle. N'y a pas de soleil dedans.

Le curé déboutonnait sa soutane. M. Rezeau, mais oui, notre père, qui devenait aujourd'hui «Jacques, de la cote 137»,* débou-tonna également son gilet bleu-ardoise. Je me trouvais au bas bout de la table et, l'estomac surchargé, je considérais dans une sorte de rêve la salle à manger du presbytère qui n'était point tendue, comme la nôtre, de verdures des Gobelins,* pleines de perroquets, d'oiseaux indéfinis, de nébuleux châteaux. Les murs, absous à la chaux* une fois par an, ne comportaient même pas le décor de pieux chromos cher au curé de Soledot. Pas une bondieuserie, hormis le crucifix de plâtre où trottinaient des mouches. La fenêtre donnait sur un jardin ratissé au petit poil, où prospérait un figuier, certainement point stérile comme celui de la parabole. Je n'étais déjà plus très conscient.

— Marguerite, donne-nous la goutte.

La goutte m'acheva. Je ne saurais rien vous dire de plus. Le colosse, en riant aux larmes, m'emporta dans ses bras, me déposa au creux d'un immense lit de campagne tout mou, tout chaud, où e m'endormis aussitôt.

Je me réveillai le lendemain matin, ou, plus exactement, je fus réveillé par Marguerite qui m'apportait sur un plateau un bol de chocolat flanqué de brioches et de tartines beurrées.

— Ça-va-ti, mon gars?

Cette familiarité me choquait bien un peu, mais je me laissai embrasser de bonne grâce.

— Je me lève tout de suite, mademoiselle.

— Mademoiselle! C'est Marguerite que je m'appelle. Et puis tu vas déjeuner au lit. Quand j'étais gamine . . .

Déjeuner au lit! Je ne croyais pas que ce privilège pût appartenir à toute autre personne que Folcoche. Je ne me fis cependant pas prier* et j'attaquai les brioches, tandis que Marguerite continuait à m'expliquer comment la dorlotait feu sa mère, jadis épicière . . . Oh! épicière! Quel dommage! Marguerite appartenait donc à une des classes les plus viles de la société.

Le chocolat expédié, – ce premier chocolat qui reste dans ma vie une date beaucoup plus importante que celle de ma première communion, – je me sentis soudain couvert de honte.

— Et la messe! Est-ce que j'ai manqué la messe?

Car il ne me venait point à l'idée de dédaigner le saint sacrifice célébré par un curé qui m'hébergeait si bien.

— Aujourd'hui n'est pas dimanche, répondit calmement la brave femme. Dors encore un peu. Je viendrai te chercher pour aller aux fraises.

— Des fraises, déjà! Chez nous, elles ne seront pas mûres avant un mois. Et puis on les garde pour les invités.

— C'est qu'ici, repartit fièrement la bonne du curé, nous ne barbotons pas dans le brouillard. Et les invités de M. Templerot, c'est toi, c'est les neveux de M. Templerot, c'est même les petits oiseaux. Y en a six planches qui ont passé l'hiver dans le crottin.

Un pays de cocagne, en un mot. Absolument dépaysé, je passai au bleu la prière du matin – dans une cure, Seigneur! – et, sur le coup de dix heures, je rejoignis Frédie, qui se gavait de fraises des quatre-saisons, dans un jardin bon enfant où les fleurs côtoyaient les légumes. Personne pour nous surveiller. Ce laisser-aller n'était-il pas un piège tendu à notre discrétion?

— Vas-y mou!* Il ne faut pas que cela se voie de trop. Mais où est papa?

— Il a pris son filet à insectes et, bras dessus, bras dessous, est parti avec Templerot.

M. le curé de Montenveau! rétorquai-je.

— Non, insista Frédie. Ici, les titres honorifiques et les titres de rente n'ont pas cours.

Je ne sais pas trop où Frédie avait déniché cette formule. Ses quinze ans et demi commençaient à devenir quelque peu révolutionnaires. En mots, d'ailleurs, en mots seulement.

Notre père rentra peu après, toujours flanqué de son ami, qui, de loin, m'interpella:

— Petit misérable! C'est ainsi que tu fais honneur à mes vins! Ah! ces buveurs de cidre, quelle petite race!

— Ils ne boivent même pas de cidre à la maison, rectifia doucement notre père, mais de l'eau.

— Oh! protesta le curé, mettant toute sa réprobation dans cette seule exclamation. Et tu laisses faire?

— Ma femme, vois-tu, a des conceptions personnelles sur l'éducation des enfants.

Templerot se souciait fort peu de Mme Rezeau, qu'il devait imaginer autoritaire, rude, mais certainement bonne épouse et bonne mère.

— Ne profite pas de son absence pour m'abîmer le profil de ta femme, conclut-il en riant.

91

Silencieusement, je l'approuvais. Folcoche ne devait pas être attaquée en dehors de *La Belle Angerie*. Je n'aime pas enfoncer les aiguilles dans le dos des gens.

Aussitôt après le déjeuner, nous reprîmes la route. Nous avions l'intention de coucher chez un autre camarade de notre père, le baron de la Villéréon, châtelain à Sigoulès, mais ce dernier se contenta de nous offrir un verre de cassis. Nous dûmes pousser jusqu'à Mas-d'Agenais, où l'ancien caporal de M. Rezeau tenait une grosse ferme. Il nous reçut, lui, à bras ouverts, malgré l'heure tardive. Encore une fois je pus constater combien mon père était l'homme de son décor. Malgré ses prétentions généalogiques, le véritable défenseur de la morgue Rezeau, de la dynastie Rezeau, des manières Rezeau, ce n'était point lui, mais notre mère, cette Pluvignec, qui ne se commettait jamais. Ce soir-là, M. Rezeau se trouva fort bien d'une soupe aux choux, servie directement dans son assiette par la fermière, se lança dans de longues considérations sur les assolements et les fumures,* puis s'en alla se coucher en notre compagnie dans le grenier, où trois lits de camp avaient été sommairement dressés parmi les tas d'oignons et les sacs de semences. Je sus ainsi qu'il portait des caleçons longs et qu'il ronflait.

Le lendemain, à midi, le même M. Rezeau était redevenu un homme du monde aux gants distingués. Nous avions traversé le Lot-et-Garonne sans nous arrêter et nous arrivions pour l'angélus au château de Poli, perché sur une des collines d'Armagnac, entre la Gélise et la Douze.

Il avait fort grand air, ce château, et son propriétaire, à première vue, ne le déparait pas.* Long vieillard à favoris blancs, l'ex-magistrat fit en entrée solennelle dans le grand salon, où l'on venait de nous introduire. Sa fille le flanquait de tulle rose. Il n'en paraissait que plus austère. Cependant ses paupières tremblotaient curieusement.

— Mon cher maître, commença-t-il avec emphase, je vous suis infiniment obligé de la célérité . . .

— Papa, coupa très vite Mlle de Poli, ce n'est pas votre notaire, mais votre ami Jacques Rezeau.

— Ah! c'est votre petit Rezeau. Comme je suis content de vous revoir, mon enfant!

Ainsi, depuis la Chine, le comte de Poli était devenu gâteux. Notre père tiqua: toute l'entomologie française, cette science sérieuse, se trouvait atteinte avec lui. Mais Yolande de Poli pansa immédiatement la plaie: elle avait un sourire cotonneux tout à fait adéquat. Rien qu'à la voir une seconde, on pouvait comprendre à quel point l'expression «tomber en quenouille»* était variable pour cette maison. Elle filait, en son éternel sourire, le dernier coton de sa race. Pas vilaine, d'ailleurs, quoiqu'un peu fatiguée. Je commençais à m'intéresser aux visages féminins, et celui-ci ne me déplaisait pas.

— Excusez mon père, mon cher Jacques, implora-t-elle. Sa vue baisse et il reconnaît difficilement ses meilleurs amis.

Leur poignée de main fut molle et fidèle. Pour la forme, et cette fois sans sourire, la jeune fille demanda:

— Comment va Mme Rezeau?

— Etonnamment mieux! répondit-on avec ambiguïté.

Nous fûmes présentés. Avec une certaine négligence. Un nouveau personnage, M. Rezeau joli cœur,* se composait devant nous.

Huit jours durant, nous le vîmes évoluer dans les jupes de la demoiselle. Rassurez-vous. Cour purement spéculative, occupation de bon ton, au même titre que la généalogie ou l'entomologie. Le comte de Poli, comme beaucoup de vieillards, avait ses heures de lucidité. Pour plaire à Yolande, notre père les rendit sirphidiennes. Et les araignées furent proscrites.

— Sauf celle qui loge dans le crâne de l'auguste comte!* ricanait Frédie, dont les jeux de mots devenaient lassants.

— Méfie-toi de ne pas héberger un crabe quand tu auras son âge, répondais-je en bâillant.

Car je bâillais, du fond de l'estomac. Tant pis si vous n'y comprenez rien! Mais je m'ennuyais. Certes, nous étions traités de manière royale, nous restions libres du matin au soir, nous avions à notre disposition tennis, bateau, salle de jeux et domestiques. Mais notre plaisir était précisément trop officiel. Nulle interdiction n'en pimentait la saveur. Folcoche ne pouvait pas en frémir. Frédie ne partageait peut-être pas ce sentiment d'une manière aussi vive.

— Elle en crèverait de dépit, la vieille, si elle pouvait nous voir! disais-je à tout propos.

— Pour une fois que nous ne l'avons pas sur notre dos, fiche-nous donc la paix avec cette femme! Tu gueules toujours contre elle, mais, ma parole! on dirait que tu ne peux pas t'en passer.

Effectivement. Jouer avec le feu, manier délicatement la vipère, n'était-ce point depuis longtemps ma joie favorite? Folcoche m'était devenue indispensable comme la rente du mutilé qui vit sa blessure.

C'est pourquoi, par forfanterie, je résolus d'écrire à Cropette, en lui faisant une relation enthousiaste de notre voyage. Dûment censurée par la mégère, cette lettre serait pour l'un comme pour l'autre l'occasion de bien douces-amères réflexions.

La réponse du berger à la bergère* ne tarda pas. Quatre jours après, je recevais une de ces splendides cartes postales de *La Belle Angerie*, qui représentent le manoir vu de face dans toute sa longueur. Cropette disait simplement:

Mon cher Brasse-Bouillon, je suis heureux pour vous de ces excellentes vacances. En compensation, maman m'a payé une bicyclette Wonder, avec changement de vitesse. Le père Vadeboncœur ne reviendra pas: M. l'abbé Traquet le remplace. Il était aumônier dans une maison d'éducation surveillée. Petit-Jean entre au séminaire. Maman me dit de prévenir Frédie qu'elle n'a pas été contente de ce qu'elle a trouvé dans la cloison de sa chambre. Ton frère affectionné. MARCEL REZEAU.

Nos commentaires furent longs et fiévreux.

— Le Cropette a bien travaillé, constata Frédie. Qu'est-ce que nous allons prendre en rentrant!

— L'orage passera, répondis-je, mais le trésor est foutu. Quatre pots de rillettes, deux pots de gelée de coings, trente-quatre œufs, deux cent cinquante francs et quinze clefs de perdus! Voilà la catastrophe. Encore ai-je eu le nez creux de mettre deux autres billets de cent francs et quatre passe-partout sous le carreau descellé de ma chambre. Je ne pense pas qu'on les ait trouvés.

Mon père avait lu la carte avant de nous la remettre. Il ne fit aucune attention à la découverte du placard secret. Mais, devant la petite de Poli, il s'indigna fortement des décisions unilatérales de Folcoche.

— Voilà Paule toute crachée! Elle profite de mon absence pour renvoyer le précepteur et en choisir un autre de son goût. Je vais lui écrire ce que j'en pense.

Il n'en fit rien. Dix minutes après, un heureux coup de filet jeté par hasard sur l'ombelle d'une fausse ciguë* lui rapportait une rarissime *Tegomia*. Une touffe de poils supplémentaires au dernier article abdominal pouvait même laisser présager qu'il s'agissait d'une variété inconnue. Dans son enthousiasme, il écrivit aussitôt au Muséum, dont il avait récemment été nommé membre correspondant. Et il oublia d'écrire à notre mère.

XV

Nous étions descendus en Armagnac par les terres.* M. Rezeau se laissa convaincre de remonter par les côtes. Nous n'avions, en effet, jamais vu la mer, bien que La Baule ne se trouve qu'à cent kilomètres de *La Belle Angerie*. La famille estimait inutiles et même immorales les trempettes mondaines en eau salée, toute viande dehors. L'horreur du nu est tenace en Craonnais. La peur de l'eau également, tant qu'elle n'est pas bénite. L'éducation en vase clos – en ciboire, dira Frédie, – ne permettait aucune fréquentation dangereuse. Chacun sait que sur les plages on est obligé de se commettre plus ou moins avec les boutiquiers enrichis et la canaille des congés payés. Et puis, enfin, ça coûte cher.

95

Mais, aux alentours de Pâques, il n'y a point d'estivants sur le sable, l'eau n'est pas polluée par la sueur en vacances, les hôtels vides font des prix. Au surplus, il ne s'agissait que de longer rapidement l'océan pour nous faire connaître une des plus belles compositions panoramiques du Créateur.

— Evidemment, le paysage est bien gâté par les panneaux publicitaires* de ces horribles marques d'apéritifs ou par les villas de style américain. Mais vous tâcherez d'en faire abstraction.

Le style américain, soit dit en passant, était le vocable passe-partout employé par le vieux pour qualifier à la fois le jazz (dites mieux: jazz-band), l'architecture moderne, la peinture cubiste, les poèmes surréalistes, les meubles en ronce de noyer* et les sièges en tube. Ces derniers surtout le révoltaient: laissons le chrome aux dentistes. Je pense qu'il les aurait sans doute trouvés plus confortables que ses bergères à pieds de biche,* s'il avait vécu plus de quinze jours dans un décor de ce genre, mais l'occasion ne lui en fut jamais donnée.

Obliquons donc vers Bordeaux. Quinconces, pont Saint-Jean, qui a 486 mètres de long. Nous négligeons le port, dont les activités sont sales et peu intellectuelles. Nous coucherons à Blaye, dont les hôtels sont moins chers, à Blaye, dont les remparts sont de Vauban* (si j'ai bien retenu ma leçon), à Blaye, patrie de Jaufré Rudel,* qui, toutefois, n'en fut jamais prince. Le lendemain matin, arrivée à Royan et premier cours d'océanographie et de quelques autres sciences annexes. Les crevettes grises ne doivent pas être confondues avec la salicoque, le palémon ou le bouquet*. Le pou de mer n'a rien à voir avec l'entomologie: il s'agit du plus méprisable des crustacés. Le chardon bleu est abusivement décoré de ce titre, car il n'appartient même pas au genre *carduus*. Les flotteurs du varech posent un problème non résolu: de quelle manière sont-ils gonflés! Essai de théorie personnelle. Le goéland utilise les courants ascendants bien mieux que les planeurs, car les œuvres de Dieu sont toujours supérieures aux imitations des hommes. Néanmoins ceux-ci devraient bien utiliser l'immense réservoir d'énergie que constituent les marées. Quelques formules. Aperçu rapide sur les difficultés que rencontre la construction des turbines fonctionnant sous une faible hauteur de chute. Il ne faut pas confondre les Royannais, qui sont les indigènes de Royan, avec les Royadères, qui habitent Royat, dans le Puy-de-Dôme, ou, mieux, en Limagne, car les départements sont une création arbitraire de la Révolution. Ce jeune garçon, là-bas, près du môle, est en train de nager le crawl, et le crawl dérive de la nage pratiquée par les Polynésiens.

— Au fait, j'aurais peut-être dû vous faire apprendre à nager. Vous êtes favorisés par la présence de l'Ommée, qui traverse notre parc. Il faudra que j'en parle à votre mère.

Il faudra que... Tiens! le vieux redevient respectueux des avis de sa femme. Il sent l'écurie.* La fausse camaraderie, qu'il avait cru bon d'adopter au départ, se paternalise de plus en plus. Nous ne sommes d'ailleurs pas tellement plus rassurés que lui. Frédie ne cesse de me répéter dans l'oreille:

— Tu me soutiendras, hein? Tu me soutiendras?

Nous n'avons pas le temps de rester plus de deux heures à Royan. Dans la même journée, nous inspectons Fouras, puis Châtelaillon, pour coucher enfin à La Rochelle, chez notre tante, la baronne de Selle d'Auzelle, qui vient d'hériter de sa belle-mère un hôtel particulier* rue de la Marne et des marais salants* en Oléron. Demain, nous ferons un crochet* pour admirer l'immense jetée de La Pallice, en cours de construction.

Mais non, nous n'irons pas. Une lettre de Folcoche, dont le contenu ne nous sera pas divulgué, nous a précédés chez la baronne, et notre père, qui se découvre éreinté, décide soudain de rentrer directement à *La Belle Angerie*, *via* Fontenay-le-Comte et Cholet. Nous ne connaîtrons pas Les Sables-d'Olonne ni Croix-de-Vie. La Citroën, poussive (l'huile a besoin d'être changée), galope bon gré mal gré vers *La Belle Angerie*. Déjà le décor familier des haies vendéennes, les chemins creux, les talus couronnés de souches, les vaches pie qui ont le beurre si jaune nous préviennent de nous tenir convenablement et de ne plus nous appuyer aux coussins de la

97

voiture. Nous évitons Angers et passons par Candé. Bientôt nous sommes à Vern, dont les bornes nous avisent que Soledot n'est plus qu'à cinq kilomètres. Enfin, à quatres heures, nous remontons l'allée des platanes, variétés V. F., au pied desquels meurent les dernières jonquilles. Notre père corne faiblement. Folcoche apparaît. Ses cheveux secs sont ébouriffés. Elle est flanquée de Fine, qui triture son tablier, et d'un très long, très maigre abbé, qui se croise les bras et penche la tête du côté gauche, celui du crucifix, bien astiqué, fiché dans sa ceinture.

— Quelle sale gueule il a,* le B VII! me glisse Frédie.

Mais notre père a déjà baisé la main de sa femme.

— Voici M. l'abbé Traquet, qui a bien voulu remplacer le père, que son ordre renvoie au Canada.

— Ah! bon, fait mon père, déjà ravi de cette explication, je n'avais pas bien compris le motif de son départ. Soyez le bienvenu, M. l'abbé.

Notre mère ne nous embrasse pas plus qu'au départ.

— Toi . . ., fait-elle en menaçant de l'index ce pauvre Frédie.

Mais elle se ravise: il lui faut d'abord réchauffer l'indignation paternelle.

B VII, posant lentement ses quarante-quatre* sur les marches du perron, descend vers nous et prend possession de nos épaules, où s'abattent respectivement sa main gauche et sa main droite. Je suis honoré de la main droite, qui m'apparaît solide. Mais il m'apparaît aussi nécessaire de faire comprendre à ce spécialiste qu'il n'a point un mouton sous la serre.

— Excusez-moi, monsieur l'abbé, mais je dois dire deux mots à notre frère Marcel, qui n'a point daigné venir nous souhaiter le bonjour.

— Votre frère apprend ses leçons, réplique sèchement l'abbé, et vous allez justement le rejoindre. Vos vacances ont été longues et, si je ne m'abuse, assez peu méritées. Vous devez reprendre immédiatement le travail.

Littéralement, il mâche ses mots, cet homme. Ses mandibules

font un petit bruit de cheval qui broie de la paille.* Frédie, subju-
gué, gravit le perron. Je suis le mouvement qui nous conduit directement dans la salle d'études. Mais, en arrivant, j'avise Cropette,
qui s'absorbe dans une pénible reproduction de la carte de Russie.
(La Russie, qu'on appelle provisoirement U.R.S.S., traduction de
C.C.C.P.,* et dont notre mère recherche avidement les timbres,
bien que ceux-ci soient généralement d'odieuses reproductions de
bustes révolutionnaires.) J'avise donc Cropette et lui dis tranquillement:

— Pourquoi mets-tu Pétrograd? On dit Léningrad, maintenant.
L'abbé fonce sur moi.

— De quoi vous mêlez-vous?

Mais je continue:

— Evidemment, Pétrograd, cela fait beaucoup mieux. Tu es
pierre et, sur cette pierre, je bâtirai . . .

La première gifle de B VII me déporte de trois mètres. Mais la
fin de la phrase part quand même:

— . . . je bâtirai mes petites trahisons.

Seconde gifle. Cropette n'a toujours pas levé le nez et calli-
graphie laborieusement, du côté de la haute Volga, le nom de
Nijni-Novgorod, alias Gorki. Il est toutefois plus rouge que moi,
malgré les deux taloches que je viens d'encaisser pour l'amour de la
vérité, tel Jésus, patron de tous les Traquet du monde.

— Eh bien! ça promet! déclare l'abbé. Votre mère n'a rien exa-
géré. Mais j'en ai maté d'autres que vous, je vous le garantis.

A mon grand étonnement, les choses s'arrêtent là. L'abbé s'as-
sied et reprend d'un ton neutre:

— Vous êtes injuste. Je crois savoir ce que vous lui reprochez.
Madame votre mère m'a mis au courant de tout dès mon arrivée.
Ce n'est nullement sur les indications de votre benjamin, mais par
hasard, que le pot aux roses a été découvert. Au reste, de quoi vous
mêlez-vous? Cette affaire regarde votre aîné.

Que signifie cette attitude? Mais déjà l'abbé invective Fred.

— Vous, le voleur, en attendant mieux, mettez-vous à l'écart, sur la petite table, et copiez-moi le verbe dérober, à tous les temps, en français, en latin et en grec.

La manœuvre se précisa, le lendemain, dès l'étude de neuf heures.

— Ferdinand! jeta Folcoche par l'entrebâillement de la porte, ton père t'attend dans son bureau. Allons! Plus vite que ça!

Coup de pied, au passage, dans le mollet. Bigre! Je m'attendais à être convoqué, mais il n'en fut rien. Folcoche revint, seule, précédée du sourire diplomatique, et s'assit négligemment sur le coin de notre table de travail.

— Pendant votre absence, dit-elle sans préambule, j'ai découvert dans la chambre de Frédie une cachette contenant des victuailles et de l'argent. C'est une forte odeur de pourriture qui m'a mis la puce à l'oreille.* Les œufs s'étaient gâtés.

Coup d'œil reconnaissant de Cropette.

— J'ai fait mon enquête. Les pots de rillettes proviennent de trafics avec les fermiers. J'ai déjà dit ce que j'en pensais et j'ai interdit aux métayers de vous donner quoi que ce soit à l'avenir. Quant aux œufs, Frédie les avait volés à Bertine, c'est évident. J'ai trouvé aussi des clefs, qu'il destinait certainement à mes serrures. Tout cela est très grave et mérite une punition exemplaire. Ferdinand sera fouetté. De plus, il restera enfermé dans sa chambre pendant un mois. Il sera, bien entendu, privé de dessert durant toute cette période et ne sortira que pour aller à la messe. Je vous interdis de communiquer avec lui tant que durera cette quarantaine. Vous y gagnerez de ne plus céder à ses mauvais conseils.

Je ne disais rien. Madame mère ne se donnait même pas la peine de m'observer à la dérobée, sachant très bien quelles réflexions pouvaient m'agiter. Déjà très mortifié par le peu de cas qu'elle semblait faire de ma complicité, je l'étais encore beaucoup plus par l'opinion que Frédie n'allait pas manquer d'avoir de moi, si je ne me solidarisais pas immédiatement avec lui. Folcoche, qui me connaissait bien, prévint cette éventualité.

— Ton frère aîné, qui ne brille pas par le courage, vient naturelle-ment de te mettre en cause, Brasse-Bouillon! Je n'ai pas l'intention d'en tenir compte. Quel que soit le rôle que tu aies joué dans cette affaire, Ferdinand est l'aîné, et, à ce titre, je le tiens pour responsable.

Un désagréable silence suivit cette déclaration. Madame mère le meubla de sourires divers, destinés à l'abbé, à Cropette, à moi, à elle-même. Puis elle s'en fut sans rien ajouter. Le Traquet la suivit, sans doute pour prendre ses ordres.

— Que fait-on? dis-je tout bas à Cropette.

— Que veux-tu faire? Elle t'a prévenu. Frédie doit payer seul. Considérons-nous comme de petits veinards et fermons-la.*

— Frédie ne nous pardonnerait jamais de le laisser tomber.

Dans ma tête, s'élaborait un plan de contre-attaque . . . Com-promettre Cropette. A tout prix, communiquer avec Frédie, dont le moral devait être voisin de l'altitude zéro, comme avait dit papa devant la mer, à Châtelaillon. Neutraliser peu à peu l'abbé Traquet en lui suscitant des difficultés avec Folcoche; cela paraissait malaisé, mais, après tout, elle avait été du dernier bien avec tous les pré-cepteurs avant de les renvoyer. Entreprendre, moi aussi, M. Rezeau. Pour l'instant, attendre et voir venir. J'étais en train d'ap-prendre que l'hypocrisie est sœur de la patience.

Ferdinand, héritier présomptif,* fut fouetté après dîner. Notre père refusa de s'en charger. Il était devenu invisible et dessinait sa rarissime *Tegomia*, prise dans le Gers, en prenant bien soin d'exa-gérer la touffe de poils du dernier article abdominal. Folcoche choisit une baguette de coudrier dans un massif et l'offrit à B VII avec mission d'en zébrer les fesses du condamné.

— Vous m'excuserez de vous imposer cette corvée, monsieur l'abbé. Mais mon mari est très occupé! Quant à moi, je ne puis plus décemment donner le fouet à un garçon de quinze ans.

Traquet, sans enthousiasme, accepta l'office de bourreau, et nous pûmes entendre des hurlements significatifs du côté de la chambre de Frédie.

— Le salaud! murmurait Cropette avec conviction.

— Frédie ferait mieux de se taire, répliquai-je. Il manque de tenue. Si c'était moi . . .

— Oh! toi, tu es toujours plus fort que les autres, protesta mon frère.

J'attendais impatiemment la nuit. Elle vint enfin, très noire, telle que je la souhaitais. Armée de sa lampe Pigeon, Folcoche effectua trois rondes, puis, vers minuit, n'apercevant rien d'insolite dans les couloirs, elle confia ses haines à son oreiller. Je me glissai hors de ma chambre et, rapidement, je filai jusqu'à la remise, où je pris une échelle. L'appliquer sous la fenêtre de Frédie, grimper, enjamber l'appui, réveiller la victime, qui dormait comme un loir sur ses fesses striées de rouge, tout cela ne dura que cinq minutes.

— Fous-moi la paix et va te recoucher, lâcheur! protesta mon aîné, en bâillant. Tu vois où me mènent tes conneries.* C'est moi qui paie, comme toujours.

— Imbécile! Tu n'as pas compris que Folcoche cherche à nous diviser?

Il me fallut une bonne heure pour convaincre cette chiffe. Mais, comme Ferdinand était le digne fils de son père, mon éloquence finit par l'entamer.*

— Je te laisse le choix entre deux solutions, lui dis-je pour conclure. Ou bien nous restons sur nos positions, tu fais ta punition, nous cherchons à t'aider de toutes les manières et même à obtenir ta grâce auprès de papa, dont la fête tombe le premier mai, souviens-t'en. En finale, Folcoche aura raté son but, qui était de nous brouiller* en faisant retomber sur toi seul les conséquences d'un délit collectif. Ou bien je vais voir papa demain matin et je mets tout le monde dans le bain, en lui montrant la Déclaration des Droits, dont fort heureusement le texte est encore en ma possession. Cropette est partisan de la première solution, je pencherais plutôt vers la seconde.

Frédie n'hésita plus. La perspective d'une punition générale, qui le laisserait sans secours, le rangea aux côtés de Cropette.

— Si vous êtes enfermés à votre tour, vous ne pourrez pas m'aider. Personne ne pourra plus amadouer papa. Enfin, si nous compromettons Cropette, il n'aura, la crise passée, plus aucune raison de nous ménager et se rangera définitivement dans le camp de la mégère ... qui ne se gênerait d'ailleurs pas pour le gracier, sous prétexte qu'il est le benjamin.

Pour une fois, j'adoptai la motion de la majorité.

— Alors, entendu comme ça. Pour communiquer plus facilement, comme je ne peux tout de même pas escalader ta fenêtre toutes les nuits, je vais percer un trou dans la cloison qui sépare les deux chambres. Juste sous mon crucifix: ça ne se verra pas. De ton côté, couvre l'orifice avec le portrait de sainte Thérèse.

Le lendemain, cette sorte de téléphone fonctionnait à merveille. Je ne me faisais pas beaucoup d'illusions sur les avantages pratiques de cette installation, mais Frédie avait besoin d'être continuelle- ment remonté. Lui donner l'impression qu'on s'occupait de lui suffisait à son bonheur.

Toute la journée, je fis d'excellent travail. Puisque Folcoche me donnait des leçons de machiavélisme, la moindre des choses était de me montrer bon élève.

— C'est bien vrai que M. Frédie a eu le fouet hier soir? me demanda innocemment la petite Bertine Barbelivien, tandis que je me penchais à ma fenêtre, peu avant midi, à l'heure où le règle- ment m'ordonnait d'aller me laver les mains.

Un coup d'œil jeté sur le massif de rosiers me fit découvrir Folcoche en train de jouer du sécateur. Je répondis, très haut:

— Oh! tu sais, l'abbé Traquet n'est pas si dur qu'il en a l'air au premier abord. Il a fouetté Frédie par-dessus sa culotte, et l'autre s'est mis à hurler pour faire croire qu'il avait mal.

Et d'une!* Le temps d'arrêt marqué par le sécateur m'apprit que la mégère avait parfaitement entendu. Dans le courant de l'après-midi, B VII, pour satisfaire à la nature qui laisse aux prêtres les mêmes exigences de vessie qu'aux impies,* fit un court pèlerinage à la tourelle, laissant la porte entr'ouvertre. A son tour, il fut gratifié d'une révélation. Quand le gémissement de ses souliers l'annonça, je déclarai tranquillement à Marcel, sur le ton des fausses confidences:

— Je crois que maman, cette fois, a ce qu'elle désire. Je l'ai entendue dire ce matin qu'elle ne voulait plus ici que des précepteurs du genre domestique et que celui-ci lui paraissait satisfaisant sous ce rapport.

Et de deux! Je ne manquerai plus une occasion, désormais, d'user mes adversaires l'un par l'autre. Je déploierai des ruses d'apache pour me procurer un sac de malheureux bonbons à la menthe, que je laisserai bien en évidence près de la barrette de l'abbé, afin que Folcoche le soupçonne de distributions intempestives. A tout propos, je vanterai B VII, «sévère, mais juste». J'agacerai l'abbé, mais ma réputation bien établie de frondeur ne permettra pas à Folcoche de sentir que je la manœuvre.

Quant à M. Rezeau, je ne vous le cacherai point, j'eus beaucoup de mal à l'approcher. Encore qu'il fût très satisfait d'avoir, sur le dos de Frédie, évité de plus grands tracas de maison, mon père ne laissait pas que de manifester envers moi un certain mépris,* tout au moins . . .de l'étonnement. D'avoir fait de mon aîné un bouc émissaire* ne lui semblait pas très élégant, bien qu'il y eût lui-même donné les mains. Il s'attendait à quelque éclat de ma part. Mon silence garantissait sa tranquillité, mais l'écœurait légèrement. Il n'était pas un seul instant dupe de la version officielle et, avec une parfaite mauvaise foi, me reprochait intérieurement de l'avoir contraint à couvrir une injustice de son autorité. J'étais dans cette maison l'élément de résistance sur lequel il voulait compter: privé d'opposition, le gouvernement de Sa Majesté craignait les excès du totalitarisme.

Aucune autre possibilité, pour le joindre, que *les ponts*. Mais Folcoche veillait, Cropette était toujours dans mes jambes, l'abbé avait la manie de dire son chapelet derrière nous, comme son prédécesseur.

Enfin, une occasion se présente. Frédie est depuis cinq jours enfermé, lorsque j'arrive à me débarrasser des uns et des autres pour coincer M. Rezeau, rêvant seul sous les tulipiers du bord de l'eau. J'ai devant moi un homme ennuyé, frisant nerveusement ses moustaches, qui sont maintenant franchement blanches. Il jette autour de lui un regard humide. Rien à l'horizon.

— Que me veux-tu?

Il sait très bien ce que je veux. Mais, accepter une situation et accepter de la discuter loyalement, ce sont deux choses très différentes pour un bourgeois du type Rezeau. Il ne peut être question d'admettre qu'on a sciemment entériné une injustice. Il faut que je présente ma requête de façon à permettre à M. Rezeau une attitude avantageuse de redresseur de torts. Sinon, elle sera rejetée sans examen. Avant toute autre chose, il faut sauver la face, présenter mes arguments sur un plateau, comme les clefs d'une ville dont le vainqueur ne voudrait pas, sachant très bien qu'elles sont fausses. Compréhensif et magnanime, tel est le caractère officiel de la plus grande loque de père que la terre ait portée, de ce *pater familias* incarné dans sa peau de bique pelée et grelottant à l'idée que Folcoche pourrait surprendre notre tête-à-tête.

— Allons! Qu'as-tu à me dire? Cela ne te ressemble pas de tourner autour du pot.*

Je me lance, très satisfait de ce compliment indirect.

— Papa, il faut que je vous avoue une chose: dans l'affaire du placard, nous sommes tous solidaires. Je dois même dire que l'idée vient de moi.

Je le fixe dans les yeux, et la couleur de son regard me redevient supportable.

— Je m'en doutais, concède-t-il.

Puis il reprend, avec un culot candide qui n'appartient qu'à lui:

— Tu aurais pu me le dire plus tôt. En tant qu'aîné, la faute de ton frère ne s'en trouve pas diminuée, mais je n'aime pas que l'on se dérobe à ses responsabilites.

— Je crois que cette dérobade faisait l'affaire de notre mère . . .*

Halte-là!* Il ne faut pas glisser sur cette pente.

— Mais vous prêtez à votre mère des calculs effarants! Je veux bien admettre qu'elle n'est pas toujours d'humeur facile, mais, vous, mes enfants, et toi, tout particulièrement, vous avez hérité de son caractère et vous me rendez la vie impossible. Quelles incessantes complications! De mon temps, tout était plus simple.

— De votre temps, c'était grand'mère.

J'ai dit cela tout doucement, d'un air pénétré. Papa reprend, mais d'une voix bourrue, qui chez lui précède ou suit l'émotion:

— N'essaie pas de me monter contre ta mère.* La mienne était une sainte. Je sais. Mais la vôtre n'est tout de même pas un monstre!

Je ne réponds pas, je le laisse digérer le «tout de même». Une poule d'eau, attendrissante, glousse entre les roseaux. Un léger frisélis peigne l'eau sale de l'Ommée,* où passent, indistincts, quelques dos noirs de gardons.

— Papa, nous voudrions aller au collège.

Nulle réaction violente. Mon père se contente de soupirer.

— Et avec quoi, mon pauvre ami? Je ne vous garde pas ici par vanité. Un précepteur est plus économique que trois pensions. La dot de ta mère nous fait vivre. Avant la guerre, elle représentait une fortune. Aujourd'hui, elle nous assure la petite aisance. Quant aux fermes, n'en parlons pas. Les baux datent de 1910. *La Vergeraie* me rapporte mille huit cents francs, si tu tiens à le savoir.

Et, soudain, se fâchant tout seul:

— Non, je ne mettrai pas mes fermes à moitié. Ce n'est pas l'usage de ce pays. Mes fermiers, qui sont sur mes terres depuis des générations, seraient capables de s'en aller. Evidemment, une métairie comme *La Vergeraie*, mise à moitié, pourrait rapporter de quinze mille à vingt mille francs, selon les années. C'est tentant. Mais où prendrais-je l'argent pour acheter le cheptel, mort et vif?

Ce ne sont pas ces richissimes Pluvignec qui me prêteront un sou. Hypothéquer *La Belle Angerie*? De quoi aurions-nous l'air?

Il avait aussi la ressource de travailler. Cette idée l'effleura.

— Si je n'étais pas continuellement souffrant, si mes travaux scientifiques pouvaient être dédaignés, si, surtout, la magistrature n'était pas, depuis les inventaires, monopolisée par les créatures de la franc-maçonnerie, je pourrais me faire nommer juge dans la région. Mais, dans les circonstances actuelles, vraiment, non, je ne peux pas . . .

Il n'ajoutait pas – mais il le pensait – que, pour un Rezeau, le travail salarié n'apparaît pas comme tellement honorable. Il n'y a que les petites gens qui sont obligés de travailler pour vivre. Cet horrible préjugé, hérité de nos ancêtres nobles, avait encore cours dans la famille, malgré la nécessité où se trouvaient déjà bon nombre des nôtres de monnayer leur activité.

Enfin, M. Rezeau eut l'idée que j'attendais de lui, mais que je n'osais formuler, de peur que, venant de moi, il ne la repoussât avec hauteur:

— Dans trois jours, dit-il, nous arrivons au premier mai. A l'occasion de la Saint-Jacques,* je lèverai toutes les punitions.

Je le quittai, satisfait, mais rien ne m'empêchera de penser que l'amnistie est l'expédient des gouvernements faibles.

XVI

— Maintenant, Cropette, va chercher ton frère aîné. En l'honneur de la Saint-Jacques, je passe l'éponge.*

Mon père avait attendu la dernière minute. Ses mains étaient encombrées de roses de Bengale, que nous lui avions offertes une par une, selon l'usage de la famille. L'instant choisi par sa faiblesse était bien de ceux qui ne tolèrent aucune récrimination. Folcoche ne protesta donc pas. Un rapide coup d'œil jeté vers moi m'apprit toutefois qu'elle n'acceptait point d'être dupe. Lentement, d'entre ses deux seins maigres, inutilement bridés par le soutien-gorge, elle tira la clef de la chambre de Frédie et me la tendit.

— Je préfère que ce soit toi, Brasse-Bouillon, qui aille délivrer ton brillant second.

Cette simple phrase indiquait le changement de cap. On se tournait désormais contre moi, l'ennemi numéro un, contre qui toutes les armes allaient devenir bonnes.

Jusqu'alors, en effet, la mégère s'était contentée de faire une montagne du moindre manquement, d'inventer mille complications réglementaires et de veiller jour et nuit à leur application la plus stricte. Mais elle n'avait pas osé employer la calomnie et le mensonge, armes incertaines qui se retournent parfois contre celui qui les emploie. Elle n'avait surtout presque jamais oublié que sa puissance, elle la tirait précisément de son rôle de mère de famille, chargée par Dieu et la société de nous élever selon les meilleurs grands P des principes et bénéficiant, aux yeux du monde, du préjugé favorable accordé à toutes les mères. Elle se gardait bien de la vengeance gratuite, conservait la forme, mettait en avant tous les prétextes chrétiens, légaux et sociaux, bref, étayait sa sévérité sur une béquille de justice. Dorénavant, il n'en sera plus ainsi. Le temps presse. En marche vers seize ans, en marche vers quinze ans, en marche vers quatorze ans . . . Ces chiffres montent, jour par jour, semaine par semaine, mois par mois, ils montent contre elle, ainsi que nos têtes et nos épaules. Il est fatal que la mégère soit vaincue par notre adolescence qui, déjà, fournit à Frédie l'occasion de réclamer de temps en temps le Gillette de papa. Nos jeunes muscles, nos duvets,* nos voix qui muent sont autant d'empiétements, autant d'insultes muettes qu'il faut châtier. Nous sommes toujours ses enfants, nous sommes donc toujours des enfants, qui n'ont que le droit d'obéir et de servir de cobayes aux fantaisies de sa puissance, à l'exercice de ses prérogatives (devenu, pour Folcoche, une sorte de culture physique de l'autorité). On ne peut plus transiger sur rien. La guerre civile ne quittera plus la maison.

La semaine qui suivit immédiatement la fête de papa fut intolérable. Folcoche, exaspérée comme une araignée dont on vient de balayer la toile, jetait de nouveaux fils de tous les côtés. La moindre vétille déchaînait ses clameurs. Cropette, pour un bouton arraché, fut consigné trois jours. N'osait-il pas, ce saxon terrorisé par les uns et par les autres, n'osait-il pas ne plus trahir personne? Un encrier renversé par mégarde sur mon cahier de géographie me valut également trois jours de chambre. Folcoche avait même réclamé la sanction du fouet. Mais l'abbé, soutenu par M. Rezeau, refusa.

— Ne soyons pas nerveux. La punition doit être proportionnée à la gravité de la faute.

Folcoche, ulcérée, ne me quittait plus d'une semelle.* Voulais-je franchir une porte? Elle accourait, se jetait devant moi, criait:

— Alors, tu ne veux pas laisser la pas à ta mère?

Et même, s'arrangeant pour se précipiter sur mon coude:

— Sale petite brute! Tu l'as fait exprès. Veux-tu me demander pardon immédiatement!

Je m'exécutais avec le sourire:

— Je vous demande excuse, ma mère.

La tournure est impropre, vous le savez comme moi, mais voilà bien le degré de finesse où s'aiguisait notre haine. Cette phrase signifiait exactement le contraire de ce qui m'était réclamé, mais, comme tout le monde l'emploie couramment sans se rendre compte de son absurdité, Folcoche, d'ailleurs assez peu éclairée sur les subtilités de la langue française, n'y entendait pas malice.*

B VII, lui, cet abbé qui était entré à *La Belle Angerie* avec des intentions de croquemitaine, cinglait vers les rivages de la neutralité.* Entre Folcoche et lui s'installait une aigre méfiance. Je continuais à interpréter favorablement toutes ses décisions, à chanter son lot sur tous les toits, à lui inventer des motifs de brouille avec notre mère. Encore un petit exemple: le vin de messe vint à manquer. Folcoche, sans aucune arrière-pensée, s'étonna:

— Je croyais que notre provision durerait plus longtemps!

Réflexion anodine, mais qui, entendue de tous, allait me servir à créer, entre l'abbé et sa patronne, un malaise, cette fois définitif.

Pendant deux jours, Traquet dut remplir son calice de vin blanc ordinaire. Il n'était pas très sûr que l'emploi de cette piquette fût canonique. Le tonneau avait pu être soufré.* En classe, j'en fis la remarque à l'abbé.

— Oh! répondit-il, il ne faut tout de même pas être trop pointilleux. Le vin de votre père vient directement du producteur. De toute façon, nous recevrons de vin de messe ces jours-ci.

Je me tournai vers Frédie innocemment.

— J'ai entendu maman dire que la consommation avait doublé depuis deux mois. Tu n'aurais pas un peu tété la bouteille?

— Idiot! répondit mon frère, tu sais bien qu'elle est toujours sous clef.

Oui, et c'était même l'abbé qui en avait la charge exclusive. B VII, se croyant ainsi soupçonné d'éthylisme sacré, devint pâle, se frotta les mains l'une contre l'autre à se faire craquer les articulations, mais ne dit mot. Cette goutte de vin fit déborder le vase. Il s'effaça, se cantonna de plus en plus dans son rôle de précepteur.* Pour achever mon œuvre, j'écrivis une lettre à son prédécesseur, le père Vadeboncœur, en l'assurant de notre reconnaissance et du regret que nous avait causé son départ volontaire (. . . encore que son «remplaçant» fût un homme dévoué, que nous aimions beaucoup . . ., etc . . ., etc . . .). Ce pathos parvint au missionnaire, par l'intermédiaire de son ordre. Il répondit sans ambages* qu'il n'avait point quitté volontairement *La Belle Angerie*, mais que, notre mère lui ayant demandé de ne point rentrer de vacances, il n'avait pas cru devoir insister . . . qu'il était tout heureux de ma lettre, car, depuis lors, il se demandait, avec anxiété, en quoi il avait pu faillir à sa tâche.

Papa lisait toujours notre courrier et le remettait ensuite à la censure de Folcoche. Cette fois, il me remit directement la lettre, en ajoutant:

— Inutile d'en parler à ta mère. Je ne veux pas d'histoires.

Mais je la montrai à mes frères et à B VII, qui fut ainsi édifié sur le sort que pouvait lui réserver Folcoche éventuellement. Il se rapprocha de notre père, se lia d'amitié avec le grand sirphidien, cessa complètement de seconder Folcoche dans l'élaboration de vacheries quotidiennes. Au fond, comme tous les autres précepteurs, il s'agissait d'un pauvre type, engagé au rabais sur le marché des ecclésiastiques sans emploi.*

La guerre civile continua. La soupe du matin était-elle trop salée? Inutile d'accuser Fine, qui, en fait de condiments, avait toujours eu la main légère. Du reste, pour signer son méfait, Folcoche surgissait, s'indignait:

— Quoi? Vous faites les difficiles? Cette soupe est excellente, et vous allez me faire le plaisir de la manger tout de suite.

Pour nous contraindre à l'avaler, elle n'hésitait pas à s'en offrir deux ou trois cuillerées devant nous.

A plusieurs reprises, elle se présenta au bureau, brandissant quelque chemise déchirée, que j'avais donnée au lavage parfaitement intacte. Ses ciseaux venaient d'y faire un accroc volontaire, que me valait un ou deux jours de consigne et, surtout, une réputation de garçon sans soin, très utile pour me refuser du linge neuf ou un costume décent. Je pris l'habitude, tous les deux samedis (car nous n'avions que tous les quinze jours, en été, et toutes les trois semaines, en hiver, l'autorisation de nous changer), je pris l'habitude de bien lui faire remarquer que mes chaussettes étaient intactes et mes caleçons sans déchirures. Au besoin, je rapetassais le tout moi-même avant de le lui rendre.

Ne craignez rien, ses gentillesses lui étaient retournées sous diverses formes. Les hirondelles ne choisissaient pas avec tant d'insistance le plaid de Mme Rezeau, abandonné sur sa chaise longue, pour y fienter chaque jour. C'est moi qui ramassais leur crotte blanchâtre pour lui dédier cette marque d'estime et d'affection. Ses plus beaux timbres-poste ne se déchiraient pas tout seuls: un léger coup de grattoir leur enlevait une bonne partie de leur valeur. Savez-vous quels dégâts peut causer, dans une serrure, un petit bout d'épingle glissé dans le mécanisme? Quant aux semis de fleurs, ne vous étonnez pas s'ils refusaient de prospérer. Pisser dessus, régulièrement, ne les arrange pas. Dois-je vous parler de la mort des hortensias, offerts par la comtesse Bartolomi, lors de la fête de Folcoche, et transplantés dans le meilleur massif, pourtant composé d'excellent terreau et d'ardoise pilée, qui fait virer leur teinte au bleu?* ... Au bleu, oui, qu'ils furent passés, je vous le garantis! grâce à la solution d'eau de javel dont Frédie les arrosa consciencieusement.

Pauvre papa! Il ne savait plus que faire ni que dire. Cette femme et ces enfants déchaînés ne prêtaient plus à ses migraines que des oreillers de cris.* En vain essayait-il de nous soustraire le plus souvent possible à cette atmosphère empoisonnée. Le génie de la méchanceté nous habitait tous. Si nous le suivions encore avec plaisir dans ses randonnées généalogiques, c'était pour faire la soupe.* Je m'explique ... Arrivés dans un patelin quelconque, nous laissions M. Rezeau compulser les registres et nous allions «nous promener du côté de l'église». Nous y allions effectivement, car il s'agissait non de la visiter, mais de rafler les livres de messe et de les précipiter dans les bénitiers ou les fonts baptismaux. Généralement, les églises de campagne sont désertes l'après-midi. Nous étions bien tranquilles. Coincer le mécanisme de l'horloge en introduisant un silex entre les dents du gros engrenage, chier dans le confessionnal à l'endroit même où s'assoirait le curé avant de tirer le volet sur sa pénitente, éteindre la lampe du sanctuaire qui veille au creux aérien de son bocal de verre teinté, donner aux lampadaires longuement suspendus un immense mouvement de pendule, monter au clocher pour retirer les cordes, en fermer la porte à double tour et jeter la clef (quand nous ne la conservions pas pour notre collection), tracer au fusain des inscriptions injurieuses sur les murs ou retoucher au stylo le texte des publications de bans ... tels étaient nos jeux, détestables, j'en conviens.

De quoi s'agissait-il, au fond? D'atteindre Folcoche. De l'atteindre en ceux-là mêmes qui semblaient lui fournir le meilleur de ses arguments. On a généralement la foi de sa mère. Pour nous, qui la détestions, l'impiété devenait un corollaire de la révolte. Dans nos consciences d'enfants, nous réalisions instinctivement le même processus qui a fait des républicains, durant plus d'un siècle, des anticléricaux acharnés, parce que la royauté était essentiellement chrétienne. Aujourd'hui encore, lorsque je m'interroge sur une antipathie irraisonnée, je ne suis généralement pas long à découvrir qu'elle est motivée par le contre-courant d'une sympathie de ma mère, à jamais devenue pour moi le critère du refus. Aujourd'hui encore, lorsque j'aperçois sur un flacon pharmaceutique la mention «poison» ou «réservé à l'usage externe», une sorte d'intérêt rétrospectif aiguise mon regard et je songe, sans autre remords que celui d'un mauvais choix, à notre première tentative d'assassinat.

Car nous en étions là.

Peut-être n'y eussions-nous jamais pensé si Folcoche ne nous avait elle-même aiguillés sur cette voie. Folcoche . . . et la raie. Un ignoble morceau de raie, acheté au rabais sans doute à la poissonnerie de Segré et qui puait l'ammoniaque. Papa était absent pour deux jours. Madame mère s'était fait servir deux œufs sur le plat. B VII eut droit, comme nous-mêmes, à cette chose flasque, nageant dans une sauce blanche grumeleuse. *Qui n'est pas avec moi est contre moi*: le Traquet n'était plus ménagé. Comme nous hésitions, Folcoche éclata:

— Alors, quoi! La raie ne plaît pas à messieurs mes fils? Il vous faut des soles panées pour vos vendredis?

— Je crois qu'elle est avancée, fit Cropette.

— Suffit! glapit Folcoche, cette raie est excellente. Si vous ne la mangez pas, vous aurez de mes nouvelles. Je ne vous empoisonne pas comme vous empoisonnez les chevaux, moi!

Tiens! Tiens! Cette vieille histoire revenait sur le tapis. La raie fut mangée, sauf par B VII qui en laissa les trois quarts sur le bord de son assiette. Folcoche le fusilla de la prunelle et, sitôt les grâces dites, rentra dans sa chambre, tandis que Cropette allait vomir son déjeuner sur un rosier du Bengale. Je ne sais trop comment le mot «belladone» fut prononcé. Mais, cinq minutes après que Fine eut achevé d'enlever le couvert, nous nous retrouvâmes tous les trois devant l'armoire de cerisier. Là, sur la quatrième planche, trônait la fiole de belladone, dont Mme Rezeau prenait vingt gouttes à chaque repas, depuis ses fameuses crises de foie.

— Cent gouttes doivent suffire, fis-je tout bas.

— Ah! nous empoisonnons les chevaux?... Eh bien! voilà, en effet, de quoi tuer un cheval! ricanait Frédie.

Cropette était blanc comme une mariée (à jamais compromis, le frère!). J'avais préparé un flacon. Je comptai – c'est long! – je comptai cent gouttes et rétablis le niveau avec la même quantité d'eau.

— Mais l'autopsie révélera l'empoisonnement! murmurait le benjamin.

— Penses-tu! Il n'y aura pas d'autopsie. Au pis aller, on croira qu'elle a forcé la dose.

— Mais comment vas-tu lui faire avaler ça?

— Demain matin, dans son café noir. Frédie occupera Fine quelques secondes et détournera son attention, tandis que je viderai le flacon dans la tasse.

Tout se passa correctement. Mais, hélas! nous n'avions pas prévu une chose: entraînée par l'absorption massive de cette drogue, Folcoche était littéralement mithridatisée.* Cet excès de belladone lui flanqua seulement une mémorable colique. Dans la salle d'études, nous attendions des événements tragiques. Rien ne se produisit. Rien, sauf le grincement mélancolique de la porte de la tourelle, dix fois ouverte et refermée. Frédie, envoyé en exploration, découvrit que le papier de soie réservé à notre mère avait notablement diminué. (Nous n'avions droit, nous, qu'au papier journal fourni par *La Croix*, après que Fine eut découpé aux ciseaux le coin gauche de ce pieux quotidien, où est imprimée la désolante image du calvaire. On ne peut décemment se torcher avec un tel emblème.) La mégère descendit pour le déjeuner, grignota trois feuilles de salade et remonta se coucher sans une plainte.

— Nous aurions dû employer le cyanure de potassium des insectes, déclara Ferdinand.

— Impossible. Le cyanure laisse des traces caractéristiques, rétorqua Cropette, affolé.

— Ne vous en faites donc pas! Nous la repincerons. Un accident est vite arrivé, fis-je, en guise de conclusion.

Durant plusieurs semaines, je me torturai l'imagination. J'avais beau dire, ce n'était pas si facile que cela. Je ne m'interrogeais pas sur l'énormité du crime, aussi naturel à mes yeux que la destruction des taupes ou la noyade d'un rat. Mais, hormis le poison, cette arme des faibles, que l'existence des laboratoires modernes de toxicologie rend si aléatoire maintenant, quelle occasion pourrais-je saisir ou provoquer qui pût faire croire à la mort naturelle? . . . Pas si facile que cela, je vous le répète. Les assassins ou les apprentis assassins qui me lisent me comprendront certainement.

L'occasion . . . enfin! l'occasion me fut fournie lors d'une randonnée en bateau sur l'Ommée. Un dimanche après-midi, nous avions mes frères et moi, résolu de remonter la rivière jusqu'-au barrage d'amont situé à plus de deux kilomètres. En principe, nous avions pas le droit de pousser si loin, mais l'attrait de l'expédi-tion l'emporta sur toute autre considération. Il faut vous dire que l'Ommée, dès qu'elle sort du parc, où elle a été artificiellement élargie, se resserre sous un dôme de ronces et de branches enchevê-trées. Pour compléter cette illusion, chère à des cœurs de quinze ans, l'Amazonie (c'est ainsi que nous appelions ce coin sauvage) est plus ou moins barrée par des troncs d'arbre en dérive, qui se fichent dans la vase des tournants, et c'est une passionnante aventure que de les franchir en hissant la barque à force de bras.

L'exploration marcha d'abord fort bien. Il faisait «un temps de caille». Les martins-pêcheurs, lancés comme des flèches de saphir, arrivaient dans leurs trous des berges avec une si surprenante précision qu'on eût dit un exercice de bilboquet.* Un de leurs nids me parut accessible, et, durant une demi-heure, je m'acharnai à creuser. Enfin je saisis la mère, bloquée sur ses œufs au fond du cul-de-sac terminal.

— Etouffe-la, proposa Frédie.

On n'étouffe que les serpents, ou les pigeonneaux, ou encore les perdrix blessées. Je choisis une épingle parmi celles qui se trouvaient piquées sous le revers de mon veston et, lentement, je l'enfonçai sous l'aile de l'oiseau. Je ne trouvai pas le cœur du premier coup et je dus la plonger à plusieurs reprises sous la plume chaude. Cropette se détourna, cette fille! Enfin le martin-pêcheur, qui ne saisirait plus d'ablettes en rasant l'eau, consentit à mourir. Je le mis dans ma poche. Sans doute le naturaliserais-je, comme m'avait appris mon père. (On fend la peau du ventre, on dégage les quatre membres, on les coupe aux ciseaux courbes, on les retire, on saupoudre la dépouille d'alun anhydre chipé dans le grenier à insectes et on conserve ce trophée jusqu'à ce que les vers s'y mettent.)

J'avais à peine consommé ce petit crime, pour m'entraîner à mieux, lorsque retentirent les appels bien connus de Folcoche lancée sur le sentier de la guerre.

— Les enfants! Les enfants! Où êtes-vous?

— Manquait plus que ça, nom de Dieu! jura Frédie qui trouvait l'expression masculine.

— Qu'est-ce qu'on va encore prendre! gémit Cropette.

Nous redescendîmes à vive allure. Mais, à la passerelle (terminus autorisé), Folcoche nous attendait. Elle cria de loin:

— Débarquez immédiatement et rentrez à la maison.

— Taisez-vous, fis-je très bas, taisez-vous et laissez-moi faire. On va passer sous la passerelle. Frédie, donne-moi la godille.

Croyant deviner mon intention, Folcoche s'assit sur le madrier qui constituait l'essentiel de la passerelle, bien décidée à sauter dans le bateau lorsqu'il filerait entre ses jambes. Poussé par le courant et par moi, celui-ci se présenta bien devant elle, mais, à l'instant précis où elle sautait, je donnai un brusque coup de barre à droite. Folcoche tomba dans la rivière. Renversant la manœuvre, je réussis à lui passer sur la tête, qui érafla le fond de tôle, et à m'éloigner suffisamment pour qu'elle ne puisse s'agripper au bastingage. Feignant l'affolement, je laissai échapper ma godille, afin de me trouver dans l'incapacité officielle de lui porter secours. Cropette poussait des cris lamentables. Frédie se tordait le nez à gauche, passionnément, en répétant:

— Splendide! Splendide!

Pas si splendide que ça. Elle barbotait dans son bouillon d'herbes, Mme Rezeau, elle barbotait, mais elle ne coulait pas. Elle ne criait pas, ne faisait pas attention à nous. Elle employait tout ce que lui avait appris jadis un commencement de cours de natation, non poursuivi par la suite, mais quand même bien désastreux pour nous, car elle parvenait à se maintenir sur l'eau et même à gagner quelques centimètres dans la direction du pied de la passerelle. Frédie changea de refrain.

— Elle va s'en tirer, la garce! Il faut lui foutre un coup de talon sur la tête.

Mais, ce beau conseil, il le proféra tout bas dans mon oreille, et nul d'entre nous ne bougea, comme bien vous le pensez. D'abord, c'était impossible: nous n'avions plus que nos mains pour pagayer. Ensuite, une maladresse volontaire peut s'interpréter, mais le coup de grâce donné à une personne qui se noie, voilà qui n'est plus du tout équivoque et engage autrement votre responsabilité!... La rage au cœur, je dus assister au sauvetage de Folcoche par elle-même. Sauvetage par elle-même, je dis bien, car elles étaient deux dans l'Ommée: la fragile Mme Rezeau, toute couturée, sans muscles, manquant de souffle, et l'indomptable Folcoche, décidée à vivre et à faire vivre son double, malgré l'eau sale qui lui trempait les cheveux, lui rentrait dans la gorge, vivement recrachée, malgré nos silencieuses prières à Satan.

La voilà qui se rapproche de la berge, la voilà qui s'agrippe à une touffe de sauges, l'arrache, retombe, saisit cette fois une racine plus solide et se hisse péniblement sur la rive où elle s'effondre, épuisée, mais sauvée... Oh! pas pour longtemps. On ne s'effondre pas devant trois petits imbéciles, dont elle ne soupçonne pas que deux au moins d'entre eux ont comploté sa mort et qui restent stupidement immobiles dans leur barque sans agrès. Folcoche se relève, ses hardes ruisselantes plaquées sur de maigres cuisses, elle se relève et commence à hurler:

— Pagayez donc avec les mains, tas d'idiots! Je vous en ficherai, moi, des promenades en bateau.*

Frédie lâche pied.*

— Beau travail! grommelle-t-il maintenant.

Cropette dit très haut:

— On n'a pas idée d'être aussi maladroit.

Et Folcoche, qui ne tient debout qu'à force de volonté, sourit soudain, se secoue comme un chien mouillé et, sans plus s'inquiéter de nous, se hâte vers *La Belle Angerie*, riche d'un énorme prétexte à représailles.

XVII

Suppression du bateau pour tout le monde: somme toute, nous ne l'avons pas volé! Consignation du pilote à la chambre: pourquoi ce traitement spécial? Une erreur de barre n'est pas un délit.* En dernière minute, Folcoche, je ne sais comment, arrache la sanction du fouet. Frédie, trouvant cinq minutes de courage, traverse en courant les couloirs du premier étage pour m'annoncer la nouvelle par le trou de la cloison.

— Folcoche vient de mettre à B VII la baguette de coudrier. Que vas-tu faire?

Je hurle:

— Mon petit pote,* on va rigoler!

Le «pote» s'enfuit. Je l'entends dévaler les escaliers intermédiaires. De vagues glapissements le rappellent en bas. Mais, déjà, je déplace l'armoire, ma chère vieille armoire piquée des vers, où parfois Frédie vient se coucher sous un entassement de vieilles frusques et remplir avec moi de chuchotements les nuits interminables de l'hiver. L'armoire, plaquée contre la porte (dont la serrure est elle-même enclouée par un crayon), je la leste de tout ce qui me tombe sous la main. La table, le lit, les chaises viennent l'épauler. Dans ces conditions, à moins d'employer le bélier, il est à peu près impossible d'entrer dans ma chambre.

Dix minutes s'écoulent. Puis, soudain, j'entends gémir les souliers de l'abbé Traquet. Il frappe poliment à ma porte. Quand je ne sais plus quel duc, précepteur à la cour, allait fouailler* le dauphin, nous savons qu'il y mettait les formes. Daignez, Altesse, recevoir le fouet. A nous deux, Monseigneur!

— Enlevez ce crayon qui bloque votre serrure. Je ne peux pas introduire ma clef.

Nulle réponse.

B VII n'insiste pas. Il fait son boulot, il va en référer. Il redescend. Au fond, il est très embêté. La punition est ou trop faible, si j'ai volontairement fait basculer ma mère dans l'eau (et, cela, nul ne le pense), ou trop forte, si j'ai seulement commis une imprudence. Décemment, on ne peut me punir sans punir mes frères, qui ont également remonté l'Ommée avec moi. Si l'on me considère aujourd'hui comme un meneur, pourquoi, l'autre jour, a-t-on fait état du droit d'aînesse pour châtier le seul Frédie? Tout cela manque de logique, et je le sais parfaitement. Ma position est très forte. Mes frères eux-mêmes ne pourraient affirmer que j'aie voulu ... Chut! je suis dans mon bon droit. Rien ne me fera ouvrir cette porte. «Ils» ne m'auront qu'à la pince-monseigneur, s'ils osent appeler Barbelivien. Et encore n'est-ce pas sûr, car, au dernier moment, je sauterai par la fenêtre.

Mais voilà toute une escorte qui monte à l'assaut. Je reconnais la voix suraiguë de Folcoche, le timbre grave de papa, les onomato-pées de Fine. Tout ce monde vient buter du nez contre ma porte close, comme les scalaires contre les parois d'un aquarium. Som-mations.

— Retire ce crayon! glapit, ou plutôt s'étrangle, Folcoche.

— Enfin, voyons, sois sérieux et ouvre cette porte, ajoute mon père qui doit mâchonner ses moustaches.

— Ouvrez, ouvrez, Jean! Ouvrez, répète l'abbé sur le ton monocorde qui ressemble au chant de son homonyme, le traquet motteux.*

Silence. L'assaillant se concerte. Papa émet faiblement:

— Serait-il arrivé quelque chose à ce petit?

Pour le rassurer, je siffle trois ou quatre mesures de *La Petite Emilie*.

— Et il se fiche de nous, avec ça! re-glapit Folcoche.

Coups d'épaule. Pressions. Coups d'épaule plus violents. Ma serrure ne tient guère, mais la porte se coince contre l'armoire. Par le petit interstice, Folcoche aperçoit l'entassement de meubles accumulés par mes soins.

— Cet enfant est fou! Il a mis son armoire contre la porte. Il faut aller chercher Barbelivien, avec ses outils.

— Ah! non, Paule, je vous prie: pas de scandale!

Suivent diverses interjections, toutes proférées par Folcoche, dont la voix se promène maintenant dans les plus hautes notes de la gamme et va, si ça continue, dépasser l'audible. Papa et l'abbé se taisent. Ceux-là viennent de comprendre la gravité de la situation. Le drapeau noir flotte sur *La Belle Angerie*. Une longue série de désastres familiaux, de schismes retentissants, est inscrite dans ses plis. Prodigieusement intéressés et tout ragaillardis, Cropette et Frédie contemplent, du bout du couloir, ce spectacle stupéfiant d'un enfant Rezeau refusant sa porte à la justice familiale. Je ne les vois pas, mais je les devine, car la mégère, au paroxysme de la fureur, leur jette brusquement:

— Allez-vous rentrer dans vos tanières, vauriens!

— De la tenue, ma chère, de la tenue!* répète sans arrêt M. Rezeau. Les cris n'avancent à rien. Nous sommes des Rezeau, que diable!

Il reprend son souffle, puis essaie d'entamer des pourparlers:

— Voyons, Jean, ouvre cette porte, je lève la sanction qui

t'offense et qui est peut-être excessive. Tu resteras consigné pendant huit jours.

Mais la sacrée mégère crie tout de suite:

— Ça, non, par exemple! Je ne capitule pas devant un enfant qui insulte à mon autorité.

Je retiens un formidable «merde» qui me brûle les lèvres. Je me tais. Ça vaut mieux. Je ne dois pas avoir l'air sacrilège. Il faut tenir dans ce rôle de dignité offensée, auquel je n'avais même pas bien réfléchi et que vient si gentiment de me souffler mon pauvre père. C'est ainsi que j'obtiendrai devant lui, devant Traquet, devant Folcoche, le maximum d'effet et de prestige. Mais, attention! Folcoche vient de dire soudain:

— Il n'y a qu'à mettre une échelle le long de sa fenêtre.

Je me précipite. Aurai-je assez de matériaux pour bloquer cette autre voie d'invasion? Par bonheur, il est difficile de forcer une fenêtre quand on se trouve en équilibre au sommet d'une échelle. Le matelas suffira, calé par deux chaises. Je dispose le tout fébrilement, et la seconde vague d'assaut vient mourir contre ce nouveau retranchement.

— Le gredin! Il a tout prévu.

C'est la voix de ma mère, assourdie, parce qu'elle passe au travers du méchant crin de mon matelas. Je pense aussitôt: «C'est elle qui se paie le luxe d'attaquer, malgré ses coutures et la demi-noyade du jour. Quel tempérament!» Je suis assez fier de nous deux.

Une heure durant, les prières, les sommations, les menaces de placement en maison de correction se succèdent. Peine perdue. Les voix partent de la porte, les voix partent de la fenêtre. Elles commencent à se lasser. Elles se lassent.

— Après tout, la faim fait sortir le loup du bois. Nous verrons bien ce que fera ce jeune homme quand il n'aura pas déjeuné.

C'est Folcoche qui a parlé. Est-ce un piège? Essaie-t-on de me faire relâcher ma surveillance, de surprendre mon sommeil?

J'attends une autre attaque. Elle ne viendra pas. Je déplace alors le crucifix.

— Psiiit! Frédie!

— Couchés, mon vieux, ils sont couchés. Je viens d'aller aux chiottes.* Il n'y a personne dans les couloirs! Ça, c'est du sport. Mais que vas-tu faire demain?

Je n'en ai aucune idee. Je réponds cependant:

— Tu rigoleras encore mieux.

Le lendemain matin, avant la messe, Folcoche, l'abbé, papa, Fine, mes deux frères (convoqués cette fois pour l'exemple) se retrouvaient devant ma porte, dont la serrure était toujours enclouée d'un crayon.

Frédie, de qui je tiens ces détails, devait m'assurer que, sauf l'abbé, tout le monde semblait anxieux. La mégère, enveloppée dans son éternelle robe de chambre grise semée de capucines fanées, grelottait nerveusement. Le vieux avait les yeux gonflés par l'insomnie.

— As-tu réfléchi? cria Folcoche, qui, sans même me laisser le temps d'une réponse (qui ne vint d'ailleurs pas . . . et pour cause!), ordonnait à Cropette: Va chercher Barbelivien et dis-lui d'apporter une barre de fer.

Car, dans la nuit, elle avait changé d'avis. Triompher par la famine lui était apparu dangereux. Avec une tête de cochon comme la mienne, on pouvait craindre une résistance acharnée. Quel exemple pour mes frères! et quel beau triomphe, en effet, que de remasser en fin de compte sur son matelas ce héros affamé que l'on ne pourrait plus que soigner! Il fallait me forcer dans ma bauge, immédiatement. Tant pis pour le scandale! Mon père avait finalement acquiescé.

Barbelivien, qui avait laissé ses sabots dans la cuisine, arriva sur ses chaussettes, apportant une barre à mine et l'odeur de la vacherie.* Comme d'habitude, un peu de morve filtrait entre ses moustaches.* Déjà renseigné par Cropette, il se contenta d'un salut en forme de grognement et se mit immédiatement à l'ouvrage. Ce ne fut pas long. Dès la première pesée, la barre à mine fit sauter la porte, qui s'ouvrit largement . . .

— Ah ça! par exemple! glapit une dernière fois Folcoche, stupéfaite.

La chambre était vide. Un ordre parfait y régnait. L'armoire trônait à sa place habituelle. Le lit n'avait pas été défait ou avait été refait. Sur la table, une feuille de cahier, pliée en quatre, attira l'attention de M. Rezeau:

— Il est parti en laissant un mot.

Mais ce mot se réduisait à deux lettres, deux colossales majuscules, tracées au crayon bleu: «V.F.»

XVIII

A la même heure, le rapide de Paris file vers Le Mans et s'étire, parallèle à sa fumée, à travers le Bocage, qui est si bien l'une des régions du monde où il y a le plus de vaches qui regardent passer le train. Calé dans le coin droit, côté face, du compartiment, je fume une cigarette en lisant, Dieu me pardonne! en lisant *Le Populaire*. Le coin droit, côté face, parce que c'est la place réservée à Folcoche, lorsqu'il advient d'aventure que nous prenions le tortillard d'Angers. La cigarette, parce que mon père ne fume presque jamais, et *Le Populaire*, parce que ce journal est socialiste, donc anti-Rezeau.

Ma fugue s'est décidée sur le coup de quatre heures. J'ai soudain réalisé la situation, prévu que Folcoche, sans paraître ridicule, ne pouvait organiser le siège de son propre fils dans sa propre maison. Me laisser prendre et fouetter, jamais de la vie! Justement j'ai lu un passage de Chateaubriand* où celui-ci relate le combat qu'il soutint contre son maître chargé de lui administrer les verges. *Generose puer!* Nous ferons aussi bien que lui. Et même mieux! Prenons la route.

123

Où aller? A Paris, pardi! A Paris, chez les grands-parents Pluvignec. Je vais officiellement leur demander justice. Ambassadeur du cartel, quoi! C'est un peu gros,* bien sûr, mais ai-je le choix? Je compte sur l'affolement provoqué par ma disparition, sur la crainte salutaire que cette violente réaction inspirera désormais à M. Rezeau, sur la nécessité de traiter avec moi s'il veut éviter d'autres scandales du même genre. J'y compte sans trop y compter. Ces réflexions, je suis en train de me les faire, après coup, pour légitimer ma décision. En réalité, je ne les ai point faites ou du moins je ne les ai point formulées. S'il fallait réfléchir ainsi, peser toutes les conséquences de ses actes, avant de *sentir leur nécessité*, je ne serais plus moi-même, je ne pourrais plus vivre.

Pas le moindre baluchon. J'ai pris mon meilleur costume, très relativement présentable, et ma pèlerine de drap bleu marine. La caisse du cartel m'a payé le voyage. Vous savez qu'il restait deux cents francs sous le carreau descellé. Après avoir remis ma chambre en ordre, je suis descendu par la fenêtre, en employant l'échelle que mes assaillants avaient oublié d'enlever. Remarquez d'ailleurs que, si elle ne s'était point trouvée là, je serais descendu d'une manière beaucoup plus spectaculaire en utilisant mes draps (recette romantique du *Gamin de Paris*, collection tricolore).

Galoper jusqu'à Segré, distant de six kilomètres, acheter un paquet de gauloises, sauter dans le train de cinq heures trente-sept, tout cela s'est fait mécaniquement. Maintenant je roule avec satisfaction, regrettant seulement que mes frères ne puissent me voir et attendant impatiemment d'autres paysages. Au delà du Mans, au delà de Nogent-le-Rotrou, la campagne n'est plus divisée, compartimentée par d'insupportables haies, mais largement étendue vers l'horizon, riche de soleil et pauvre de limites, comme l'est ma liberté en ce moment.

Le compartiment est à moitié vide. Trois personnes seulement occupent la banquette, en face de moi. Il s'agit d'une famille nombreuse, le père, anodin, défini par son pantalon râpé, la mère, dont les cheveux sont fourchus,* la fille, qui a mon âge et qui est toute en cils baissés. Ces gens-là s'accablent de mots fades, de «ma petite mère», de «ma chérie», de baisers dans le cou. La petite refuse un sandwich au jambon, puis un morceau de rosbif froid. Mijaurée! Elle m'est antipathique malgré son chandail, tricoté par elle-même – les points sont inégaux et trahissent une main inexpérimentée – et percé par deux tout jeunes seins, qui, eux non plus, ne sont pas désagréables à regarder. Ils me font penser à ceux de la petite Bertine Barbelivien ou encore à ceux de Madeleine, de *La Vergeraie*, qui sont tout de même un peu plus gros déjà et qui sautent sous leurs corsages. Je toucherais bien, si c'était possible. Je ne sais pourquoi, mais j'ai envie de toucher ceux-ci, par curiosité, vous savez, pour voir comment c'est fait, si ça résiste, comment c'est attaché. Attaché comme une joue sur un visage ou comme une pomme sur un pommier? A la réflexion, je pense que cela tient des deux. Et, réflextion refaite, elle m'agace vraiment, cette petite que je ne peux pas m'empêcher de regarder, comme si elle avait quelque chose d'extraordinaire que je découvrirais aujourd'hui seulement. Elle m'agace, avec ses cils baissés, qu'elle relève par instants, laissant échapper un regard prompt, comme une ablette qui se faufile entre les roseaux. Je me lève et je vais me camper dans le couloir, face à la Beauce,* qui défile maintenant devant moi, qui se déroule comme une toile de Jouy jaune-paille, imprimée de nielles et de coquelicots.* Mais, lorsque Marie-Thérèse – c'est sa mère qui vient de l'appeler ainsi – descendra du train, à Chartres, je serai ravi de m'effacer pour la laisser passer, de m'effacer si mal qu'elle me frôlera de tout son corps et que je pourrai situer exactement l'endroit où se trouve la boucle de sa jarretelle, qui tient son bas de fil sous la jupe plissée.

Voilà, elle est partie, cette fille, et j'arpente le couloir. Il y en a d'autres, mais elles sont trop jeunes ou trop vieilles. On n'a pas envie de mordre dedans. Laissons cela. L'amour, comme dit Frédie, si c'est la même chose que l'amour de Dieu dont on nous rabâche les oreilles depuis des années, ça ne doit être encore qu'une fichue blague. Je rate l'échappée sur la pièce d'eau des Suisses. Zut!

On m'avait parlé bien des fois de cet endroit, où tous les voyageurs mettent le nez à la portière. Le spectacle, pour moi ahurissant, de la banlieue vient me dédommager. Quel horticulteur a réalisé ce semis à la volée de toutes les variétés de villas? J'ai de solides préjugés esthétiques, et la plupart de ces maisonnettes ne me semblent dignes que d'épiciers en retraite. Entrer de plain-pied dans l'intimité de la lessive qui sèche ou du clapier me choque profondément.* N'a-t-on pas appris aux Parisiens à dissimuler les «communs» derrière quelque haie de lauriers? J'ignore encore que la prodigalité de l'espace est le premier des luxes bourgeois et que le prix du mètre carré de terre craonnaise autorise des ceintures vertes, que ne peut s'offrir la «ceinture rouge».*

Montparnasse,* enfin! Je saute du train. La foule me pousse jusqu'au tourniquet. Je me retrouve glorieusement seul et bon premier de ma génération sur le pavé de la capitale, mais je commence à n'être plus aussi sûr de moi et à m'interroger sur la chaleur de l'accueil que vont me faire les Pluvignec, ces inconnus. Et, d'abord, comment va-t-on à Auteuil? Par le métro, évidemment, ne serait-ce que pour découvrir ce curieux moyen de locomotion souterraine. Mais par quelle ligne? Je me renseigne, j'erre un peu dans un dédale de couloirs blancs comme une crémerie, je me renseigne encore. Les poinçonneur de billets penche sur mon embarras une sollicitude qui empeste l'ail.

— Tu prends la direction Etoile, tu changes à Trocadéro, tu reprends la direction Porte-d'Auteuil, tu descends à Michel-Ange-Auteuil . . . Mais pas à Michel-Ange-Molitor, fais attention!

Ce tutoiement est déplacé, mais nous devons avoir beaucoup d'indulgence envers la bonne volonté des petites gens. C'est une tradition familiale, qui, assure M. Rezeau, a fait notre popularité dans le Craonnais. Je lâche un «merci, mon brave!» tellement juste de ton que l'employé du métropolitain en reste médusé, tandis que je monte dans le premier wagon de la rame qui vient de s'avancer tout exprès pour moi. La fermeture automatique me surprend et coince un pan de ma pèlerine. Comme j'ignore le maniement de la

fermeture, j'attends dignement que quequ'un monte pour me
libérer.

Enfin, vers cinq heures, j'arrive, rue Poussin, devant l'immeuble
qu'habite ce couple politique et mondain, dont je descends, par
l'intermédiaire, hélas! de Folcoche. Je fais les cent pas, j'hésite. Une
concierge distinguée, qui n'a rien de la pipelette d'arrondissement
populaire,* sort de sa loge, pardon! sort du bureau de l'immeuble
et m'interviewe.

— Monsieur cherche quelqu'un?

— A quel étage habite M. Pluvignec?

— M. le sénateur? C'est au premier.

— Gauche ou droite?

— Face. Dans cet immeuble, précise-t-elle fièrement, il n'y a
qu'un appartement par étage. Mais je dois vous prévenir qu'à cette
heure-ci M. le sénateur n'est pas encore rentré du Luxembourg.

— Et grand'mère?

Stupéfaction visible de la concierge, qui jauge mon costume
et ne semble pas l'apprécier. Je m'aperçois alors qu'elle est
rousse.

— Mais . . . Madame vous attend?

Et rectifiant, car on ne sait jamais:

— Madame attend Monsieur?

— Pas le moins du monde. Je me suis sauvé de la maison.

Raidissement de la rousse,* qui me laisse entrer dans son bureau,
ciré comme ne le fut jamais le salon de *La Belle Angerie*. Elle me
fait asseoir et annonce:

— Je vais aller prévenir Mme Pluvignec. Madame est cardiaque,
et toute émotion doit lui être évitée.

Dix minutes se passent. Enfin la concierge revient, flanquée d'un
valet de chambre en gilet rayé et d'une soubrette en diadème de
dentelle.* Ces gens me considèrent avec une respectueuse inquiétude. Paraît un quatrième personnage, qui porte avantageusement
l'habit. Je me lève.

— Que Monsieur reste assis. Je suis le maître d'hôtel de M. le sénateur. Monsieur est donc?...

—Jean Rezeau, le petit-fils de M. Pluvignec.

Cette débauche de «monsieur» commence à m'agacer. Je me rassieds. Tout mal habillé que je sois, j'en ai le droit, j'en ai le devoir. Cet homme en habit n'est qu'un larbin de première classe. Il fait voir en parlant ses canines trop longues, comme s'il voulait percer à mesure les ampoules de son style.* Il faut qu'il sache bien que, nous autres, les Rezeau désargentés, nous sommes d'une classe au moins égale à celle de ces riches Pluvignec.

— Comment vous appelez-vous, mon ami?

— Félicien Darcoulle, pour servir Monsieur.

La déférence de son dos s'accentue. Il a compris. Je chasse de race.* — Eh bien! Félicien, je suis victime d'une injustice et je refuse une punition qui blesse ma dignité. Je suis donc venu demander l'arbitrage de M. le sénateur, chef de la famille.

C'est faux. Le grand-père Pluvignec n'est, à aucun titre, le chef de famille. Je n'avais pas l'intention de le proclamer tel jusqu'à cette toute dernière minute où cette formule diplomatique m'est tombée de la bouche. Mes quatre vis-à-vis se consultent une fois de plus du regard.* Je ne suis, évidemment, ni fou ni contagieux. Elle est gentille, la femme de chambre; elle aussi a de beaux seins. Finalement, tout le monde remonte, sauf la concierge qui, maintenant, ne se résout pas à s'asseoir en ma présence et me parle très soigneusement à la troisième personne. Fichtre!* ces Pluvignec ont une haute idée de l'étiquette.

J'attends encore cinq minutes. On ne peut pas dire que les formes soient bousculées dans cette maison, mais on ne peut pas dire non plus que, pour une première visite à ma grand'mère (qui n'a jamais, est vrai, manifesté le désir de me connaître), l'accueil soit particulièrement chaud. Je déteste, ou, plus exactement, on m'a appris à détester les grosses bises plébéiennes et autres démonstrations de tendresse, mais, tant de formalités, c'est excessif. Toujours la hauteur qui se prend pour de la fierté. Race de girafes! qui se montent le cou et qui, pommelées de préjugés, broutent solennellement quatre feuilles desséchées aux plus hautes branches des arbres généalogiques.

Mais des abois, soudain. La concierge se précipite sur le bec-de-cane, ouvre sa porte par où font irruption trois loulous d'un blanc parfait. Ma grand'mère paraît, encore blonde, poussant devant elle son face-à-main, son ventre et ses parfums. Elle me ponctue le front d'un point rouge, s'éloigne de six pas, braque sur moi toute sa presbytie. La pièce est devenue trop petit. Elle parle et l'on n'entend plus qu'elle.

— Quel caprice vous a pris, mon enfant? Il fallait nous prévenir une quinzaine à l'avance. Nous aurions jugé si . . . Oui, oui, je sais, vous ne pouviez pas prévoir un coup de tête. Mais comme c'est ennuyeux! Je suis débordée, en ce moment, et le sénateur ne quitte plus le Luxembourg, car le ministère bat de l'aile.* Vous êtes grand pour votre âge, car vous êtes encore très jeune. Mais vous avez piètre mine.* Je sais bien que les Rezeau n'ont pas de santé. Notre sang l'emportera peut-être. Mon Dieu! qui vous a ficelé de la sorte? Allons! montez vite prendre un bain. Je suis certaine que vous êtes affamé. Josette! Félicien! Quelle affaire, mon Dieu! Urbain! Vite, un télégramme à mon gendre pour le rassurer. Mais, au fait, quel est ce petit drame dont on vient de me parler, vilain garçon? Vous avez refusé de vous laisser punir injustement? Voilà bien la fierté des Pluvignec. Je ne croyais pas que Jacques fût si dur envers ses enfants. Nous allons arranger cela. Pour le moment, de l'eau, du savon! Un bain, d'abord. Puis nous vous achèterons un costume décent. Allons! montez, mon enfant.

Nous prenons l'ascenseur, tandis que grand'mère salive toujours avec distinction. Le maître d'hôtel grimpe rapidement par l'escalier d'honneur, auquel ses fonctions lui donnent droit. Le reste du personnel rejoint l'appartement par l'escalier de service. Je pénètre, ébloui, mais faisant tout mon possible pour ne pas montrer cette admiration, dans un hall somptueux, dont mes pas baisent la moquette. Josette s'empare de moi.

— Si Monsieur veut bien me suivre . . .

Et me voilà tout nu, moi qui me croyais pubère,* tout nu et très petit garçon en présence de cette fille qui ne devine pas mon trouble et dont le corsage s'agite, tandis qu'elle me frotte le dos et le ventre avec d'impeccables serviettes éponge épaisses comme des tapis.

M. le sénateur – surtout, bonnes gens! n'oubliez pas ce titre à votre reconnaissance nationale, – M. le sénateur rentra fort tard. La guêtre blanche sous le pli de pantalon, la serviette de peau de porc, le nœud papillon de soie mauve m'impressionnèrent favorablement. M. le sénateur avait un mètre quatre-vingt-sept. La moustache, moins volumineuse que celle de mon père, était teinte en noir. Je l'avais entièrement détaillé par la porte vitrée, mais j'attendais sa venue dans le boudoir de grand'mère, encombré de coûteuses futilités. Je l'attendais entre deux chats, l'un siamois, l'autre persan bleu, et les trois loulous de Poméranie, dont chacun portait un collier de couleur différente, aux fins d'identification. J'attendais seul, lavé, coiffé, parfumé, vêtu d'un complet de velours noir, dont la culotte courte m'offusquait, mais rejeunissait ma grand'mère.

La voix non politique du sénateur le précéda. Il contait:

— Figurez-vous, ma chère, que . . .

Passons. Mme Pluvignec daignait rire, à petites gorgées, de la façon exactement inverse dont elle buvait son thé. M. le vice-président de la commission de la marine marchande (car il était cela aussi) contait:

— J'en ai une autre, bien bonne, à vous dire. Vous connaissez le vicomte de Chambre, député de la Loire-Inférieure?

Ma grand'mère connaissait ce grand dadais.

— On assure qu'il aurait invité un de nos collègues en lui envoyant une lettre ainsi conçue: «Venez dîner, ce soir, chez moi, à la fortune du pot.» Suivait sa signature: «DE CHAMBRE. *Se non è vero . . .*»*

130

Le chat persan miaula pour moi.

— Mais voyons ce jeune chouan qui nous tombe du ciel, reprenait M. Pluvignec. Vous dites qu'il en appelle à mon arbitrage? Cela semble partir d'un bon naturel.

Sa haute stature s'encadra dans la porte, tandis qu'il s'asseyait dans le genre Jupiter en lançant d'une voix tonnante:

— Voilà donc ce gaillard! Sacrée tête de cochon! Je reconnais bien mon sang. Explique-moi ce grand drame.

J'approchai. j'expliquai. Il écoutait à peine.

— Tiens! fit-il, au milieu de mon exposé. Vous avez là un bronze que je ne connaissais pas, ma chère. Où l'avez-vous déniché?

Pendant ce temps, grand'mère apaisait une querelle de chiens. Je terminai ma petite histoire. Force m'est* de vous avouer que je ne racontais rien d'autre que l'incident lui-même. Ces mondains sonnaient désespérément le creux. Grand-père, se jugeant tout à fait informé, fit un geste large de la main, où brillait un diamant de quatre carats.

— Tout cela n'est rien, mon enfant. Il y a longtemps que je le dis: Jacques manque d'autorité et Paule d'expérience. Mais j'ai pris pour principe de ne pas me mêler de leurs affaires. Du reste, je n'en ai pas le temps. C'est la rançon de notre carrière, à nous autres, hommes d'Etat, que cette impuissance où nous nous trouvons de donner à nos enfants une part des soins que nous réservons à la chose publique.* Tu as fait appel à moi, je ne te décevrai pas, je ramènerai l'ordre dans ma famille. Cependant, je te préviens, c'est uniquement par souci d'équité, et tu ne dois pas prendre l'habitude de me déranger pour si peu . . .

D'un étui d'or, le sénateur tira une cigarette, dont un briquet de platine lui fournit le feu. D'un portefeuille de maroquin, il extirpa négligemment quelques coupures et me les glissa dans la main.

— Tu resteras ici jusqu'à ce que ton père vienne te chercher. Voici un peu d'argent de poche. Ne fatigue pas ta grand'mère. Josette te fera visiter Paris.

Il s'éloigna sur des chaussures qui criaient leur prix.

— Cet enfant me plaît, décidément . . . Le tailleur a-t-il apporté mon nouveau costume? . . . Vous direz à Félicien . . .

Et sa voix mourut, étouffée par les tentures.

XIX

Mon père ne se fit pas attendre. Le lendemain, il était à Paris. En rentrant du musée Grévin,* je fus tout surpris de le trouver assis dans une bergère et devisant avec sa belle-mère.

— Ah! te voilà, fit-il d'un ton rogue.

— Jacques, je vous en prie, intervint aussitôt ma grand'mère.

Mon père n'avait pas d'intentions belliqueuses. Il sauvait la face, simplement.

— Tu nous a fait beaucoup de peine, ajouta-t-il, plus doucement. Si, vraiment, tu estimais injuste la sanction que ta mère a prise, il fallait m'en référer. Je n'ai jamais repoussé mes enfants . . .

— Mais, coupa Mme Pluvignec, cette sanction, vous l'aviez ratifiée!

Papa se mit à triturer sa moustache avec impatience. Mon escapade, évidemment, ne le troublait guère. Mais que j'eusse fait appel de son autorité par-devant une juridiction supérieure, qui n'était point valable à ses yeux, voilà ce qu'il ne me pardonnerait pas de longtemps! Dès que grand'mère eut le dos tourné, il se hâta de me le faire savoir.

— Tu peux être content de toi, mon pauvre ami. Ton père a l'air fin devant ces Pluvignec, à qui tu as confié le soin de contrôler ses abus de pouvoir!

Je ne répondis pas tout de suite. J'étais en train de penser que si mon fils m'avait joué un tour pareil je l'eusse tout bonnement roué de coups et traîné par les cheveux jusqu'à la maison. Folcoche, elle, connaissait la manière. Celui-ci, qui ne savait rien vouloir que ce que voulaient les autres, de quel droit parlait-il toujours de son autorité? L'autorité, ça se prend, ça ne se réclame pas comme des billes perdues. Certes, j'avais bien un peu pitié de lui. Mais il me revint à l'esprit que depuis plusieurs années nous étions martyrisés avec sa permission, avec sa bénédiction, avec sa très distinguée complaisance. Et, dans ce boudoir où je ne craignais rien, je trouvai l'audace de lui dire, à cet homme qui était mon père, à ce père qui n'était pas un homme:

— Excusez-moi d'être franc, papa. Mais vous vous montrez bien jaloux d'une autorité que vous n'exercez guère.

Sous l'injure, M. Rezeau se leva d'un bond, vira comme tournesol du bleu au rouge, s'étrangla:

— Je t'interdis . . . Je t'interdis . . . Tu n'es qu'un . . .

Ma grand'mère rentrait tout à fait à propos.

— C'est bien ce que je craignais, dit-elle sèchement. Jacques, vous vous emportez comme un sous-lieutenant. Puisqu'il en est ainsi, nous garderons cet enfant jusqu'à ce que votre colère se soit usée.

Et, se tournant vers moi:

— Après déjeuner. Josette vous emmènera à la tour Eiffel.

Je visitai la tour en compagnie de ce que la littérature appelle la camériste. Dans l'ascenseur, dont les vitres sont (je devrais dire: étaient, car on les a remplacées depuis) rayées, signées, par les diamants de tous les fiancés ou pseudo-fiancés du monde, je profitai de l'affluence pour me serrer contre Josette et lui explorer traîtreusement le voisinage des aisselles. Je dis bien le voisinage, car je n'osai prendre carrément l'objet en main. La petite bonne ne daigna pas s'en apercevoir, tout d'abord, mais finit par me saisir le poignet en souriant. Et ce geste, et ce sourire de femme qui se défend me remplirent d'une grande considération envers moi-même. Cependant, je n'insistai pas: tant pis pour elle! Et son sourire n'insista pas non plus: tant pis pour moi!

Le soir, je trouvai mon père rasséréné. Il avait employé l'après-midi à la plus grande gloire des sirphides.

— A tout hasard, j'avais emporté quelques boîtes, et notamment mes précieux cotypes. Ces messieurs du Muséum ont été plus qu'intéressés. Je vais mettre une clause dans mon testament, afin qu'à ma mort ma collection revienne à la Section entomologique. Je n'espérais pas pour mes travaux la notoriété dont ils commencent à jouir. Sais-tu qu'on pourrait bien demander pour moi, au titre de l'instruction publique . . .

Geste tendre du côté de sa boutonnière.* Puis un doigt sur la bouche. Enfin, par un de ces coq-à-l'âne* dont il a le secret, papa donne une suite paisible à notre conversation du matin.

— A propos de ce que je disais à midi, je voudrais que tu comprennes une chose. Quand tu as le sentiment . . . mettons . . . d'une injustice et que tu estimes que je n'ai pas fait tout le nécessaire pour l'empêcher . . . dis-toi bien que j'ai en réalité obéi à des considérations . . . à des considérations supérieures . . . Enfin, à des considérations qui méprisent l'immédiat pour sauver l'essentiel.

Il tousse, M. Rezeau, pour se dégager de ces considérations plus embarrassantes que les fils du gruyère chaud.* Il tousse et devient presque sincère.

— Vois-tu, si tu sacrifiais à l'esprit de famille le dixième de ce que je lui ai consenti moi-même, de ce que tu crois bien abusivement être de la faiblesse, *La Belle Angerie* redeviendrait habitable. J'espère que tu ne doutes pas de l'affection que j'ai pour mes enfants?

*Mouvement.** Ce qu'on appelle, en style de théâtre «un mouvement», spontané pour une part et appuyé d'autre part, fortement appuyé même, par tout ce que mon éducation et mon naturel ont toujours eu de cabotin, un mouvement, dis-je, me jette dans les bras de M. Rezeau, qui m'y reçoit solennellement. Et grand'mère, qui, décidément, a un sens aigu des entrées et des sorties, grand'mère jaillit de la coulisse pour contempler ce tableau:

— Ah! dit-elle, je vous verrai partir plus tranquillement, maintenant.

Ce départ, que souhaitait de tout son cœur cette grande dame, plus habituée à dorloter des chiens que des enfants, eut lieu le surlendemain après quelques autres visites de monuments historiques, que j'énumère dans l'ordre d'importance que leur attribuait mon père : Notre-Dame, la Sainte-Chapelle, le Muséum, la Section entomologique du Muséum, le Louvre, l'Arc de triomphe. Point.

Plus rien de la capitale ne m'était inconnu. Plus rien de ce qui est valable. Restaient bien quelques musées et surtout quelques églises secondaires, mais nous n'avions pas le temps d'arpenter leurs dalles. Restai taussi le Panthéon, mais, depuis que la gauche y fait enterrer ses grands hommes,* on ne peut plus décemment le considérer comme un monument national. Quant aux Invalides, indiscutablement, «ç'a de la gueule», mais ce n'est que le tombeau du général qui a persécuté Pie VII (ce pape, c'est moi qui commente, bien entendu, ce pape qui avait si curieusement le nom de ce qu'il éprouvait sous la soutane en face du terrible conquérant).*

Cette fois, la gare Montparnasse me vit arriver en voiture. Pas dans un vulgaire taxi. Mais dans la confortable Isotta-Fraschini du sénateur, membre, entre autres, de la Commission nationale pour le développement de l'Industrie française. Urbain, le chauffeur-valet de chambre, officiait en blanc, au volant.

— Je ne croyais pas les Pluvignec si riches! conflai-je à mon père.

— Peuh! répondit-il. Tes grands-parents croquent allégrement l'énorme fortune que leur a laissée ton arrière-grand-père le banquier, qui, lui-même, l'avait ramassée dans toutes les poubelles du second Empire. Passons, cela vaut mieux. Si encore les Pluvignec s'en servaient pour aider leurs enfants, il leur serait beaucoup pardonné. Mais va te faire fiche!* Nous les intéressons peu.

Cette sortie signifiait que le sénateur avait refusé une aide financière à mon père. Il l'avoua:

— Ce n'est pourtant pas le jour de me plaindre. Ton grand-père m'a signé un chèque de cinq mille francs. Une aumône! J'en suis pour ma courte honte.*

Papa prit des billets de troisième classe. Sur les lignes régionales du Craonnais, nous montions en seconde, mais ici nous n'avions pas à craindre la rencontre de relations mondaines, que cette économie eût étonnées. Dépouillant sa gabardine, il s'en servit pour envelopper ses boîtes de diptères, qui furent casées avec le plus grand soin dans le filet. Puis il chaussa ses lunettes, car il devenait presbyte, et se plongea dans les *Essais de Géographie linguistique* de Dauzat, tome II, récemment paru. J'interrompis presque aussitôt cette lecture studieuse.

— Papa, grand-père a-t-il vraiment une position importante au Sénat?

M. Rezeau me regarda par-dessus ses lunettes, haussa les épaules et bourgonna:

— Laisse-moi lire.

Mais il continua, ravi d'éreinter son beau-père:

— Le sénateur attend depuis vingt ans qu'on fasse appel à son dévouement pour un poste de sous-secrétaire d'Etat. Mais nul ne veut de lui. Il n'a que ce qu'il mérite! C'est un homme sans couleur. Les Pluvignec, tu sais bien . . .

Geste tranchant de la paume droite.

— . . . n'ont pas de conviction.

Comme il disait ces mots, un quidam entra dans notre compartiment et s'assit. Cet homme, lui, avait des convictions, mais désastreuses, car il déploya *L'Humanité* largement. Papa hocha la tête, pour mon édification, plusieurs fois, comme les nègres de la crèche lorsqu'on leur donne dix sous. Seigneur! Pardonnez-leur, ils ne savent ce qu'ils lisent. M. Rezeau, lui, savait ce qu'il lisait, grâce à deux siècles d'ancêtres fidèles à l'Index. Il se replongea dans les *Essais de Géographie linguistique*. Et le train démarra, tandis que je faisais des efforts désespérés pour savoir si le numéro du wagon, AH 1 459 457, était un nombre premier.

L'irruption du contrôleur ramena mon père dans le domaine des choses pratiques. Le communiste tendit une carte de circulation. Tout le compartiment afficha le discret sourire de réprobation qui est de mise en ce cas-là. M. Rezeau tendit deux billets de cochon de payant.* Une pensionnaire, qui arborait la croix-de-ma-mère entre ses maigres salières,* fouilla fébrilement son sac, en retourna toutes les pochettes, extirpa un chapelet, sa brosse à dents, la moitié d'un peigne, un numéro de *Lisette** et finit par retrouver le bout de carton à l'intérieur de son mouchoir marqué M. M. et dans lequel elle avait saigné du nez.

— L'enfant a moins de trois ans, fit remarquer sa voisine, dame à chignon compliqué, reprenant précipitamment sur ses genoux un garçonnet dont elle venait de dire «qu'il était fort pour ses cinq ans».

Tiré de son assoupissement sur le chemin de tête en fausse dentelle,* l'occupant du coin face, côté couloir, place louée, fournit au représentant de la compagnie une de ces bandes de papier surchargées de crayon gras, que l'administration réserve aux itinéraires anormaux. Le contrôleur l'examina, le retourna, émit l'hypothèse d'une possibilité d'erreur quant au choix de ce train interdit aux bénéficiaires de congés annuels, mais daigna n'en point faire état et manœuvra sa poinçonneuse, qui, du reste, habituée à mordre en plein carton, mâchonna lamentablement le papier.

— Quelles chinoiseries!* protesta faiblement l'homme du coin, dès qu'eut disparu la casquette à bande rouge, les dernières lois sociales, on dirait que ça les gêne.

— Vous pouvez le dire! appuya le lecteur de *L'Humanité.*

M. Rezeau, soudain, descendit dans l'arène:

— Plaignez-vous, messieurs! Moi, je paie . . . Enfin, je n'ai que trente pour cent de réduction à cause de mes trois enfants.

— Voilà toujours un petit avantage que vous devez aux revendications ouvrières, insinua le communiste, qui, du premier coup d'œil, avait identifié la classe sociale de l'ennemi.

Mais celui-ci était lancé.

— Oh! répondit-il, je lui abandonnerais volontiers ses trente pour cent, à l'Etat, s'il voulait bien me rendre l'or que je lui ai prêté, au lieu de me donner du papier.

— Les économies deviennent une erreur, je vous l'accorde.

Des économies? Un Rezeau! Mais pour qui prenait-on mon père? Dans son esprit, il consentit seulement à remplacer le mot «ancêtres», vexant pour ceux qui n'en ont pas, par celui de «générations».

— Quand plusieurs générations, dit-il, ont édifié patiemment une fortune et qu'on la voit s'effondrer en quelques années d'une démagogie financière qui s'en prend systématiquement aux porteurs de rentes, il n'y a pas de quoi être fier de son pays!

Le communiste chargea:

— Les porteurs de rente, ma foi! mon bon monsieur, encore bien beau qu'on leur en donne, du papier!* Moi qui vous parle, j'ai peut-être un permis de circulation, parce que je suis cheminot, oui, sous-chef de gare, mais je n'ai pas de rentes et je ne m'en porte pas plus mal. Je travaille. Si tous les bourgeois en faisaient autant, au lieu de rester improductifs, donc parasites, nous n'en serions pas pas où nous sommes.

Alors, moustaches flamboyantes, M. Rezeau s'écria:

— Ne calomniez pas les bourgeois, monsieur! Ils sont la prudence. la raison, la tradition de la France.

— Mettons: du franc. Ce sera plus juste.

Mon père saisit cette flèche du Parthe* au vol, avant qu'elle ne s'enfonça profondément dans son sein, et la rendit à l'archer:

— Il est vrai que, nous, nous ne connaissons pas le cours du rouble.

Sur cet échange d'aménités, les adversaires se tinrent cois. Le paysage défilait sur l'écran de la vitre, et je contemplais en bâillant ce documentaire interminable (moi qui n'avais jamais été au cinéma). La pensionnaire me dédia un sourire parce que j'étais le fils d'un représentant de l'ordre. A partir de Sablé, le train, qui devenait omnibus, se remplit de coiffes blanches et de paniers, d'où émergeaient des têtes de canard. A Grez-en-Bouère, le sous-chef de gare descendit, saluant d'un mauvais sourire. Deux amis, deux camarades, pour parler sa langue, l'attendaient sur le quai, et sans doute dut-il leur raconter la scène, car nous parvint cette phrase:

— . . . Lui ai rivé son clou.*

Agacé, M. Rezeau trouva que le soleil le gênait et, saisissant le rideau bleu, tira cette paupière sur l'œil de Moscou. Approuvé par les nouveaux occupants du compartiment, il saisit d'un air dégoûté *L'Humanité* oublié par le militant et le jeta sous la banquette. Le train repartit vers le Craonnais, terre des choux, des chouans, des chouettes et des choucas, qui crient autour des clochers: «Je-croa, je-croa!»* A Château-Gontier, le train se vida: la paysannerie bifurquait sur Craon, pour la foire. Nous étions seuls, quand parut enfin Segré, cette sous-préfecture arbitrairement rejetée en Maine-et-Loire par les Conventionnels et dont les mines de fer à haute teneur ne seront jamais exploitées à fond, tant que les mineurs seront perméables aux idées subversives d'un sous-chef de gare. En descendant, mon père fit rapidement, honteusement:

— Pour ta mère, j'ai pris une décision de grâce à l'occasion de ta fête.

Je m'arrêtai tout net.

— Non, papa. Vous avez cassé une punition injuste.

Embarrassé par ses diptères, voyant que déjà je m'éloignais de lui, M. Rezeau eut peur.

— C'est bon, dit-il, ce que je t'en disais, c'était pour arranger les choses. Tu ne seras jamais raisonnable.

XX

Je fais le point.*

Pour la première fois, je fais le point. Il est bon, ai-je lu quelque part, de se replier quelquefois sur soi-même et, capitaine armé du sextant, de préciser sa position, parmi les courants, les vents, les idées et les voix de ce monde.

Revenu de Paris au milieu d'une indifférence générale bien simulée, je me trouve isolé parmi mes frères . . . pour quelques jours seulement, pense ma mère, qui a dû se donner bien du mal pour les terroriser à ce point. Pour la vie, peut-être. Car j'ai lancé mon petit bateau beaucoup plus loin qu'eux. A mes yeux, ce ne sont plus que de petits mousses. Folcoche me laisse une paix relative. Elle a compris la nécessité de changer encore une fois de politique. Je suis l'énergumène contre qui rien ne prévaut, surtout pas les coups. Le seul siège qui me convienne est sans doute la quarantaine du silence.* Elle sait bien, la mégère, que ma combativité s'offusquera très vite de cet injurieux armistice et que j'irai bientôt m'offrir à son tir. Son parti est pris. Je dois par tous les moyens être éliminé de la communauté. Par tous les moyens sérieux. Laissons ce gredin s'endormir dans une sécurité trompeuse, laissons-le faire quelque énorme sottise.

Je fais le point. C'est-à-dire, je m'affirme. Ce premier examen, qui n'a rien d'un examen de conscience, car je me trouve très bien tel que je suis et je n'ai le ferme propos que d'être chaque jour un peu plus moi-même, ce premier examen a lieu pendant une récréation de midi, sur l'extrême branche de mon taxaudier, qui devient véritablement mon isoloir, mon donjon, et où mes frères ne me suivent jamais, car l'escalade n'est pas de tout repos.* (C'est sans doute pourquoi Folcoche ne m'a jamais interdit d'y monter.) Je fais le point. Je ne sais pourquoi, mais, perché tout là-haut, je me sens tout autre. Dominant les toits bleus de *La Belle Angerie* et uniquement dominé par le vent d'ouest ou les ramiers qui tournent longuement autour de leurs nid, je me détache de ma vie. Les mille agacements, les mille vétilles dont nous souffrons beaucoup plus que d'une grande blessure, les voilà qui tombent, les voilà qui tapissent les sous-bois très au-dessous de moi, comme les aiguilles brunes de sapin. Que suis-je ici? Et pourquoi suis-je ici? Quel rythme d'heures inutiles me balance au même titre et au même souffle que cette branche qui me supporte comme un fruit étranger et qui bientôt me laissera tomber? Tomber vers cet avenir, maintenant proche, où je pourrai me planter tout seul dans la terre de mon choix, les fumiers de mon choix, les idées de mon choix, les ventres de mon choix. Sur le point de choisir ma façon de pourrir, puisque, pourrir, c'est germer, donc vivre ... Sur le point de choisir ma pourriture vivante, que ce soit l'amour ou que ce soit la haine, comme je suis bien lavé de vent! Comme je suis infiniment pur!

Je fais le point. Tu n'es pas ce que tu veux, mais tu seras ce que tu voudras. Tu es né Rezeau dans un siècle où naître Rezeau, c'est rendre dix longueurs* à ceux qui s'alignent avec toi. Tu es né Rezeau, mais tu ne le resteras pas. Tu n'accepteras pas le handicap que tu sens sans pouvoir encore définir exactement en quoi il consiste. Tu es né Rezeau, mais, par chance, on ne t'a pas appris l'amour de ce que tu es. Tu as trouvé à ton foyer la contremère dont les deux seins sont acides. La présure de la tendresse, qui fait cailler le lait dans l'estomac des enfants du bonheur, tu ne la connais pas. Toute la vie, tu vomiras cette enfance, tu la vomiras à la face de Dieu qui a osé tenter sur toi cette expérience. Que ce soit la haine ou que ce soit l'amour, disais-tu? Non! Que ce soit la haine! La haine est un levier plus puissant que l'amour. Certes, tu pourras l'oublier. Certes, tu voudras essayer de toutes les douceurs, de toutes ces choses fades et sucrées que résucent, entre langue et luette, les petites cousines sentimentales.* Tu te gaveras des berlingots de l'amour. Et tu les recracheras. Tu les recracheras avec le reste!

Je fais le point. Je ne suis pas modeste. C'est toujours cela que les Rezeau conserveront en moi. Je suis une force de la nature. Je suis le choix de la révolte. Je suis celui qui vit de tout ce qui les empêche de vivre. Je suis la négation de leurs oui plaintifs distribués à toutes les idées reçues,* je suis leur contradiction, le saboteur de leur patiente renommée, un chasseur de chouettes, un charmeur de serpents, un futur abonné de *L'Humanité*.

— Les enfants! C'est l'heure.

Je suis votre scandale, la vengeance du siècle jeté dans votre intimité.

— Les enfants!

Tais-toi, Folcoche. J'arriverai volontairement en retard et tu ne diras rien, parce que tu as peur, parce que je veux que tu aies peur. Je suis plus fort que toi. Tu déclines et je monte. Je monte comme un épouvantail, dont l'ombre s'allonge immensément sur les champs au moment où le soleil se couche. Je suis la justice immanente de ton crime, unique dans l'histoire des mères. Je suis ton vivant châtiment, qui te promets, qui te fera une vieillesse unique dans l'histoire de la piété filiale.

— Les enfants!

Tais-toi, Folcoche! Je ne suis pas ton enfant.

Très satisfait de ce premier morceau de bravoure (intérieure), je dégringole de branche en branche, je laisse un morceau de ma veste à la pointe d'un *sicot** et, sans courir, regagne la salle d'études, où mes frères se penchent déjà sur leurs devoirs.

Mais Folcoche ne m'a pas attendu. Notons ce relâchement d'une implacable courtoisie. Et rengainons nos armes, inutilement fourbies. Le doux Shelley m'attend, honneur de cette langue anglaise, que nous ne parlons plus au souper, depuis que Mme Rezeau s'est aperçue que nous savions désormais la manier mieux qu'elle.

XXI

Deux mois ont passé. Mon escapade n'est pas oubliée; Folcoche y fait souvent d'obligeantes allusions. La guerre civile couve, sournoise. Peut-être pense-t-on à me mettre au collège. La mégère, d'après Frédie, aurait même proposé une maison de redressement, mais, comme nous sommes en période de vacances, la question ne se pose pas. On verra ça, fin septembre, si les fonds sont en hausse, ce qui ne semble pas probable. L'abbé Traquet est en congé. Nous sommes donc seuls sous la coupe directe de Folcoche. J'ai conservé mon costume de velours noir: ma mère s'est très vite aperçue que les culottes courtes humiliaient mes presque quinze ans.

Pour papa, c'est la saison idéale: des myriades de mouches bourdonnent sur les laiches et les cardamines de prés bas. Cependant, sa grande préoccupation du moment n'est pas d'ordre entomologique. On va célébrer les noces d'argent académiques du vénérable et octogénaire René Rezeau. Bien que ce dernier ne soit, somme toute, que le plus brillant des collatéraux (et il sait bien le dire, monsieur mon père, chef de la branche aînée), *La Belle Angerie*, capitale bicentenaire de la famille Rezeau, doit être le cadre de cette flatteuse cérémonie. Papa se débat, intrigue, écrit force lettres sur le papier à en-tête du manoir, réfute les objections de ceux qui trouvent le Craonnais trop difficile à joindre, organise un service d'autocars en déroutant pour quarante-huit heures la navette Angers-Segré, cherche du personnel, établit des listes, raye quelques noms, en rajoute quelques autres ... Tout cela, avant même l'accord du principal intéressé.

Mais cet accord nous parvient enfin. Papa exulte, bondit à Segré, donne l'ordre d'imprimer les invitations. Folcoche est moins enthousiaste.

— Ça coûtera combien, cette histoire-là?

Le chef de la branche aînée chasse d'un revers de la main ces préoccupations mesquines: il vient de liquider quelques titres au Comptoir d'Escompte.* Tant d'honneur exige de courageux sacrifices. Alors, résignée, Mme Rezeau sonne le branle-bas.* Les devoirs de vacances attendront. Sarcloirs, raclettes et râteaux nous sont distribués. Que les allées soient impeccables! Si la peinture est trop dispendieuse, qu'à cela ne tienne!* Une couche de chaux redonnera une virginité provisoire aux poteaux blancs, qui sont l'accessoire indispensable de toute clôture distinguée. La paille de fer mord le parquet du salon, dont les lattes s'effritent dangereusement.* Pour une fois, il fait que cela brille. Un nuage de mites (lépidoptères) émigre des tentures, des Gobelins et des tapis, que Fine et les deux Bertine battent à coups redoublés. Barbelivien manie les cisailles dans les massifs. On emprunte au curé Létendard les géraniums du Sacré-Cœur. Jeannie Simon prépare le pâté de prunes qu'affectionne le grand-oncle et une douzaine de fromages en jonc. Madeleine, de *La Vergeraie* (qui est devenue, décidément, appétissante), vient d'annoncer que sa mère tuera un mouton. Les Argier, de *La Bretonnière*, sacrifieront leur volaille.

— Toutes mes redevances de l'année vont y passer! gémit Folcoche.

Et le grand jour arrive. Le ban et l'arrière-ban de la famille Rezeau ont été convoqués, ainsi que les autorités constituées, civiles et religieuses, de la région. Le grand homme, le héros de la fête, arrive le premier, frileusement recroquevillé sous un plaid au fond de son antique Dion-Bouton.* Nous sommes tous alignés sur le perron pour le recevoir. Il descend péniblement de voiture, car sa prostate le fait déjà cruellement souffrir. Sa femme, tante Alice, toute en cheveux blancs, et sa fille, Alice II, toute en cheveux noirs, soutiennent ses derniers pas. On installe le vieillard, on le couvre, on le cale dans un fauteuil Dagobert,* juste au beau milieu du salon, sous l'écusson de nos armes (vous savez: «de gueules au lion d'or passant»), qui sert de motif central aux peintures de la grande poutre.

Sa Grandeur, qui est également frileuse, malgré la saison, et qui

144

est également percluse, vient bientôt le rejoindre, ainsi que notre oncle, le protonotaire apostolique, tout spécialement venu de Tunisie par avion. Magnifiquement lui-même dans ce décor de soutanes, dont la moire épuise toutes les nuances du violet,* le défenseur de la Foi considère, d'une prunelle affaiblie, son innombrable famille qui ne cesse maintenant d'affluer, qui vient respectueusement déferler, vague pas vague, aux pieds de son fauteuil. Nous reconnaissons le baron et la baronne de Selle d'Auzelle, la comtesse Bartolomi (qui dissimule ses fanons sous une guimpe de perles fines)* et sa descendance à cheveux corses, M. et Mme Kervazec qui présentent les vœux du cardinal, le comte de Soledot, maire du lieu et conseiller général, Mme Torure et ses enfants sans le sou, M. Ladourd, que l'on n'a pas pu ne pas inviter, malgré l'origine de sa fortune (honnête, mais obtenue dans les peaux de lapins), le curé Létendard et son ordonnance, je veux dire: son vicaire, des fils, des filles, des petits-enfants Rezeau, de toutes branches, rouges de plaisir, rouges et innombrables comme les calvilles* sous les pommiers de septembre. Tout ce monde se range, se tasse derrière «lui», redresse collectivement la tête, pose pour la postérité.

Alors est admis le petit peuple, les bonnes gens de la commune, les paysans embarrassés d'eux-mêmes et tout rassasiés de leur humilité, Jeannie, Simon, les quatre Barbelivien, les Argier, les Huault, la vieille Fine arborant sur le sein droit la médaille tricolore des vieux serviteurs,* les bonnes sœurs de l'école libre et celles de l'hôpital, les enfants de Marie, ceintes de leur écharpe plus ou moins méritée, les membres du Conseil de fabrique,* une délégation de la société de tir* et de l'harmonie Saint-Aventurin, cinquante fermiers et fermières anonymes . . . La plupart sont porteurs de bouquets craonnais, de ces bouquets serrés, fleur à fleur, ces mosaïques qui sont des chefs-d'œuvre de la patience paysanne. Mais beaucoup ont amené, pattes ficelées et battant des ailes comme pour applaudir à leur mort prochaine, qui un canard, qui un poulet (J'allais ajouter qui un lapin, par souci d'exactitude, mais je m'aperçois que cela ferait drôle.)* Le tout s'amoncelle dans un coin du salon: les autels et les œuvres en profiteront (non sans que Folcoche ait prélevé une dîme secrète pour se rembourser de ses redevances).*

En retard, comme il se doit, survient le député conservateur de Maine-et-Loire, marquis Geoffroy de Lindigné, qui traverse la foule chaude de ses électeurs. On n'attendait plus que lui. Magnésium. Une fois, deux fois, trois fois.

— Merci, messieurs-dames, dit le photographe.

Le marquis tire quelques feuillets de sa poche, lance le bras droit en l'air. On fait: «Pschuuuttt». Le marquis parle ou, plutôt, il entonne . . .

Ce discours dure une heure. Je vous en fais grâce. Mais le speech du maire, l'homélie de l'évêque, le compliment des enfants des écoles, le laïus du chef de la branche aînée, à nous, on ne nous en fit pas grâce.* Enfin, après trois heures de postillonnades,* la foule des petites gens est autorisée à s'aller rafraîchir de cidre bouché et restaurer de *rillots*,* dans la cour, le long des planches posées sur tréteaux et recouvertes de vingt draps de toile de lin qui leur inspireront la plus salutaire considération envers la dynastie. Les personnes notables, en comité restreint, sont dirigées sur la salle à manger, qui, malgré ses soixante mètres carrés, ne pourrait contenir tout le monde. Le reste de la famille banquettera dans le hall, les couloirs, la salle d'études. *La Belle Angerie* n'est plus qu'un grand restaurant où s'affairent les filles de ferme embauchées pour la journée et qui font, parmi ce beau monde, un emploi anormal de gros rires et de particules interrogatives «ti».

A six heures du soir, les invités commencent à refluer. Un grand nombre de cousins et cousines, cependant, coucheront au manoir en attendant le train du matin pour Paris. Le protonotaire s'installe pour quinze jours. La baronne pour huit. Le parc est encore plein de cris, d'appels, de galopades. Une vraie kermesse. Le soleil décline en direction du clocher de Soledot, où il semble avoir l'intention de s'embrocher. Les nuages prennent progressivement la teinte des boutons de la robe du protonotaire. Mon père, ivre d'orgueil, la cravate desserrée, erre de groupe en groupe. Les moucherons, dans le pré, de croupe en croupe. M. Rezeau m'aperçoit soudain, solitaire et me dirigeant vers le taxaudier. Il me rejoint, me prend par le bras, m'entraîne, essaie de me communiquer son enthousiasme.

—Comprends-tu, mon petit, comprends-tu aujourd'hui ce qu'est une famille comme la famille Rezeau?

Bien sûr, je le comprends, et c'est même pourquoi je suis sans chaleur. Dans le bois, une cousine anonyme, une cousine qui a sans doute une mère attentive et non une Folcoche en robe de lamé, Edith Torure, peut-être, ou une de ces petites Bartolomi à tresses d'ébène . . . une cousine, quoi! chante d'une voix aigrelette une vieille romance pour jeune fille bien

— C'est charmant! dit papa, en se caressant la pomme d'Adam, qu'il a aussi proéminante que le nez.

Oui, c'est charmant, c'est désuet, c'est respectable. Mais tant d'argent dépensé pour la gloire, alors que nous manquons de nécessaire, est-ce vraiment charmant? Mais ces paysans, traités en serfs en plein vingtième siècle, n'est-ce pas aussi désuet? Mais cette hypocrisie qui jette la cape sur nos dissensions, notre sécheresse de cœur et d'esprit, nos mites et nos mythes, est-ce encore respectable? Le monde s'agite, il ne lit plus guère *La Croix*, il se fout* des index et imprimatur, il réclame la justice et non la pitié, son dû et non vos aumônes; il peuple les trains de banlieue qui dépeuplent ces campagnes asservies, il ne connaît plus l'orthographe des noms historiques, il pense mal parce qu'il ne pense plus vôtre, et pourtant il pense, il vit, infiniment plus vaste que ce coin de terre isolé par ses haies, il vit, et nous n'en savons rien, nous qui n'avons même pas la T S. F. pour l'écouter parler, il vit, et nous allons mourir. Mais ma haine à moi devine notre raison d'être et, surtout, de ne plus être,* elle devine combien cette fête est un défi jeté au siècle et combien elle est fragile, la romance de cette petite cousine qui n'enfantera plus de nouveaux bourgeois craonnais, nés d'une idylle bien dotée. Ma haine, qui ne leur pardonnera pas d'être un des leurs et de l'être à jamais, ma haine sait que cette fête est la dernière du genre, avant que ne s'effrite et ne s'effondre cette gloire de canton. Elle sait aussi que je serais un des plus détestables artisans de l'irrémédiable décadence, préparée par la dévaluation des préjugés et des titres. Et je souffre un peu, j'en souffre, parce que, malgré moi, je ne les déteste pas tous. C'est pourquoi, très doucement, je consens à répondre à mon père, qui ne comprendra pas:

— Oui, c'est charmant. On dirait le chant du cygne.

XXII

Des économies féroces suivirent cette coûteuse cérémonie. Mme Rezeau devenait d'ailleurs de plus en plus avare. Selon un procédé fort en honneur dans les vieilles familles bourgeoises, mon père lui allouait des crédits définis, répartis à l'avance sur les différents chapitres du budget. Tant pour sa garde-robe, tant pour la nôtre, tant pour la cuisine. Folcoche trichait, lésinait maintenant sur tout. Elle se constituait une cagnotte, l'investissait en petits placements personnels, boursicotait à la petite semaine, donnant des leçons à son seigneur et maître, qui gérait «si mal» sa fortune. De fait, il faut avouer que si papa ne s'était pas cramponné aux valeurs à revenu fixe,* aux emprunts d'État, la dot de notre mère – trois cent mille francs-or – aurait pu s'adorner d'un zéro supplémentaire. Il n'avait su que le maintenir à sa valeur nominale. Les Pluvignec, en cette matière, pouvaient se gausser des Rezeau: ils ne s'en privaient pas.

Le protonotaire se vit donc opposer un refus très net, lorsqu'il proposa de nous emmener en vacances en Tunisie. Cette détente était souhaitée par notre père, mais, bien que l'oncle promît de nous défrayer de tout sur place, la somme nécessaire au triple voyage

148

ne put être réunie. (Folcoche ne voulait d'ailleurs pas en entendre parler.) Pour le même motif, nous dûmes décliner un certain nombre d'invitations dispendieuses. Les expéditions généalogiques furent stoppées. Le stock de boîtes et autres accessoires entomologiques ne put être renouvelé.

Pour ma part, je ne désirais pas tellement quitter *La Belle Angerie*. Du moins, pour l'instant. Non, certes, que j'y fusse plus heureux qu'auparavant et moins tracassé par Folcoche! Mais les environs du manoir devenaient intéressants. Malgré toutes les interdictions, nous nous avancions de plus en plus loin. La mégère, qui escomptait «la grande affaire», lâchait les rênes, quitte à bloquer le mors d'un seul coup,* au moment opportun. A mon tour, je me servais du Gillette paternel. Les chemins creux, où trottent les filles qui vont, la faucille sur l'épaule, couper de la luzerne pour les lapins, les chemins creux s'offraient à mes galoches. Cropette, que ses treize ans et demi ne démangeaient pas encore,* pédalait sagement dans les allées sur le vélo que lui avait valu certaine trahison oubliée. Mais Frédie et moi, les narines ouvertes, nous guettions les enfants de Marie, les gardeuses de vaches, la petite Bertine et, surtout, Madeleine, de *La Vergeraie*. Nos prérogatives de fils du patron nous le rendaient accueillante. Aussi intimidés qu'elle, mais pas de la même manière, nous lui portions ses paniers, nous lui ramenions ses bêtes. Elle n'était point dupe de ce brusque intérêt, et dans ses yeux s'allumait un mélange de raillerie, de crainte et de vanité. Cette fille était beaucoup plus avancée que nous. Je dois vous le dire, il y avait trois mois seulement qu'en tombant par hasard sur un couple de chiens en train de bien faire* j'avais reconsidéré la question et mis au point certains détails férocement tus par la pudibonderie familiale. J'avais été privé de ces petits camarades de collège qui sont, généralement, les initiateurs (pas toujours désintéressés) de leurs cadets. Je n'osais interroger mes frères, aussi tardifs que moi sur ce chapitre et victimes de cette éducation qui considérait comme «répugnante» toute confidence sexuelle, toute phrase trop précise, au point que je n'entendrai jamais dire d'une cousine: «Elle est enceinte», mais seulement: «Elle attend un bébé». Les parties, dites *sacrées* par les Grecs, les chrétiens les ont rebaptisées *honteuses*. C'est tout dire. Je vais peut-être vous faire sourire, mais mon ignorance était telle que je me suis longtemps représenté le sexe féminin, non pas dans le sens vertical, mais dans le sens horizontal, comme la bouche. A quelque chose malheur est bon, et cette candeur me mit à l'abri du vice solitaire, ce fléau contre lequel nous n'avions jamais été mis en garde.

Ma première réaction, après l'initiation, du reste partielle, aux choses de l'amour, leur fut nettement défavorable. Je n'éprouvais aucun dégoût d'ordre mystique, aucune appréhension de péché. Le péché? La bonne blague! Un mot, un prétexte à punitions, une entorse au règlement de l'Eglise,* aussi arbitraire que le règlement de Folcoche. Non, je trouvais que la nature aurait pu, aurait dû doter les mammifères d'un système de reproduction analogue à celui des fleurs. Les monoïques, de préférence. Voilà qui est propre, poétique, accesible à tous les regards. Si propre, si poétique que les fleurs, ces organes génitaux, servent à la décoration des salons et des chapelles. Certes, il ne me déplaisait pas que Folcoche appartînt à cette catégorie d'êtres toujours un peu malades, suintants et, pour tout dire, humiliés que sont les femelles et plus particulièrement les femmes. Mais, à cela près, et si, vraiment, pour des raisons techniques, il était impossible au Seigneur de nous donner un style et des étamines, il aurait pu généraliser la discrétion des oiseaux.*

Puis mon attitude changea. Je restai pur . . . Je restai pur très longtemps. Par orgueil. Par souci – comment dirais-je? – par souci d'authenticité. Mais les réveils matinaux, dont Victor Hugo a si bien parlé en vers, le poitrail de Madeleine, ces fuseaux des jambes d'enfants de Marie endimanchées* montant vers on ne sait quoi sous la robe, cette démangeaison du bout des doigts qui demandent à palper comme des antennes et semblent vouloir ajouter quelque chose au sens tactile, cette sorte de faim – et c'en est une – qui part aussi du ventre et qui ne s'appelle pas encore le désir, toute une éruption de sentiments et de boutons, les premiers fournissant le pus des seconds, tout cela finit par avoir raison de moi. Aspics du soir, je vous entends siffler. Au nom de quoi faut-il vous taire? Il n'y a pas de complaisance envers la vérité. Il y a la vérité. L'hésitation de mes périphrases, en ce moment, n'est-ce pas une dernière séquelle de cette formation chrétienne qui donne à l'instinct le sobriquet louche de «tentation»?

Frédie, malgré ses dix-huit mois d'aînesse – ça compte, à cet âge! – et malgré d'analogues tourments, n'était ni plus avancé ne plus riche d'audace. Bien au contraire. Une sorte d'accablement lui tombait sur les épaules, avec la puberté.

— Nous avions bien besoin de cette complication-là! maugréait-il.

Je me rendis compte assez vite qu'il ne pouvait rien tenter sans moi. Comme sa taille et ses moustaches naissantes me faisaient du tort, je pris le parti de chasser pour mon propre compte, seul. Le cartel des gosses expirait. D'autres joutes nous attendaient. Mais je n'avais pas l'intention de m'éterniser dans cet échange de sourires et de mots à double sens, que les adolescents prodiguent aux adolescentes. Cette nouvelle vipère qui me grouillait dans le corps, il fallait aussi l'étrangler.

Et tant pis pour Madeleine! Est-ce que Folcoche, pour assouvir je ne sais quel sadisme, a pris des gants avec nous? Madeleine est rougeaude, elle prend de plus en plus la tournure de filles craonnaises, que les potées* et le lard froid engraissent trop tôt. Dans trois ans, elle aura la démarche des oies grasses. Mais, pour l'instant, c'est encore un *piron* (oison, en patois) assez tendre pour ce que j'en veux faire. Pucelle ou non, je m'en fous. Elle trouvera toujours un mari pour la valeur de son dos, qui ne rechigne pas aux binages,* et de ses mains, qui traient remarquablement vite.

Mais il faut l'approcher, la «travailler». Ce n'est pas si facile. Les paysans se couchent tôt et ne traînent pas dehors, une fois la nuit tombée. En semaine, Folcoche veille, et je ne peux m'échapper que pour de brèves rencontres au pacage. Reste le dimanche, toujours scrupuleusement chômé, sauf en période de moissons, lorsque le curé, en chaire, a donné l'autorisation annuelle. Madeleine, revenant des vêpres où elle chante (faux, bien sûr), prend régulièrement la raccourci du petit bois.

Ce que j'ai résolu, je le réalise généralement très vite. Je n'aime pas m'attendre ni attendre les autres. Toutefois, en amour, si ce nom peut être donné à cette première répétition particulière, en amour, il faut être deux. Madeleine résiste. Elle occupe, désespère, enthousiasme toutes mes vacances. Maintenant, lorsque je monte au taxaudier, c'est surtout pour m'interroger sur les résultats de ma cour auprès de la jeune vachère, dont les cheveux ont la couleur et l'odeur du foin frais.

Je ne suis pas trop satisfait de moi. Et alors, garçon, où es-tu? Sont-elles si pures, ces mains qui palpent les pis? Se défendent-elles si bien? As-tu peur d'être surpris par Folcoche, cette autre femme, qui s'est, au moins trois fois, renversée sur le dos? Eh! tu m'embêtes avec ta Folcoche. Laisse-la ranger ses timbres en compulsant Yver et Tellier.* Voilà trente fois que tu trottes en vain au pacage. Les colchiques de l'automne vont fleurir, les vacances vont se terminer, tu vas devenir moins libre . . . Il faut réussir avant la rentrée de B VII. Ce besoin naturel, car tu le penses tel, est-il donc si gênant de le faire à deux? Tu voulais rester pur, idiot. Est-ce qu'on retient ses glaires, lorsqu'on a envie de cracher? L'hygiène publique a inventé les crachoirs comme Dieu a inventé les femmes. La pureté n'exige pas la rétention, mais l'exutoire.

Je m'encourage, je me dope, je m'engueule. Je repars au trot, à la première occasion, vers la prairie des trois ormes, où se tient le plus souvent Madeleine, tricotant des chaussettes de laine pour son frère, le gars Georges. Un parapluie fiché en terre la protège de la pluie ou du soleil, selon les cas. Ses nattes sont toujours ramenées par devant et coulent entre ses seins. Les yeux oscillent très vite* quand je m'approche: ils sont jaunes.

Aujourd'hui, je suis plus généreux, et je dirai qu'ils sont dorés. Je viens m'asseoir à côté d'elle sans lui dire bonjour.

— Faites attention, monsieur Jean. Mon frère n'est pas loin, *à nuit*. Il bine les betteraves.

Il faut enfin que je l'embrasse. Mon bras passe par-dessus son épaule. Ma main, sournoisement, redescend vers l'aisselle, s'insinue. Quand le bout de mes doigts arrive au bord du sein, Madeleine les bloque, sans mot dire, en serrant le coude contre les côtes. J'en suis pour mes frais. Vais-je lui tenir des propos fleuris? Quelle idée! Ne gâchons pas nos perles. Brusquement je me décide et, empoignant une natte, je tire la tête en arrière, sans ménagements. «Ouille!» fait-elle, avant que ma bouche ne gobe la sienne.

Voilà donc qui est fait. Je m'accorde un bon point et retient l'envie de m'essuyer les lèvres. Madeleine remarque:

— Vous avez de l'*amitié* pour moi, monsieur Jean?

Amitié, en patois craonnais, c'est le vocable discret de l'amour. Non, je n'ai pas la moindre amitié pour cette fille. Je m'étire, je m'écarte un peu, enfin je la questionne.

— Tu n'es pas fâchée, Mado?

— Un p'tit, répond-elle laconiquement.

Mais, ce disant, elle sourit, et, comme elle sourit, je remets ça. Cette fois, pourtant, sans vergogne, je saisis et je pétris le sein gauche, que je trouve un peu mou. Elle ne me prend pas le poignet. Elle ne pense plus au gars Georges dont on entend cependant claquer le fouet. Je la lâche, par prudence, et je galope vers *La Belle Angerie*. Je jubile. Frédie, qui depuis mon abandon, vagabonde seul, s'aperçoit de mon excitation et m'interroge:

— Alors?

J'ai grande envie de le sidérer en lui disant que j'ai réussi. Mais je suis encore plus vaniteux que vous ne le pensez et je ne veux lui servir chaud que du réel, d'ici peu, avec le droit de s'embusquer à proximité pour contrôler mon triomphe, s'il le désire. Disons seulement, aujourd'hui, avec nonchalance:

— Mon vieux, la nèfle est mûre.

— Non, plaisante Frédie; généralement, on dit la poire. Les nèfles, on les mange quand elles sont pourries.

— Je sais ce que je dis.

Ma réponse n'a pu parvenir jusqu'au tympan de Folcoche, qui survient à cet instant précis. Elle braille, pour changer:

— Alors, toujours vos messes basses!*

Je te néglige, ma mère, depuis quelque temps. Excuse-moi. Ce n'est pas mauvaise volonté de ma haine. Mais je suis vraiment très occupé. Pourtant je désire que tu ne t'y trompes pas. Ce que j'en fais, c'est sans doute pour satisfaire un instinct que l'âge développe et que nulle tendresse ne saurait canaliser vers les marais du sentiment. Mais c'est aussi contre toi. Ne dis pas que cela n'a aucun rapport. Tu n'es qu'une femme, et toutes les femmes paieront plus ou moins pour toi. J'exagère? Ecoute... L'homme qui souille une femme souille toujours un peu sa mère. On ne crache pas seulement avec la bouche.

Et voilà ce jour du Seigneur, ce dimanche qui m'est dû. Elle me foutra une paix royale, la mégère! Ibrahim-Pacha, bien inspiré par Allah, vient de lui envoyer d'Egypte une précieuse série. Il faut qu'elle la classe et qu'elle la colle. J'ai posté Frédie à la *rotte** du jardin tant pour contrôler que pour monter la garde. S'il y a péril, il doit siffler le *Dies iræ,** dies illa*. Pour ma part, je m'embusque sous le cèdre argenté, où j'ai, dernièrement, déniché une couvée d'éperviers. La sortie des vêpres est sonnée depuis un quart d'heure. Madeleine ne saurait tarder.

Madeleine arrive! Endimanchée, je la trouve moins appétissante qu'en sarrau gris. Son chapeau de paille s'adorne d'un ruban de velours cerise, qui jure avec sa robe mauve, achetée sans doute dans ce magasin de Segré qui s'est fait une spécialité des couleurs sucette. Elle se doute bien que je dois l'attendre quelque part sous le taillis et marche doucement, comme une qui n'est pas pressée et qui cherche à se faire désirer un peu, point trop, car les gars et, à plus forte raison, les messieurs, aiment bien qu'on les aguiche, mais pas qu'on les agace.*

— Hep! Mado!

L'interpellée s'arrête, regarde autour d'elle, m'aperçoit sous le cèdre, dont les dernières branches retombantes forment une sorte de dais, hésite un peu, puis, serrant sa robe sur ses cuisses, se coule avec précaution jusqu'à moi. Comme d'habitude, elle est silencieuse. Que trouverait-elle à dire? Sous ses nattes, il n'y a pas foule.*

J'ai préparé l'endroit, déblayé le terrain, équitablement réparti les aiguilles. Elle n'a qu'à s'asseoir. Et à sourire.

Prélude. Ce qui m'a déjà été donné ne peut raisonnablement m'être refusé. Je touche donc mes redevances. Une demi-heure se passe en préparatifs. Un sifflement prolongé se fait entendre. Je dresse l'oreille, mais ce n'est pas le *Dies iræ*. C'est le père Simon qui rappelle ses vaches. Tout de même, ne lanternons pas. Je n'ai guère plus d'une heure devant moi. Du sein gauche, ma main descend le long de la hanche, passe sous la robe, arrive à la jarretelle.

— C'est donc ça que vous voulez, à c'te heure!

Nouveaux préludes. Au-dessous de la ceinture. Nouvelle demi-heure. Un pigeon fait du charme* au-dessus de nous, dans l'arbre même où nichait l'épervier. Tu as de la chance, pigeon, que j'aie déniché l'oiseau de proie! Mais celle-ci qui se débat un peu sous ma serre, je te jure qu'elle ne m'échappera pas.

Fin des préludes.

XXIII

Madeleine n'était pas vierge et n'a d'ailleurs aucunement cherché à me le faire croire. J'ai pourtant annoncé à Frédie que je lui avais pris son pucelage. Entre nous, j'ai bien tardé à enfoncer une porte ouverte, et ma victime a dû, depuis trois mois, me trouver assez godiche. Raison de plus pour affirmer que je l'ai trouvée telle qu'elle n'était plus.

Mon frère exulte. Ce garçon-là est fait pour se réjouir des conquêtes d'autrui. Quant à moi, je m'étonne de ne pas être plus satisfait. L'opération n'est pas désagréable, j'en conviens. Mais, quand cette fille s'est relevée et m'a dit, défroissant soigneusement sa robe: «Vous v'là content, pas vrai?», eh bien! je me souviens d'avoir eu envie de la gifler. J'aurais voulu la voir pleurer, cette essoufflée! Je me suis retenu, car je tiens à me la conserver quelque temps, faute de mieux. Mais qu'elle se surveille! Je ne veux plus l'entendre murmurer, comme elle l'a fait en me quittant, presque tendre et les nichons écrasés contre ma poitrine:

— Faut croire que j'ai bien de l'amitié pour toi, tu sais!

Ça, non, je ne le supporterai pas d'elle. Ni d'une autre. Mais d'elle surtout! De quel droit me tutoyer? D'elle à moi, rien de changé, nulle distance raccourcie, nulle familiarité permise, nul ridicule autorisé. On a fait l'amour, et puis voilà. On refera l'amour, et c'est tout. Un point. Et, quand je l'estimerai nécessaire, un point final.

Ne faisons tout de même pas le difficile. Premier dans la résistance, premier dans l'évasion, premier à m'offrir une fille, j'ai de quoi maintenant monter au taxaudier avec allégresse, de quoi dominer les autres indigènes de *La Belle Angerie*. A quel âge M. Rezeau a-t-il couché pour la première fois avec une femme? Tel que je le connais, il est bien capable de n'en avoir essayé aucune avant la sienne. Ne parlons pas de mes frères, ces solitaires . . . Telle est la source de mon assurance. Je ne suis pas le petit jeune homme qui se touche. J'ai une fille à ma disposition, moi. Cette idée commence à m'échauffer. Frédie me flanque une grande tape dans le dos.*

— Sacré Brasse-Bouillon, va!

Folcoche ne s'y est pas trompée. Elle est à cent lieues de soupçonner la vérité, mais ses antennes l'ont renseignée. Ce n'est plus un enfant qui se campe devant elle, qui la regarde droit dans les yeux, non pour une vaine pistolétade, comme jadis, mais pour une brève et méprisante pression de la prunelle. Il est temps, il est grand temps de se débarrasser de ce mâle, de ce gaillard qui ose crier à son frère aîné.

— Laisse ton sarcloir. On va faire un tour.

Se plaindre à cet empaleur de mouches, qui époussète ses boîtes dans un grenier qui pue le sulfure de carbone? A quoi bon! Employer la force? Mais Brasse-Bouillon montre ses muscles avec complaisance, et il n'est pas douteux qu'il ne soit disposé à s'en servir. Tout plutôt que d'essuyer la cuisante défaite du siège marqué et de l'escapade pardonnée. Il faut le laisser s'endormir, et même le laisser s'enhardir, jusqu'à ce qu'il commette une faute impardonnable qui permettra son envoi en maison de correction. Alors seulement, le trouble-fête éliminé, on pourra mater les autres et régner sur une *Belle Angerie* redevenue ce qu'elle était jadis: un royaume pour une reine d'abeilles.

Mais si ma mère a des antennes, j'en ai aussi. Quels sont du reste les qualités et sortout les défauts que je ne tienne pas d'elle? Nous partageons tout, hormis le privilège de la virilité, que le ciel lui a refusé par inadvertance et qu'elle usurpe allégrement. Il n'est aucun sentiment, aucun trait de mon caractère ou de mon visage que je ne puisse retrouver en elle. Mes trop grandes oreilles, mes cheveux secs, ma galoche de menton, le mépris des faibles la méfiance envers la bonté, l'horreur du mièvre, l'esprit de contradiction, le goût de la bagarre, de la viande, des fruits et des phrases acides, l'opiniâtreté, l'avarice, le culte de ma force et la force de mon culte . . . Salut, Folcoche! Je suis bien ton fils si je ne suis pas ton enfant.

C'est pourquoi, Folcoche! tant que nous vivrons l'un près de l'autre, tu ne pourras rien faire que je ne soupçonne très vite. Ce que tu penses, je l'eusse pensé à ta place. Ce que tu tentes, je l'aurais tenté, s'il m'avait fallu, comme toi, me défendre désespérément contre une jeunesse qui te quitte alors qu'elle me parvient.

C'est pourquoi je me doute que tu me prépares un mauvais coup. Ton silence et cette condescendance provisoire où tu t'enfermes me mettent sur mes gardes. Par prudence, je ne cours plus chaque jour au pacage. A quoi bon, d'ailleurs, débiter des fadaises* sous le parapluie, puisque, chaque dimanche, il me suffit d'être sous le cèdre où Madeleine vient chercher sa ration hebdomadaire de feuilles à l'envers? Je te surveille. Je surveille ta surveillance. Nous *sourneillons* l'un autour de l'autre.* M. Rezeau, qui, lui, n'a pas les antennes du longicorne, se félicite du calme intervenu. Aucune période de ma jeunesse, cependant, n'a fait subir à mes nerfs une telle tension. Mes frères, plus perspicaces, attendent la dernière grande scène, qui ne saurait tarder. Ils s'y préparent, chacun selon leur tempérament. Cropette s'isole, s'enferme dans sa chambre et dans sa neutralité, n'en sort que pour des randonnées solitaires sur sa fidèle Wonder. Frédie, toujours très toutou, jappe de loin, espionne Folcoche pour mon compte, me rabat les nouvelles, comme le chien de Madeleine ramène les veaux.

— Fais attention! Dès que tu as le dos tourné, Folcoche en profite pour entrer dans ta chambre. Je ne sais pas ce qu'elle peut y faire, mais voilà au moins six fois depuis le début de la semaine que je la vois refermer ta porte.

Fine, elle-même, la vieille Fine, me confirme le fait. Simulacre d'enfoncer une alliance (*madame*), rotation rapide de l'index autour du menton (*souvent*), la main dessine un carré (*chambre*), l'index me touche le sternum (*vous*). Elle n'ose pas ajouter cette avancée de bouche en forme de cul de poule, qui signifie: attention! Même en finnois, il y a des sous-entendus.

Je ferai attention. Folcoche doit chercher ma planque. Mes planques, plutôt. I, cloison. II, carreau descellé. Par analogie, elle a dû trouver la première. C'est exactement la réplique de celle de Frédie. Je ne crois pas qu'elle ait trouvé la seconde. D'ailleurs, peu importe, elles sont toutes les deux absolument vides. Le nouveau décor est caché dans une vieille bouillotte de caoutchouc et ladite bouillotte dans un nid de pie, au sommet de chêne de Saint-Joseph. Folcoche, qui l'ignore, doit passer régulièrement dans l'espoir de trouver un de ces jours un dépôt litigieux.

Par bravade, je dépose dans la planque numéro un,* celle de la cloison, un bout de papier qui porte la mention: *désaffectée.** J'en fais autant pour la planque numéro deux. Enfin, pour me donner le plaisir d'observer la fouilleuse, je répète dans la sacristie (qui est contiguë à ma chambre) l'opération qui a déjà été faite de côté de chez Frédie: je perce le mur entre deux briques.

J'aurai vraiment, par chance, la joie d'assister à la crise de rage de Folcoche. Cette dernière a dû m'entendre crier à la cantonade,* tandis que je dégringolais l'escalier de droite:

— Je vais à *La Bertonnière* chercher le beurre de papa.

Mais elle ignore que je suis remonté par l'escalier de gauche, à pas de loup, et que je me suis dissimulé dans le placard aux ornements sacerdotaux, où aboutit le mouchard que j'ai percé. Elle se croit donc tranquille pour effectuer sa perquisition quotidienne. J'entends sonner ses talons: elle n'a même pas pris la précaution de se munir de pantoufles.

La voici dans mon champ. Elle vient – détail comique – de se laver ses rares cheveux et porte une serviette autour de la tête, roulée comme un turban. Elle n'hésite pas une seconde, va droit à la première cachette, déplace la plinthe qui en masque l'orifice, braque sa lampe électrique, lit . . . Rugissement! Je la vois bondir, trépigner, déchirer le bout de papier. Mais le sang-froid lui revient vite. Elle ramasse les débris, les met dans la poche de sa robe de chambre. Pourquoi s'inquiéter d'une autre planque? Je dois avoir pris mes précautions. Assise sur le bord de mon lit, elle médite, elle s'absorbe. Un mauvais sourire point sur son visage, se développe comme une glaciale aurore de décembre, l'éclaire tout à fait . . . Attention! Mme Rezeau vient de trouver la réponse du berger à la bergère.* Que va-t-il se passer?

Folcoche sort de chez moi, court vers sa chambre. Et voilà sa très grande faute. Il ne fallait pas courir. Elle a couru, donc il y a presse, donc elle va revenir. Si elle revient, c'est qu'il lui manque quelque chose, sinon elle serait restée sur place. Mais cet objet qu'elle va rapporter, de quelle nature est-il, quel danger représente-t-il pour moi ? Il n'y a pas besoin d'être grand clerc pour le deviner.* La vacherie est si simple que je m'étonne maintenant de ne pas en avoir été plus tôt la victime. Se voler à elle-même cet objet, qu'elle choisira précieux, le fourrer dans ma cachette et, aussitôt, porter plainte, réclamer de mon père une fouille générale en sa présence, découvrir devant lui le faux pot-aux-roses . . . tel est son plan, j'en jurerais.

Parons au plus pressé. Je ne peux pas la laisser faire. Je veux savoir ce qu'elle me destine. Comme les couloirs sont longs, je suis dans ma chambre avant même que Folcoche ne soit ressortie de la sienne. Je m'installe devant ma table, tournant le dos à la porte, mais ma glace de poche disposée en rétroviseur contre l'encrier. Talons : elle revient. Ma porte s'ouvre. J'entends une exclamation étouffée, puis cette phrase anodine !

— Tiens ! Tu es déjà rentré ?

— Je ne suis pas allé à *La Bertonnière*. Frédie s'en est chargé.

Ne nous retournons pas. Folcoche ne doit se douter de rien.

— Tu as bien tort de t'enfermer par un temps pareil.

Sur ces mots, cette charogne referme doucement la porte. Pour elle, ce n'est que partie remise. Pour moi, il s'agit de jouer serré.* Car, avant qu'elle ne l'escamote derrière son dos, j'ai vu le porte-feuille. Oui, le portefeuille, pas moins que ça, son portefeuille, dont elle a résolu de m'imputer le vol. Une affaire de cette importance peut très bien légitimer mon envoi en maison de correction.

Et maintenant je me creuse la tête. Comment éliminer cette menace suspendue par Folcoche, comme le fameux poignard au bout de l'un de ses vilains cheveux ? Je ne peux tout de même rester en permanence calfeutré dans ma chambre.* Prévenir papa ? Mais il me demandera des preuves et, si je ne lui en fournis pas, il s'indignera de la perversité de mon imagination. Relater les événements sous pli cacheté* que j'enverrai en poste restante? Qui veut trop prouver ne prouve rien. Folcoche dira que j'avais tout prévu, même un échec. La prendre sur le fait? C'est encore le plus simple, bien que cette méthode sente le roman policier. Il est sans doute relativement facile de confondre ma mère maintenant que je sais ce qu'elle mijote, mais il ne faut pas oublier que jamais papa ne tolérera que sa femme soit officiellement confondue par un de ses enfants. Si je monte au taxaudier pour faire la point, Folcoche ne va-t-elle pas utiliser mon absence? Il ne lui faut pas plus de deux minutes pour opérer.

C'est ridicule, je peux tout aussi bien faire le point ici, dans cette pièce où me cloue la méfiance. Je peux, certes: mes idées sont aussi lucides dans ma mansarde que sur la branche balancée à dix mètres du sol par l'éternel vent d'ouest. Mais je ne veux pas. Je ne prends pas de décisions sous la contrainte. Sous la contrainte de ce toit refermé sur moi comme l'accent circonflexe du mot chaîne. Et je comprends soudain tout ce que représente pour moi le taxaudier, cet arbre fétiche, le symbole de mon indépendance, planté, fiché tout droit dans cette glaise craonnaise qui le nourrit, mais lancé aussi, lancé en flèche vers un ciel où courent librement les nuages, venus d'ailleurs et repartant ailleurs. Taxaudier, je ferai ce que ton élan immobile ne peut qu'esquisser. Je partirai. Je dois partir. Je vais partir.

Une escapade nouvelle, non. Mais Folcoche elle-même désire mon éviction. Il m'est désagréable de lui accorder cette satisfaction, mais il devient nécessaire de traiter. Après tout, traiter sur pied d'égalité avec elle, n'est-ce pas une victoire? Elle aussi, voyant que j'abonde dans son sens, trouvera moins de plaisir à mon départ. Une côte mal taillée,* en somme, voilà ce qu'il nous faut. Je ne pourrais pas dire: «Je l'ai contrainte à m'ouvrir la porte.» Mais elle ne pourra pas non plus prétendre: «Je l'ai chassé.» Et, si j'entraîne mes frères avec moi, dans ce match où ni l'un ni l'autre n'avons pu gagner par knock-out, j'aurai tout de même gagné aux points.

Pas de mise en scène. Pas de brillant second. Nulle aide. Je n'ai besoin que de la tenir devant moi, cette Folcoche, de la tenir cinq minutes. Elle n'est point femme à se dérober. Nous viderons notre sac. Nous nous expliquerons une fois pour toutes.

Entends-tu, Folcoche? Le ciel est avec moi. Entends-tu ce bruit de moteur? M. Rezeau, qui ne saura jamais rien, vient de partir pour Segré. Intéressant répit. J'ouvre et je ferme bruyamment ma porte. Je descends bruyamment l'escalier. Tu peux y aller, ma mère! Prends le portefeuille et file dans ma chambre. Moi, tranquillement, je monte au taxaudier.

XXIV

A dix-huit cents mètres, le clocher de Soledot fait rôtir son coq au soleil. Quatre heures et quart. Descends, mon bonhomme!

En remontant l'escalier, je croise Mme Rezeau, qui sourit de toutes ses dents, dont deux sont en or. Je m'efface pour le laisser passer avec une grâce si peu habituelle que ce sourire s'éteint.

Me voici dans ma chambre. Je remasse le portefeuille qui, nul n'en pouvait douter, est venu se blottir sous la plinthe pendant mon absence. Six mille sept cents francs! Folcoche ne se mouche pas de la main gauche!* Le risque, que l'avarice de ma mère accepte de courir, souligne bien l'importance de l'enjeu. Je mets le maroquin dans ma poche et, sans me presser, car j'ai une heure devant moi, je me dirige vers l'antichambre où Mme Rezeau, d'un œil soupçonneux, vérifie le blanchissage de Bertine. En passant, j'ai jeté un regard dans les chambres de mes frères, qui sont vides. Nous allons être parfaitement tranquilles.

— Maman, vous pouvez m'accorder une minute?

Folcoche, que seul, Cropette appelle quelquefois maman, soulève une paupière et répond:

— Tu vois bien que je suis occupée, mon petit.

Politesse rendue. A toi de jouer. J'avance en roulant un peu des épaules.

— Je regrette, mais nous avons un petit compte à régler.

Au diable, les torchons!* Folcoche fait face.* Comme il s'agit de choses graves, elle ne crie pas sa fureur, elle la siffle.

— Tu commences à m'agacer, mon garçon! Je n'ai d'ordres à recevoir de personne, ici.

J'avance encore, mâchoire serrée. Je la desserre pour dire:

— Ma mère, tout à l'heure, pendant mon absence, vous avez . . . oublié ce portefeuille dans ma chambre. Je tiens à vous le rendre immédiatement. Je tiens aussi à vous dire que je m'y attendais. Lorsque vous êtes venue pour la première fois chez moi, je vous observais par un trou que j'ai pratiqué dans le mur de la sacristie. J'ai vu ensuite le portefeuille dans votre main, quand vous êtes venue pour la seconde fois et avez été retardée par ma présence. Je vous ai vo-lon-tai-re-ment laissée opérer tandis que je faisais un petit tour. Je regrette, mais vous avez manqué votre coup.

Folcoche ne répond pas. Son silence est une statue de sel que lèche vainement ma salive.* Je précise.

— Cette affaire n'ira pas plus loin si, toutefois, nous tombons d'accord sur les suites qu'elle comporte. En attendant, voici le portefeuille. Les six mille sept cents francs y sont.

Folcoche tend la main, récupère son bien, toujours sans mot dire, et recompte un par un les billets. Je glisse un commentaire:

— Vous me voulez décidément beaucoup de mal.

Dans le même ordre d'idées, mais en sens inverse, les amoureux disent à leur maîtresse: «Comme t'es gentille!» Cette banalité amène une moue sur les lèvres de Folcoche, qui se décide enfin à parler:

— Ainsi, il ne te suffit pas de m'avoir volée. Tu oses m'accuser, moi, ta mère, d'une sombre machination. Nous verrons ce qu'en pensera ton père tout à l'heure.

Dieu soit loué! Elle choisit une position ridicule, intenable. Sans doute, ne peut-elle pas facilement trouver mieux. Mais, dans son cas, j'eusse carrément défendu mon geste. Allons! ce n'est qu'une femme qui cherche à biaiser. J'éclate de rire.

— C'est ça, ma mère! Je vous ai volée et, cinq minutes après, je vous ai remboursée. Papa va s'amuser. D'autant plus que mes frères se disputaient le plaisir de coller leur œil au mouchard lors de votre dernière incursion dans mon domaine. Eventuellement, ils ne manqueraient pas de rectifier votre version . . .

Je bluffe. Je n'ai pas besoin du témoignage de mes frères et je suis bien sûr que la fierté de Folcoche ne s'abaissera pas à leur demander ce qu'ils savent de l'histoire. Mais, en les compromettant, je force ma mère à se débarrasser de ces témoins gênants. Je gagne aux points. Pour bien montrer que je ne crains rien, je fais mine de m'en aller. A peine ai-je franchi la porte que Folcoche me réclame.

— Brasse-Bouillon!

Tel n'est pas mon nom. Je fais encore quelques pas dans le couloir.

—Eh bien! Jean! Je t'appelle.

Je reviens, dédaigneux. Mais ne forçons pas trop la note.* On songe à traiter.

— Assieds-toi.

J'y consens. Folcoche me tourne le dos, se remet à examiner ses torchons. En principe, je devrais tousser pour m'éclaircir la voix, avant de dire:

— Vous avez une proposition à me faire, ma mère?

Mme Rezeau ne le nie pas.

— Oui . . . enfin, peut-être. Je ne comprends rien à cette histoire. Dieu sait par quelle mise en scène* tu as pu abuser tes frères, qui ne valent d'ailleurs pas plus cher que toi. Je commence à comprendre ton jeu. Tu as voulu me mettre en difficulté. Mais dans quel but? Que veux-tu?

— Vous quitter, ma mère.

— Ah! c'est donc ça!

Folcoche pouvait répondre tout de suite: «D'accord!» Mais nous ne serons pas sincères. Le sac ne sera pas déballé.* L'explication

164

n'aura pas lieu. Nous jouons au plus fin, au plus fort. L'essentiel n'est plus d'entériner une décision que nous avons arrêtée chacun de notre côté et qui, pour une fois, se trouve être la même. Il s'agit de savoir qui de nous deux aura les honneurs de la guerre. Mme Rezeau entend m'*imposer* ce que j'*exige* d'elle.

— Mon garçon, tel est aussi mon désir. Je suis lasse de vos révoltes et, plus particulièrement, des tiennes. Les jésuites se chargeront de vous apprendre à respecter le divin principe d'autorité.

Je l'attends au dernier article du traité, le plus pénible à énoncer. Pour lui donner moins d'importance, Folcoche affecte de s'intéresser à quatre taches de rouille, qui simulent, sur une serviette, quatre taches de vieux sang. (Non, ce sang, qui a failli être versé, ne coulera pas.) Enfin elle se décide à tourner cette phrase, qui n'est rien d'autre qu'une requête:

— Il est inutile, tout compte fait, de jouer devant ton père la comédie que tu viens de me servir. J'y compte?

Je ne lui laisserai pas le soin de lever le séance. Me voici debout. Ma réponse lui parviendra du couloir:

— Bon. Et, moi, je compte sur vous, ma mère pour, convaincre papa de la nécessité de notre départ.

— Oh! ton père . . ., conclut brièvement Mme Rezeau.

Affaire réglée. Cinq minutes après, je suis au pacage. Désormais, les précautions sont superflues. Dans quelques jours, je quitterai *La Belle Angerie*. Profitons de notre reste. Les colchiques, qui flanquent la diarrhée aux vaches, les colchiques mauves de l'automne s'entr'ouvrent maintenant comme des paupières fatiguées par l'abus du plaisir. Sous ces yeux de filles perdues* et sous les yeux de chien de La Vergeraie, qui appartient à une race où l'on ne se gêne guère, je fais l'amour en rase campagne.* Puis, sans préparation, j'annonce à la petite que je vais partir au collège. La scène n'est pas déchirante.

— Fallait que ça finisse comme ça, dit simplement Madeleine.

Décemment, elle s'essuie la caroncule, où ne perle aucune larme, du moins visible. Mais, comme son tablier a traîné dans quelque bouse, elle ne parvient qu'à se farder de brun la pommette. J'ai la cruauté de rire. Alors seulement la petite vachère éclate en vrais sanglots, tandis qu'au pas de gymnastique, une, deux, une, deux, je rentre à *La Belle Angerie*.

XXV

Folcoche est comme moi. La réciproque serait plus conforme à la vérité biologique, mais, ainsi présentée, ma proposition a le mérite de ne pas souligner la dépendance de mes chromosomes envers cette personne. Folcoche, donc, est comme moi et, comme moi, elle n'aime pas attendre. Dans le cas présent, son impatience est au fond légitime. Elle n'a pas tort de se presser. Dans cette sacrée maison, on renverse plus souvent la vapeur que sur les locomotives. Par ailleurs, B VII doit revenir dans la semaine, et il sied de lui éviter un voyage, qu'il faudrait rembourser. Enfin les classes vont rouvrir leurs portes le premier octobre, et nul proviseur n'est encore prévenu de l'honneur que nous allons lui faire.

Nous n'assisterons pas aux débats, certainement difficiles, entre nos parents. Quelles que fussent les réticences de M. Rezeau, la décision finale ne pouvait faire aucun doute. De fait, trois jours après l'incident du portefeuille, notre père, brusquement et, comme toujours, aussitôt après le bénédicité, lisse ses moustaches et déclare :

— Mes enfants, je suis obligé de vous mettre au collège. Votre mère et moi, nous pensons qu'un précepteur, si dévoué soit-il, ne peut plus vous suffire. Nul n'est omniscient, alors que les programmes sont de plus en plus chargés.

Ah ! voilà donc l'argument mis en avant par Folcoche. M. Rezeau, imperturbable, développe cette conviction toute neuve.

— Cette mesure, que j'aurais pu prendre l'année dernière, je l'ai différée pour des motifs financiers que vous connaissez bien. Il n'est que temps : Ferdinand va entrer en rhétorique,* Jean et Marcel en seconde. Résignons-nous à de gros sacrifices. Les fermes seront mises à moitié. Votre mère m'autorise à prélever sur sa dot les sommes nécessaires au rachat du cheptel. Mais cela même ne serait pas suffisant. Afin d'augmenter nos revenus, j'interromps mes chers travaux scientifiques et je pose ma candidature à un poste de magistrat, soit à Angers, soit à Laval, soit à Segré, enfin à proximité de *La Belle Angerie*.

Nul autre commentaire. Papa déplie sa serviette, pliée en quatre au beau milieu de l'assiette, selon l'usage. (Les cornets font restaurant. Les ronds d'argent ou d'ivoire puent le nouveau riche.* Les pochettes brodées aux initiales des convives sentent le petit bourgeois.) Cropette, qui ne se doutait de rien, cligne quatre ou cinq fois de la paupière gauche, essuie ses lunettes à monture de fil de fer, les remet et regarde Folcoche, pour confirmation. Mais celle-ci ne bronche pas et s'acharne sur une cuisse de lièvre. Il s'agit du dernier capucin* tué par notre père, qui a dû le tirer de trop près: il est farci de petit plomb. Dans mon enthousiasme, que je ne puis extérioriser, j'avale quelques grains de sept en mangeant ma part (comme de juste, la plus mauvaise: le cou). Frédie fait craquer ses doigts, puis se mouche dans le sens favori de son nez, enfin pousse l'oubli des convenances jusqu'à saucer directement son assiette avec un *mouillon*.* Notre mère saisit avidement cette occasion de ranimer l'agonie de son autorité.

— Chiffe! Tu ne peux pas te servir de ta fourchette, comme tout le monde?

Mais sa propre fourchette n'ose plus partir, les dents en avant, en direction de la main coupable. Le geste, qui s'esquissait, a été stoppé net quatre paires d'yeux craintifs, expectatifs, attentifs, impératifs, selon l'orbite à laquelle ils appartiennent. Le manche armorié tourne dans la dextre, sceptre agressif* menacé par une très proche abdication, tourne, hésite, retombe honteusement dans la sauce.

D'autres tracasseries, plus ou moins réussies, d'autres essais suivront. Mais comme tout cela est désormais provisoire! Tu n'arrives ainsi, Folcoche! qu'a nous prouver ton dépit, ta grincheuse impuissance! Pourquoi réclamer de papa notre envoi dans des collèges différents? M. Rezeau, qui espère un prix pour notre placement global chez les jésuites, à Sainte-Croix-du-Mans, ne peut retenir cette suggestion. Au surplus, je montre les dents, et mes dents effraient le pauvre homme au moins autant que les tiennes. Je ne tiens pas à faire les frais de cette suprême manœuvre de division.* Cela pourrait me coûter cher aux vacances, si vacances il y a,* toutefois. Si vacances il y a, dis-je, car j'ai tout lieu de croire que nous allons maintenant terminer notre éducation à bonne distance de *La Belle Angerie* et rester (comme tu le fus toi-même, Folcoche!) pensionnaires à perpétuité.

Pourquoi t'acharner également, Folcoche, contre notre misérable trousseau? Fine tire l'aiguille du matin au soir pour nous fabriquer des caleçons dans les moins mauvais morceaux de tes plus mauvais draps. Nous n'aurons pas de chaussettes neuves et nous devrons exhiber des talons d'Arlequin* devant les petits copains de Sainte-Croix, cette fine fleur de tourelles de l'Ouest. Enfin, nous n'aurons droit qu'aux galoches sonores et au béret basque. Heureusement, les jésuites ont un magnifique uniforme bleu marine à boutons de cuivre plats: nous le porterons simplement tous les jours. Et notre chef n'arborera que la fameuse casquette à ruban de velours, qui est l'emblème quasi international de la gent scolaire distinguée.*

Mais non, vous ne serez pas de mon avis, ma mère. Rien n'est petit en ce monde, rien ne doit être négligé de ce qui peut achever votre œuvre. Les mesquineries, comme les microbes, peuvent avoir la mortelle virulence du nombre. En gros ou en détail, vous désirez, madame Rezeau, que je vous rembourse le sacrifices consentis sur vos deux fortunes: celle des titres, la plus mince, et celle de votre autorité, naguère considérable, mais qui menace de rejoindre l'autre dans la misère dorée.

Je n'ai pas l'intention de vous rembourser, ma mère, mais vous souriez . . . Vous me rattraperez toujours. Dans cinq ans, dans dix ans, dans vingt ans. Vous êtes sûre de vous. Qui parle de défaite? Un échec, c'est tout ce que vous avez subi. *Allons d'échec en échec jusqu'à la victoire.* Au surplus, cette victoire, la vôtre, je suis tenté de dire qu'elle n'est pas de ce temps et même qu'elle n'est pas de ce monde. Vous avez tiré une traite sur l'avenir, une traite à très longue échéance. Tel est le sens que je dois attribuer à vos propres paroles. Ne m'avez-vous pas dit, en fouillant ma malle pour vous assurer que je n'y avais dissimulé aucun larcin:

— Ne fais pas cette tête de conquérant, mon petit ami. Je te prédis, moi, ta mère, un avenir dont tu n'auras pas le droit d'être fier.

Tu as refermé le couvercle, bouclé ma malle à double tour sans t'apercevoir, Folcoche, qu'entre cuir et carton j'avais glissé quatre billets de cent francs, dont deux venaient d'être chipés dans ton sac. Tu ne m'as pas pris en flagrant délit, mais ce don de seconde vue que tu possèdes à certains moments, cette prescience, qui n'est donnée qu'aux anges et aux démons, te permet de bien augurer de mon avenir. Tu as forgé l'arme qui te criblera de coups, mais qui finira par se retourner contre moi-même. Toi qui as déjà tant souffert pour nous faire souffrir, tu te moques de ce que je te réserve, pourvu que mûrisse ce que je me réserve à moi-même. La mentalité que j'arbore, hissée haut par le drapeau noir, tu en as cousu tous les plis, tu les as teints et reteints dans le meilleur jus de pieuvre.* J'entre à peine dans la vie et, grâce à toi, je ne crois plus à rien, ni à personne. *Celui qui n'a pas cru en mon Père, celui-là n'entrera pas dans le royaume des cieux.* Celui qui n'a pas cru en sa mère, celui-là n'entrera pas dans le royaume de la terre. Toute foi me semble une duperie, toute autorité un fléau, toute tendresse un calcul. Les plus sincères amitiés, les bonnes volontés, les tendresses à venir, je les soupçonnerai, je les découragerai, je les renierai. L'homme doit vivre seul. Aimer, c'est s'abdiquer. Haïr, c'est s'affirmer. Je suis, je vis, j'attaque, je détruis. Je pense, donc je contredis.* Toute autre vie menace un peu la mienne, ne serait-ce qu'en respirant une part de mon oxygène. Je ne suis solidaire que de moi-même.

Donner la vie n'a aucun sens si l'on ne donne pas aussi la mort: Dieu l'a parfaitement compris, qui a fait toute créature périssable. Ni au commencement ni à la fin de ma vie, je n'ai l'occasion de donner mon consentement. On me fait naître et mourir. A moi, seulement, ce qui se trouve entre les deux, ce qui s'appelle pompeusement le destin. Mais ce destin lui-même, des Folcoche le préfacent, l'engagent, l'escroquent: cette escroquerie s'appelle l'éducation. Je dois dire non à toute cette éducation, à tout ce qui m'a engagé sur une voie choisie par d'autres que moi et dont je ne puis que détester le sens, puisque je déteste les guides. Le bien, c'est moi. Le mal, c'est vous. Les principes sont des préjugés de grande taille, c'est tout.* L'honorabilité n'est que la réussite sociale dè l'hypocrisie. La spontanéité du cœur est un réflexe malheureux. La vertu, la seule vertu, la grande vertu, nous ne l'appellerons pas orgueil, nous ne l'appellerons pas la force. Il n'y a pas de mot qui la définisse exactement. Elle est ceci et cela, orgueil et force, avec quelque chose de solitaire qui la hisse en tour d'ivoire (taxaudier) et quelque chose de public qui la jette parmi la foule pour se faire les poings. Puissance de moi. La véritable puissance 1 de 1, contre la puissance 2 (l'amour) et la puissance 3 (Dieu défini par les trois directions de l'espace ou par ses trois personnes). Puissance qui n'a pas besoin d'être plusieurs pour être quelque chose. Je répète: puissance de moi. Tel est l'archange qui terrasse le serpent.

Tous les serpents. Vous savez que je les connais bien, ces bêtes sinueuses, dont fourmille le Craonnais. Un serpent, m'a-t-on rabâché,* siffla pour notre mère Eve. Une belle Folcoche, celle-là! Une belle Folcoche qui a empoisonné pour toujours toute l'humanité. Mais la vraie Folcoche siffle mieux. Couleuvres d'eau, par erreur, vous donnerez encore dans mes nasses,* jaunes et tordues comme de rires captifs. Aspics de la tentation, vous pouvez grouiller: je vous préfère. Et vous, les anguilles de l'Ommée, et vous, les vers de terre sortis rosâtres sous la pelle de Barbelivien, comme les idées, dans les marais, dans la glaise de l'intelligence. Mais entre

tous les reptiles, à moi, la vipère, à moi! Te souviens-tu, Folcoche,
de celle à propos de qui tu disais, avec l'air de si fort la regretter:
«Cet enfant a été l'objet d'une grande grâce!»

Cette vipère, ma vipère, dûment étranglée, mais partout renais-
sante, je la brandis encore et je la brandirai toujours, quel que soit
le nom qu'il te plaise de lui donner: haine, politique du pire,
désespoir ou goût du malheur! Cette vipère, ta vipère, je la brandis,
je la secoue, je m'avance dans la vie avec ce trophée, effarouchant
mon public, faisant le vide autour de moi. Merci, ma mère! Je suis
celui qui marche, une vipère au poing.

FIN

Notes

<table>
<tr><td>p.</td><td>3</td><td>devait faire long feu: (colloq.) 'destined to miscarry'.</td></tr>
</table>

p. 3   **devait faire long feu:** (colloq.) 'destined to miscarry'.

triangulaire: hence a symbol of the Trinity.

jouets de tout repos: 'safe toys'.

p. 4   **un peu moisies par quatre ans de buffet:** 'somewhat musty after four years in the store-cupboard'.

p. 5   **Sans Famille:** a popular children's book by Hector Malo.

p. 6   **bouillie de vipère:** 'pulped mess of adder'.

pain azyme: 'unleavened bread'.

p. 7   **Au même degré que les congrégations de nonnes:** 'Just as much as the communities of nuns'.

ont le vice de la truelle: 'have a passion for building'.

sur lesquels s'étend la domination de leurs redevances et de leurs chasses: 'over which the control of their dues and shooting rights extends' (i.e. 'which they control as landlords or owners of the shooting rights').

chapeautés d'ardoise taillée: 'with their headgear of hewn slate'.

'E.G.E.': 'Eau.Gaz.Electricité' (cp. 'all mod. cons').

Qui pis est: intentional archaism (see Introduction, 'Style').

vaguement cimentées de terre battue: 'vaguely cemented with mud'.

p. 8 **Craonnais, Segréen, Bocage angevin . . . gabelle:** i.c.
of Craon, Segré (a *sous-préfecture* of the department of
Maine-et-Loire) and the 'Bocage' (generic term for
regions characterized by fields enclosed by high hedges) of
Anjou. *marche frontière*, 'borderland country' (cp. English
'March' in the same sense, e.g. 'Lords of the March'). The
gabelle was the state tax on salt imposed under the *ancien
régime*. Some provinces paid a large others a small contribution. Craon in the department of Mayenne is close to
the borders of Maine-et-Loire and Ille-et-Vilaine.

p. 9 **eau-de-vie de prunelle . . . le poiré:** 'sloe-gin . . .
Perry'.

bicards: '(origine: bique = chèvre) gardien de chèvres,
par extension, petit berger, petit valet de', ferme'. H.B.
'shepherd boy', 'farm-lad'.

capitaine vendéen . . . Ponts-de-Cé: captain in the
counter-revolutionary army in the 'Guerres de Vendée' of
1793. Ponts-de-Cé is a 'chef-lieu de canton' near Angers
where the Vendéens were defeated.

René Rezeau: see Introduction. *Le retour à la terre, le
retour de l'Alsace* are allusions to the themes in René Bazin's
La Terre qui meurt and *Les Oberlé*, respectively. This author
also advocated the return to the past ('les tourelles') and to
the catholic religion (à la foi).

bournisienne: adj. from (l'abbé) Bournisien in *Madame
Bovary* (Flaubert).

p. 10 **la brosse à reluire:** 'the refurbisher'.

zouaves pontificaux: reference to the garrison main-
tained by Napoleon III to protect the Pope against attacks
on Rome during the struggles for Italian unity.

M.R.P.: 'Mouvement Républicain Populaire' (a centre
party at this period).

bien-pensants: 'right-minded people'.

l'apôtre Jacques: St James-the-less, an allusion to his diminutive size to differentiate him from the other St James. His 'day', like that of St Philip, is 1 May.

p. 11 **M. Poincaré:** Raymond Poincaré, President of the French Republic, 1913–1920. He held other government offices up to 1929.

Chiffe: this nickname suggests the English 'Weed'.

Brasse-Bouillon: suggests the English 'Trouble-maker'.

p. 12 **attribué à:** 'assigned to'.

Morbihan: a department at one time forming part of the province of Brittany.

p. 13 *singe de croix*: an equivalent of this pun could be 'sign of the crook'.

'A la Marquise': a brand name (in full 'Marquise de Sévigné') of a superior chocolate.

p. 15 **venant toucher le denier du culte et le denier de saint Pierre:** 'coming to collect the church dues and Peter's Pence'.

Botrel: a Breton compiler of popular local songs (e.g. *Le Biniou*).

certains sondages: 'certain medical examinations'.

p. 16 **image d'Epinal:** popular coloured prints originating in Epinal at the end of the eighteenth century.

son chignon blanc mordu d'écaille: 'her white chignon with a tortoise-shell comb thrust in it'.

nous chauffait les oreilles: 'hurt our ears' (i.e. 'we couldn't bear it').

p. 17 **en pattes de mouche:** 'scrawled'.

en cunéiforme: 'detached angular letters'.

des hypothèques et des partages républicains: 'mortgages and partitions under the republican government'.

p. 18 **cloche à fromage:** '*cloche* hat' (bell-shaped hat fashionable in the 1920s).

elle s'exécuta: 'she carried out the order'.

p. 19 **celle qui m'échut:** 'the one allotted to me'.

p. 20 **'Atrides en gilet de flanelle':** allusion to the Atridae, the ancient Greek family associated with crime. 'in flannel waistcoats' – the author is emphasizing the serio-comic element in his story.

L'Explication du Caractère par les prénoms ... quel mage: ' "Influence of Christian Names on Character", a minor work by some wiseacre or other'.

p. 21 **ce menton en galoche:** literally 'clog-like chin', i.e. 'nutcracker jaws'.

épi au milieu du front: 'tuft of hair in the middle of his forehead'.

un certain déhanchement et la fesse un peu croulante: 'a sort of waddling gait and slightly sagging buttocks'.

p. 22 **casse-cogne:** pun on 'Gascogne', an allusion to *Cyrano de Bergerac* Act II, sc. vii 'Ce sont les cadets de Gascogne' etc.

paludisme: (med.) 'malaria'.

sirphides: 'syrphidae', the insect family which includes hoverers, hawk flies and drone flies.

p. 23 **en l'espèce une soutane:** 'in the case in point a cassock'.

crouillats: (argot) African soldier, e.g. Algerian.

p. 24 **Les contes de Perrault:** Charles Perrault (1628–1703), who collected and published children's fairy tales – *Contes de ma mère l'Oye* (1697).

bâche: 'drag-net' – pocket-shaped for shallow water fishing. **tramail** (also 'trémail'): net made up of three sections.

fromage en jonc: a regional, goat cheese (originating in les Corbières) prepared between layers of reeds.

p. 25 **l'aréopage était au complet:** Areopagus was the hill in ancient Athens, the seat of the judicial court.

p. 26 **disposés en large *bouillée:*** 'arranged in a large mass'.

p. 27 **'vous reprendrez le collier':** 'you will get into harness again'.

des mouches à piquer: 'flies to pin down.'

p. 29 **avait raté sa vocation de surveillante pour centrale de femmes:** 'had missed her vocation as wardress of a women's prison'.

pécheur en puissance: 'potential sinner'.

tout-à-l'égout: 'modern sanitation'.

lampe Pigeon: a patent oil-lamp.

Tarcisius: he was one of the Christian martyrs of the catacombs.

p. 31 **l'*ourson:*** literally 'bear-cub'.

p. 32 **corsa l'affaire:** 'made matters worse'.

p. 33 **stakhanovisme:** method of labour devised by the Russian worker, Stakhanov, for increasing productivity in the mines.

p. 34 **timbales d'argent de nos baptêmes:** 'our silver christening mugs'.

ne quitta plus l'entre-deux-seins: 'never left the bodice'.

cleftomanie . . . **ma science de Louis XVI:** allusion to Louis XVI's hobby as a smith. He had a forge set up in his palace. A pun on *cleptomanie*, of course.

p. 35 **passez-moi le mot, s'il recouvre vraiment quelque chose:** 'allow me the expression for what it is worth.'

'battent leur coulpe': 'go through their "mea culpa"'.

hérétiques d'outre-Manche: allusion to English Protestants.

p. 36 **La sainteté, apanage Rezeau:** the author expressly uses a term, *apanage*, that has a feudal connotation, i.e. a territorial endowment.

p. 37 **Ce déballage me trouva aphone:** 'This unloading (sc. of our consciences) found me bereft of speech'.

séance tenante: 'then and there'.

p. 38 *broussait* **bien, mais rapportait mal:** 'was good at ranging but bad at retrieving'.

dans la culotte: 'from under your feet'.

p. 39 **cette vieille pétoire qui ne supporte pas la poudre pyroxylée:** 'this old pop-gun which won't take smokeless powder'.

une arme à ma couche: a weapon built to measure.

doryphore: the Colorado beetle, an insect belonging to the order of *Coleoptera*.

à la bretelle: 'slung'.

p. 40 **tirer, au jugé:** 'fire blind'.

sa culotte à choux: 'his baggy trousers'.

p. 41 **se statufia dans le genre noble:** 'froze into a noble pose'.

p. 42 **un charbonnier:** 'a coalman' (allusion to its dark colour).

cherchait à balayer: 'she had been trying to get rid of'.

p. 43 **affublés d'hypocrisie . . . près:** see Introduction, *Style*.

entre deux pipes de 'gros cul': 'between his pipes of coarse shag'.

passait la cuvette de Ponce Pilate: allusion to Pontius 'handing on the bowl . . . to the dictatress'. Pilate washing his hands (ironic use of scriptural allusion).

ânonnait quelque passage du *De Viris:* 'bleated out some passage from the *De Viris*'. (Opening words of a Latin primer used in French lycées and colleges.)

p. 44 **Ça barde!:** 'There's a row on!'

Je fais atteler: 'I'll get the horses harnessed'.

nous payâmes les pots cassés: 'we had to stand the racket'.

p. 45 **la normande:** sc. *l'armoire normande* 'the Normandy wardrobe'. Normandy is famous for its well-made, capacious wardrobes.

accessoirement: 'in addition'.

les droits d'auteur: 'copyright'.

'Morve': 'glanders' (the author has used a dialect word *méjéyeux* for *vétérinaire*.

p. 46 **grognards de la garde:** veterans of the Old Guard formed by Napoleon who had originally faked their height to qualify for the regiment.

la carte du non-Tendre: allusion to the 'Carte du Tendre' in the novel *Clélie* by Mlle de Scudéry. The map shows the stages and potential vicissitudes in a lover's progress.

p. 47 **moche:** (slang) 'ugly'.

le menton mal foutu: (slang) 'your chin's misshapen'.

'va, je ne te hais point': the famous litotes in *Le Cid* spoken by Chimène.

p. 48 **ça t'emmerde:** (very vulgar): 'that gets your wick'.

ce faux jeton de Cropette: 'that dud counter, Cropette'.

p. 49 **Il n'en a pas pour longtemps, l'abbé chose:** 'Abbé what's-his-name hasn't got long to go'.

p. 50 **la bonne blague!:** 'that's rich!'

le Récamier: a coining of the author's for a couch of the type associated with Mme Récamier as portrayed by David.

le sternum: 'breastbone' (see Introduction, *Style*).

très mouches du coche: 'fairly buzzing round' (like the fly in the Fable of La Fontaine *Le Coche et la mouche*).

p. 51 **quérir:** 'to fetch' ('quérir' is only used in the infinitive).

lithiase vésiculaire: (med.) vesicular lithiasis (gall-stones).

cela m'arrangerait bien que sa volonté soit faite: 'it would suit me fine that His will should be done'.

hépatiques: (med.) hepatic, sufferer from the liver disease, hepatitis.

Elle refusa la radio . . . et surtout les doléances: 'She rejected the radio . . . and above all sympathy'. Typical Bazin use of zeugma (see Introduction, *Style*).

p. 52 **il en resta 'soufflé':** 'he remained staggered'.

l'abbé s'enferra: 'the Abbé made a bloomer'.

p. 53 **distribuer les baisemains:** 'to distribute kisses'.

phalangettes: 'fingertips' (express use of scientific term – see Introduction, *Style*).

godiche: (colloq.) 'sloppy'.

p. 54 **elle trouva le biais pratique:** 'this gave her her chance'.

coupa dans le pont: 'walked into the trap'.

Le fiel de Folcoche se remit à brasser des cailloux: 'Foloche's gall-bladder took to manufacturing gall-stones'.

s'en fut: 'went off' (idiomatic use of 's'en être', in the past historic tense).

seringue de Pravaz: 'hypodermic syringe'.

p. 55 *ne se ressemble pas* quand elle dort: see Introduction, p. xxv.

se fit savonner la tête: 'got it good and proper' (there is a pun in the French not easily rendered in the English).

p. 56 **Madame mère faisait de la chaise longue de principe:** i.e. she was submitting technically to doctor's order in having a lie down, but evidently not relaxing.

me tenir tête: 'to oppose me'.

'Ça me fait une belle jambe!': 'A lot of good that's done me!'

p. 57 **spécialiste de l'esquive:** 'a specialist in evasive action'.

pour l'état civil: 'by civil status'.

il s'en fut: cp. note pp. 54 and 69.

font vivre l'école libre: 'keep church schools going'.

paralysie agitante: (med.) 'paralysis agitans'.

p. 58 **en accents circonflexes:** i.e. thereby widening the vowel sound – an ecclesiastical affection.

p. 59 **notre mère ... regardait avec inquiétude monter nos épaules:** cp. p. 52. Mme Rezeau is obviously obsessed with the question of her sons' growing up (see Introduction, p. xxv).

p. 60 **canal cholédoque:** (med.) 'bile duct'.

En fait de vésicule: (med.) 'by way of gall-bladder'.

p. 61 **Moloch:** Hebrew god to whom human sacrifices were made. **Kali,** wife of Siva, god of destruction and fertility.

la fête nationale ... celle de Jeanne d'Arc: this is on the first Sunday after 8 May.

p. 63 **vol feutré:** 'silent flight'.

Toujours friand de sirphides: 'greedy as ever for his syrphidae'.

les séances de pêche au carrelet ou les savantes approches de la *bache* sous les *aris* ... nous *ribotions* furieusement: 'sessions with the square net or the wily moving up of the round shallow one under the holes in the bank while the priest held the boat and we frightened the fish out by striking the water furiously.
'*aris* (patois), trous des berges où s'abrite le poisson. On l'en fait sortir avec des perches ou *ribots*. Le poisson effrayé se sauve par le milieu, c'est à dire, dans la bache qu'on relève très vite.' H.B. (letter to the editor).

moins délicats que nous: 'less fussy than we were'.

p. 64 **rillettes:** minced pork cooked in fat, a Touraine speciality.

en deux fournées: 'in two instalments'.

Se donner le ridicule de déployer ses foudres en cet état, pas si bête!: 'She wasn't such a fool as to make herself ridiculous by discharging her thunderbolts in that state!'

Mais l'alerte fut chaude: 'But it was a sharp reminder'.

p. 65 **décongestionnaient la cervelle:** 'relieved the congestion of his brain'.

p. 66 *boutiquaillerie:* 'small tradesmen' (pejorative).

le bien-fondé: 'the merits'.

pondait un leader: 'produced a leading article' ('pondre' to lay an egg, is also used in this other sense).

Un léger excès d'imparfait ... une pointe de déclamation sorbonnarde me faisaient ... tiquer: 'a slight over use of the imperfect subjunctive, a suggestion of donnish declamation however made me wince'. (The Sorbonne, the University of Paris, founded by Charles Sorbonne.)

p. 67 *imprimatur ... nihil obstat:* official licence to print works sanctioned by the Roman Catholic Church: the formula *nihil obstat*, 'no objection', precedes the '*imprimatur*'.

l'Index: the list of books forbidden to Roman Catholics, abolished in 1967.

décalcomanie des images d'Epinal: 'transfers of popular devotional prints'. 'images d'Epinal' – see Note, p. 16.

p. 68 **Saint-Vincent de Paul:** Vincent de Paul (1581–1660), a French priest famous for his charitable works. He was later canonized.

fiches de paie: 'pay-cards'.

du bolchevisme: the term 'bolshevism' was similarly used in England at this time as a term of vilification.

p. 69 **j'ai la couronne de fer:** 'I've a splitting headache'.

Il s'en fut: see Note, pp. 54 and 57.

p. 70 **braillent à qui mieux mieux sur l'air des lampions:** 'seeing who could bellow loudest in rhythmic repetition'.

un pas qui racle du talon: 'a dragging step'.

p. 71 **'grandelets':** 'big boys'.

p. 72 **drosophiles:** *drosophilidae* – fruit-fly or banana-fly, genus *diptera*.

qu'est-ce que ça peut me foutre, à moi: 'what could it matter to me'; 'foutre' (vulg.) is here used for 'faire'. Colloquially, but less offensively, the verb 'ficher' is used similarly. (Cf. p. 118.)

tabanides: *tabanidae*, gad-flies.

L'*alise:* the rather bitter red fruit of the service-tree.

p. 73 *rabouins:* (slang) 'gipsy, romany'.

p. 74 **'séchée':** (slang) 'cut'.

p. 75 **ce manant, pour escroquer de l'instruction:** 'this serf in order to scrounge some education'.

p. 76 **Folcoche avait du pain sur la planche:** 'Folcoche had plenty saved up'.

p. 77 **C'est complet!:** 'It's the end!'

tu me fauches des cartouches: 'you pinch my cartridges'.

p. 78 **nous qui pouvions éventer ses projets de futur défroqué:** 'we who might divulge his plans to say good-bye to the priesthood'.

dilapidé le contenu de ses armoires: 'squandered the contents of her cupboards'. Cf. 'délabrer' which corresponds to the English verb 'dilapidate'.

p. 79 **par surcroît de prudence:** 'out of excessive precaution'.

p. 80 **sous nos lambris:** 'under our roof'.

Le fichu caractère de ma femme: 'my wife's queer temperament'.

châtaigne sous bogue: 'prickly' (like the chestnut husk.)

'Pourvu que ça dure! . . . Laetitia Ramolino: (Maria Letizia) mother of Napoleon. She was always sceptical about her son's successes. Hence the 'pourvu que ça dure' allusion.

la tête de loup: 'ceiling brush'.

p. 81 **Après nous, le déluge:** *'après moi le déluge'* – a saying attributed to Mme de Pompadour (though this has been disputed) meaning 'what does it matter what happens after I am dead'.

p. 82 **Quel dessous de porte . . . indifférente?:** 'What whispered aside told me one day that he wasn't averse to Poli's daughter?'

je me tordrai les chevilles avec ces Richelieu: 'I'll wreck my ankles in these low heeled shoes.' (So called from type worn by Cardinal Richelieu.)

p. 83 **mouchoir médaillé:** see p. 59.

c'est un peu patte d'éléphant dans le plat d'épinards: 'it's somewhat heavy-handed'.

Il force la note: 'He overdoes it'.

ce Jupiter, dès que Junon cesse de lui préparer des foudres: 'this Jupiter, once Juno has stopped providing him with thunderbolts'. Juno was Jupiter's wife and queen of the heavens.

p. 84 **tes *pompes* de mendiant!:** *'pompes'* (pop. for 'chaussures') used ironically.

Putains et nonnes à égalité: 'Whores and nuns in equal proportions'.

la science de d'Hozier: i.e. genealogy. Pierre D'Hozier, French genealogist, 1592-1660.

d'azur à deux fleurs de lis et demie: 'azure with two fleurs-de-lis, a third coupé'. The work alluded to contains the coats of arms of the noble (and bourgeois) families of the Louis XIV–Louis XV period.

Bouvines: a place in the department Nord, near Lille, the site of the victory of the French, under Philippe Auguste, over Otto IV of Brunswick, Emperor of the West in 1214.

p. 85   (***de gueules au lion d'or passant***)***:*** 'gules, a lion passant or'.

avec la fleur des pois de ce royaume: 'with the cream of that kingdom'.

La Madelon: song composed in 1914 and much sung by troops during the First World War.

une balle rasante: cp. *feu rasant*, 'grazing fire' (mil.).

p. 86   **Tafardel:** the name of the town clerk in Gabriel Chevallier's novel *Clochemerle*.

ces paraphes compliqués . . .: paraph or calligraphic flourish.

p. 87   **si vaine que soit la recherche et le dosage plus ou moins truqué d'une ascendance:** 'however futile the quest for, and the more or less faked importance of a lineage'.

J'ai suivi la piste: 'I've traced her back'.

p. 88   **au milieu de mon scapulaire:** 'normally refers to the badge of an ecclesiastical order (two strips of cloth hanging down breast and back). The Rezeau children wear these as pious Roman Catholics, doubtless compulsorily.

p. 89 **Mes quatorze ans tout ronds:** 'my round fourteen years'. Bazin is keeping us abreast of the passage of time.

l'*île flottante*: a sweet-course, whites of egg floating in cream.

cote 137: 'Hill 137', a famous battle in First World War.

Gobelins: 'Gobelin tapestry'. The factory, which takes the founder's name, is in Paris.

absous à la chaux: 'received absolution once a year with a coat of whitewash'. (See Introduction, *Style*.)

p. 90 **Je ne me fis pas prier:** 'I needed no pressing'.

p. 91 **'Vas-y mou!':** 'go easy'.

p. 92 **de longues considérations sur les assolements et les fumures:** 'lengthy dissertations on the rotations of the crops and manures'.

ne le déparait pas: 'is not unworthy of it'.

p. 93 **'tomber en quenouille':** (lit. 'fall to the distaff side') 'to be ruled by women'.

M. Rezeau joli cœur: 'M. Rezeau, the gallant'.

Et les araignées furent proscrites. 'Sauf celle qui loge dans le crâne de l'auguste comte!': oblique allusion to the saying, *avoir une araignée au plafond*, 'to have bats in the belfry'.

p. 94 **La réponse du berger à la bergère:** *dans la conversation familière 'réponse du berger à la bergère' se dit quand on annonce qu'on va répondre quelque chose* (Littré). Here the inference is that the present reply is not the final or genuine one: *elle n'a pas été contente* . . . is an obvious understatement. cp. note p. 100.

p. 95 **fausse ciguë:** 'false hemlock'.

par les terres: 'by the inland route'.

p. 96 **panneaux publicitaires:** 'advertisement hoardings'.

en ronce de noyer: 'figured walnut'.

bergères à pieds de biche: 'easy-chair with cabriole legs'. (*bergère*: 'deep easy-chair with a feather cushion' (*Concise Oxford Dictionary*); 'cabriole legs': curved legs common in furniture of the Régence, Louis XV. J.-B. Tilliard was a famous maker of such chairs (see *Larousse en couleurs*).

Vauban: one of Louis XIV's famous generals. Some of his defence fortifications still survive.

Jaufré Rudel: a twelfth-century troubadour, a 'seigneur de Blaye' and a crusader.

salicoque . . . palémon . . . bouquet: species of prawn.

p. 97 **Il sent l'écurie:** 'he can scent his home' (where Mme Rezeau reigns supreme).

un hôtel particulier: 'a private house'.

des marais salants: 'salt marshes'.

nous ferons un crochet: 'we'll turn off'.

p. 98 **'Quelle sale gueule il a, le B VII!':** 'What an ugly mug B VII has!'

ses quarante-quatre: 'his size elevens'.

p. 99 **Ses mandibules font un petit bruit de cheval qui broie de la paille:** 'His jaws make the gentle noise of a horse chewing straw'.

U.R.S.S., traduction de C.C.C.P.: the Russian initials corresponding to the English U.S.S.R.

p. 100 **qui m'a mis la puce à l'oreille:** 'that awoke my suspicions'.

p. 101 **et fermons-la:** 'and keep quiet about it'.

héritier présomptif: 'heir apparent'.

p. 102   **tes conneries:** (slang for 'sottises') stupidities.

mon éloquence finit par l'entamer: 'my eloquence finally moved him'.

Folcoche aura raté son but, qui était de nous brouiller: 'Folcoche will have failed in her aim of setting us against each other'.

p. 103   **Et d'une:** 'that's settled one thing!'

p. 104   **les mêmes exigences de vessie qu'aux impies:** 'the same bladder problems as to the wicked'.

ne laissait pas que de manifester envers moi un certain mépris: 'could not resist showing a certain contempt towards me'.

un bouc émissaire: 'a scapegoat'.

p. 105   **tourner autour du pot:** 'beat about the bush'.

p. 106   **'Je crois que cette dérobade faisait l'affaire de notre mère . . .':** 'I think that this shirking was what our mother wanted'.

Halte-là!: 'steady on!'

'N'essaie pas de me monter contre ta mère': 'Don't try and set me against your mother'.

Un léger friselis: 'A slight ripple passes over the muddy water of the Ommée'.

p. 107   **la Saint-Jacques:** see Note, p. 10.

je passe l'éponge: 'I'm wiping the slate'.

p. 108   **nos duvets:** 'the down on our cheeks' (see Introduction, p. xxv).

p. 109   **ne me quittait plus d'une semelle:** 'never let me move a foot away from her'.

n'y entendait pas malice: 'missed the irony'.

cet abbé qui était entré . . . avec des intentions de croquemitaine, cinglait vers les rivages de la neutralité: 'This abbé who had come in . . . as a kind of bogyman was steering towards the shores of neutrality'.

p. 110   **Le tonneau avait pu être soufré:** 'The barrel might have a taint of burnt sulphur'.

se cantonna de plus en plus dans son rôle de précepteur: 'stuck more and more to his role of tutor'.

sans ambages: 'without beating about the bush'.

p. 111   **engagé au rabais sur le marché des ecclésiastiques sans emploi:** 'engaged cheap in the market of out-of-work ecclesiastics'.

p. 112   **pourtant composé d'excellent terreau et d'ardoise pilée, qui fait virer leur teinte au bleu?:** 'the earth made up of excellent clay and powdered slate which causes their tint to verge towards blue?'

Cette femme et ces enfants déchaînés ne prêtaient plus à ses migraines que des oreillers de cris.: 'This wife of his and these wild children comforted his attacks of migraine with nothing but bolsters of shrieks' (normally he might take comfort by having his head on a pillow during the attacks of migraine to which he was subject, cp. Chapter V: *il vivait entre deux migraines . . .*).

c'était pour *faire la soupe:* 'it was to play merry hell'.

p. 114   **mithridatisée:** 'immunized' (Mithridates VII, enemy of Rome and the target of so many plots to murder him by poisoning that by dint of studying and sampling various poisons he became immune to their effects).

p. 115   **on eût dit un exercice de bilboquet:** 'it was like an exhibition of cup-and-ball'.

p. 118 **Je vous en ficherai, moi, des promenades en bateau:**
'I'll give you boat-rides all right' (*ficher*, colloq. 'to give').

Frédie lâche pied: 'Frédie gives way' ('packs it in').

Une erreur de barre n'est pas un délit: 'a misjudge-
ment in steering is not a crime'.

Mon petit pote: *pote* (slang) 'old bean'.

p. 119 **fouailler:** 'to flog' (colloq.).

p. 120 **son homonyme, le traquet motteux:** 'his namesake,
the wheatear'.

'De la tenue, ma chère, de la tenue!': 'Dignity, my
dear, dignity!'.

p. 122 **Je viens d'aller aux chiottes:** 'I've just been along to
the latrines'.

apportant une barre à mine et l'odeur de la vacherie:
'bringing a crowbar and a whiff of the cowshed' (an
example of zeugma. See Introduction, *Style*).

un peu de morve filtrait entre ses moustaches: 'his
nose was dripping on to his moustache'.

p. 123 **Chateaubriand:** (1768–1848), the celebrated author of,
inter alia, *Le Génie du Christianisme*, *Les Mémoires d'outre-
tombe* – the latter a diary of his life in which the episode
alluded to here occurs (Livre 2). He was at the Collège de
Dol at the time.

p. 124 **C'est un peu gros:** 'It's a tall order'.

dont les cheveux sont fourchus: 'whose hair has split
ends'.

p. 125 **face à la Beauce:** 'looking out on to the Beauce land-
scape'.

comme une toile de Jouy jaune-paille, imprimée de nielles et de coquelicots: 'like a straw-coloured length of print material flowered with corn-cockles and poppies'. (Jouy is a place in the arrondissement of Versailles where the 'toiles de Louy' were first printed.)

p. 126 **Entrer de plain-pied dans l'intimité de la lessive qui sèche ou du clapier me choque profondément:** 'The idea of plunging straight into the intimacy of clothes hanging out to dry or rabbit hutches shocked me profoundly'.

'ceinture rouge': 'the red belt' – an allusion to the quarter where the workers (i.e. socialists) live.

Montparnasse: *gare Montparnasse* (station on the left bank in Paris), XIVe arrondissement; serving the west region of France.

p. 127 **Une concierge distinquée, qui n'a rien de la pipelette d'arrondissement populaire:** 'A distinguished-looking concierge who was not a bit like the frowsy type in the working-class arrondissement' (*pipelet, pipelette* from a character in Eugène Sue's *Mystères de Paris*, now familiar in a pejorative sense for a concierge).

Raidissement de la rousse: 'The red-head stiffened'.

une soubrette en diadème de dentelle: 'A lady's maid in lace cap'.

p. 128 **comme s'il voulait percer à mesure les ampoules de son style:** 'as if he wanted to bite the periods of his speeches as he went along'.

Je chasse de race: 'I'm one of the breed'. cp. the saying: *bon chien chasse de race* – 'what's bred in the bone comes out in the flesh'.

Mes quatre vis-à-vis se consultent ... du regard: 'My four witnesses looked inquiringly at each other' (*vis-à-vis*, colloq. *personne qui se trouve en face d'une autre*, Larousse).

Fichtre!: familiar, oath of surprise.

p. 129 **le ministère bat de l'aile:** 'the ministry is limping along'.

vous avez piètre mine: 'you look pasty'.

p. 130 **qui me croyais pubère:** 'who thought myself grown up'.

Se non é vero: 'If it's not true' (Italian).

p. 131 **Force m'est:** 'I'm bound to ...'.

la chose publique: 'public welfare' (cp. Latin *res publica*).

p. 132 **musée Grévin:** the Madame Tussaud's of Paris.

p. 134 **Geste tendre du côté de sa boutonnière:** 'fingering his buttonhole wistfully'. M. Pluvignec is thinking about a possible decoration, the ribbon of which would be worn in the buttonhole of the lapel.

un de ces coq-à-l'âne: 'one of those inconsequential transitions' (*coq-à-l'ane*: most French–English dictionaries give only the one meaning 'nonsense', 'cock-and-bull story'. cp. Larousse: *propos qui n'a pas de suite, de liaison*).

les fils du gruyère chaud: 'fragments of melted gruyère'.

Mouvement: here, 'a sudden emotion' or 'impulse'.

p. 135 **Restait aussi le Panthéon ... ses grands hommes:** The Panthéon in Paris was originally intended to be a church. During the Revolution it was dedicated to the great men whose ashes were deposited there.

Pie VII (ce pape ... si curieusement le nom ...): the author is making a pun: *pissette* is a vulgar word for penis. *terrible conquérant*, a reference to Napoleon's harsh treatment of Pope Pius VII.

va te faire fiche!: 'To blazes with you!'

p. 136 **Une aumône! J'en suis pour ma courte honte:** 'Charity! that's what I got for my brief abasement'.

p. 137 **deux billets de cochon de payant:** 'two tickets of the swine who pay'.

Une pensionnaire, qui arborait la croix-de-ma-mère entre ses maigres salières: 'A catholic boarder who "sported" a crucifix between her bony salt-cellars'.

Lisette: popular young girls' weekly magazine.

en fausse dentelle: 'imitation-lace antimacassar'.

'Quelles chinoiseries!': 'What stuff and nonsense!'.

p. 138 **encore bien beau qu'on leur en donne, du papier!:** 'they're jolly lucky to get paper money'.

cette flèche de Parthe: 'this Parthian shot'.

p. 139 **'. . . Lui ai rivé son clou':** 'settled his hash'.

Le train repartit vers le Craonnais, terre des choux, des chouans, des chouettes et des choucas . . .: 'The train moved off again towards the Craonnais, land of cabbages, counter-revolutionaries, screech-owls, and jackdaws . . .' The effect of this sentence depends on alliteration and interpolation of 'chouans' (see p. 142, also Introduction, *Style*).

p. 140 **Je fais le point:** 'I take my bearings'.

Le seul siège qui me convienne est sans doute la quarantaine du silence: 'The only suitable way of laying siege to me is to send me to Coventry'.

l'escalade n'est pas de tout repos: 'the climb is no picnic' (*de tout repos*, colloq. 'safe as houses').

p. 141 **rendre dix longueurs:** 'give a ten-length start'.

Certes, tu voudras essayer . . . sentimentales: 'Of course you will try all the sweetmeats, all those insipid sugary things which your sentimental little cousins suck between their tongue and their uvula'.

p. 142 **idées reçues:** 'accepted ideas' (here used pejoratively. Cp. Flaubert's *Dictionnaire des Idées reçues* preceded in a recent edition by this *maxime: Il y a à parier que toute idée publique, toute convention reçue est une sottise, car elle a convenu au plus grand nombre.* (Chamfort) Aubier, Editions Montaigne, Paris, 1961.

sicot: 'bout de branche desséché, morceau qui reste attaché à l'arbre quand la branche est cassée et qui accroche souvent le grimpeur'. H.B.

p. 143 **si les fonds sont en hausse:** 'if we're in funds'.

sous la coupe directe de Folcoche: 'under the direct control of Folcoche' (*sous la coupe* (colloq.), 'under the dependency').

force lettres: 'many letters' (*force* is an archaism corresponding to *beaucoup de* – cp. La Fontaine *force moutons, Les Animaux malades de la Peste*).

en déroutant pour quarante-huit heures la navette Angers-Segré: 'upsetting the Angers–Segré shuttle service for forty-eight hours'.

p. 144 **il vient de liquider quelques titres au Comptoir d'Escompte:** 'he has just realized some shares in the discount bank'.

Mme Rezeau sonne le branle-bas: 'Mme Rezeau sounds action stations'.

qu'à cela ne tienne!: 'never mind that!'

La paille de fer mord le parquet du salon dont les lattes s'effritent dangereusement: 'steel-wool gnawed into the drawing-room parquet, the wood blocks of which had worn dangerously uneven'.

son antique Dion-Bouton: a famous make of French car in the 1920s (even then a 'vintage' product).

fauteuil Dagobert: wooden chair, type associated with the Dagoberts, Frankish kings of the seventh century.

p. 145 **dont la moire épuise toutes les nuances du violet:** 'the watered silk of which ran the whole gamut of purple'.

(qui dissimule ses fanons sous une guimpe de perles fines): 'who hides her double-chins under a collar of fine pearls'.

comme les calvilles: 'Calville apples' (a highly prized type of apple).

arborant . . . la médaille tricolore des vieux serviteurs: 'sporting . . . the Old Servants' Decoration'.

Conseil de fabrique: 'Works' Council'.

société de tir: 'rifle club'.

p. 146 **(J'allais ajouter qui un lapin, par souci d'exactitude mais . . . drôle):** 'I was about to add "some a rabbit", for the sake of accuracy, but I see that it would sound comic' (because *poser un lapin à quelqu'un* has the idiomatic sense of trying 'to stand someone up').

(non sans que Folcoche ait prélevé une dîme secrète pour se rembourser de ses redevances): 'not until Folcoche had levied a secret tithe to reimburse herself what she had spent'.

on ne nous en fit pas grâce: 'we were not spared'.

trois heures de postillonnades: 'three hours of sputtering' (*postillonnade* coined by the author from *postillon*, colloq. 'a spray of saliva').

rillots: patois for *rillettes* (see vocabulary).

p. 147 **il se fout:** (vulgar) 'doesn't give a damn about'.

notre raison d'être et, surtout, de ne plus être: 'our justification for existence, and still more for our non-existence' (the author is adapting the fixed phrase *raison d'être* for ironical purposes).

p. 148   **valeurs à revenu fixe:** 'fixed interest securities'.

p. 149   **La mégère, qui escomptait 'la grande affaire', lâchait les rênes, quitte à bloquer le mors d'un seul coup:** 'the shrew who was counting on the "big show-down", rode us on a loose rein but ready to apply the curb in an instant'.

Cropette, que ses treize ans et demi ne démangeaient pas encore: 'Cropette who not yet feeling the itch of his thirteen and a half years' (i.e. he was not yet interested in girls).

un couple de chiens en train de bien faire: 'a couple of dogs enjoying themselves'.

p. 150   **une entorse au règlement de l'Eglise:** 'a distortion of the Church's law'.

il aurait pu généraliser la discrétion des oiseaux: 'He might have extended the discreet methods [sc. 'of procreation'] of birds to us human beings'.

ces fuseaux des jambes d'enfants de Marie endimanchées: 'those spindly legs of Catholic schoolgirls in their Sunday best'.

p. 151   **potée:** a local dish composed of vegetables seasoned with bacon.

qui ne rechigne pas aux binages: 'which doesn't shirk hoeing' (i.e. not afraid of work in the fields).

p. 152   **en compulsant Yver et Tellier:** 'consulting the Yver and Tellier catalogue'. (The French equivalent of Stanley Gibbons' stamp catalogue. It is published annually).

Les yeux oscillent très vite: 'Her eyes give a quick flutter'.

p. 154 **'Alors, toujours vos messes basses!':** 'Whispering as usual!' (*dire des messes basses*, colloq. for *parler bas*) cp. p. 18.

la *rotte*: 'rattan' (climbing palm). 'Origine inconnue, pent-être "route"? passage dans une haie (si ce passage est organisé de façon à empêcher de passer les bêtes, c'est un échalier)'. H.B.

le *Dies irae*: 'the day of wrath . . .' sung at the Roman Catholic service for the dead.

p. 155 **aiment bien qu'on les aguiche, mais pas qu'on les agace:** 'like to be led on but not goaded'.

Sous ses nattes, il n'y a pas foule: 'There aren't too many ideas under those plaits of hers'.

Un pigeon fait du charme: 'A pigeon shows off'.

p. 156 **Frédie me flanque une grande tape dans le dos:** 'Frèdie gives me a great slap on the back'.

p. 158 **A quoi bon, d'ailleurs, débiter des fadaises:** 'what was the use of uttering sweet nothings'.

Nous *sourneillons* l'un autour de l'autre: 'We slyly turning round each other'. '*sourneiller*' a verb coined by the author (see Introduction, *Style*).

p. 159 **la planque numéro un:** 'hiding-place number one' (*planque* slang for *cachette*).

désaffectée: (mil.) 'transferred'.

crier à la cantonade: 'shout off stage'.

Mme Rezeau vient de trouver la réponse du berger à la bergère: 'Mme Rezeau has just hit on the reply she is going to make' (cp. Note to p. 94. The reply in the present case is the action described in the next paragraph).

p. 160 **il n'y a pas besoin d'être grand clerc pour le deviner:** 'one didn't need to be much of a wiseacre to guess'.

Pour elle, ce n'est que partie remise. Pour moi, il s'agit de jouer serré: 'For her, it is merely the game postponed. For me, it is a matter of playing cautiously'.

rester en permanence calfeutré dans ma chambre: 'remain permanently cooped up in my room'.

p. 161 **sous pli cacheté:** 'in a sealed envelope'.

Une cote mal taillée: 'a compromise'.

p. 162 **Folcoche ne se mouche pas de la main gauche:** 'Folcoche doesn't do things by halves' (*se moucher*, to wipe one's nose).

p. 163 **Au diable, les torchons!:** 'to blazes with the laundry!' (*torchon*, dish-cloth).

Folcoche fait face: 'Folcoche looks me in the face'.

Son silence est une statue de sel que lèche vainement ma salive: 'Her silence is a pillar of salt which my slavering tongue licks at vainly'.

p. 164 **ne forçons pas trop la note:** 'let's not overdo it'.

Dieu sait par quelle mise en scène: *mise en scène*, a term borrowed from the theatre – 'staging, production'. The sense is: 'Heaven knows how you've contrived ....'.

Mais nous ne serons pas sincères. Le sac ne sera pas déballé: 'But we're not going to be straightforward. The cat won't be let out of the bag'.

p. 165 **Sous ces yeux de filles perdues:** the veined, mauve flowers referred to are, as it were, the eyes of girls of easy virtue.

en rase campagne: 'in open country'.

p. 166 **en rhétorique:** the first year preceding the 'baccalauréat'. (first part). It is now known as the 'classe de première', corresponding to the sixth form in England.

p. 167 **Les cornets font restaurant . . . le nouveau riche:** 'folded in a cone shape they evoke the restaurant. Silver and ivory table-napkin rings stink of the *nouveau riche*'.

Il s'agit du dernier capucin: 'It's the last Capuchin', i.e. 'hare' (*capucin* because of the brown habit of the Capuchin, i.e. Franciscan friar). A hare's black ears also are reminiscent of a monk's tonsure.

un *mouillon*: (dial.) 'a sop of bread'.

Le manche armorié tourne dans la dextre, sceptre agressif . . .: 'The crested handle turns in the dexter, an aggressive sceptre . . .' *la dextre*, the right hand. The French sceptre of early French kings ended in a fleur-de-lis, not unlike the fork Mme Rezeau is holding. The French, like the Americans, after using their knives for cutting transfer the fork to the right hand.

p. 168 **Je ne tiens pas à faire les frais de cette suprême manœuvre de division:** 'I am not keen to bear the cost of this final manoeuvre to get us separated'.

si vacances il y a: an archaism (see Introduction, *Style*).

nous devrons exhiber des talons d'Arlequin: we shall have to show of the "potatoes", (*sc.* in our stockings).

Et notre chef n'arborera que la fameuse casquette à ruban de velours, qui est l'emblème quasi international de la gent scolaire distinguée: note humorous use of the archaic *chef* for *tête* and *gent* for *race*.

p. 169 **La mentalité que j'arbore, hissée haut par le drapeau noir, tu en as cousu tous les plis . . . pieuvre:** 'You have stitched up all the hems of the mentality I display, hoisted high next to the black flag; you dyed and re-dyed them in the best octopus ink.' (The black flag is symbolic of the death of belief or faith in anything. Folcoche's attitude towards him his intensified his innate cynicism and mistrust.)

Je pense, donc je contredis: allusion to Descartes' famous: *Je pense, donc je suis.* (*Discours de la méthode,* 1637.)

p. 170 **Les principes sont des préjugés de grande taille, c'est tout:** 'Principles are grandiose prejudices, nothing more'.

Un serpent, m'a-t-on rabâché . . .: 'A serpent, they dinned into me . . .'.

vous donnerez encore dans mes nasses: 'you still fall into my snares'.

List of Works by Hervé Bazin

(Translations are listed in brackets)

Jour, poèmes, 1947 (Prix Apollinaire).

A la poursuite d'Iris, poèmes, 1948.

Vipère au poing, 1948. (Prix des lecteurs, 1948).

(*Grasping the Viper,* Secker & Warburg, London; same translation under title *Viper in the Fist,* Prentice Hall, New York).

La Tête contre les murs, 1949 (Prix de l'Amérique latine, 1949).

(*Head against the Wall.* Secker & Warburg, London; same translation Prentice Hall, New York.)

La Mort du Petit Cheval, 1950.

Le Bureau des mariages, 1951 (nouvelles).

Lève-toi et marche, 1952.

Bestiaire, poèmes, 1953. Editions Fanlac, limited to 50 copies.

Humeurs, poèmes, 1953.

L'Huile sur le feu, 1954.

Qui j'ose aimer, 1956 (Prix de Monaco).

(*Whom I dare love,* Hamish Hamilton, London.)

La Fin des Asiles, (enquête entreprise à la demande de l'Organisation mondiale de la Santé) Edition définitive 1959.

Au nom du fils, 1960. Editions du Seuil.

Chapeau bas (nouvelles), 1963. Editions du Seuil.

Le Matrimoine, 1967. Editions du Seuil.

Les Bienheureux de la Désolation, 1970. Editions du Seuil.

Cri de la Chouette, 1972.

Madame Ex., 1975. Editions du Seuil.

Note: The above novels and stories, except where stated, have been published by Grasset, Paris.

Select Vocabulary

The meanings given are those in which they occur in the text. Words and phrases explained or translated in the notes are omitted in this vocabulary unless they appear elsewhere in the text in a different sense. Adjectives are given only in the masculine form.

ablation f. (surg.) removal
ablette f. (fish) bleak
accoler to embrace
accommodement m. compromise
accroc m. rent, tear
(s')acharner (à) to persist
adjoint m. deputy
affolement m. panic
affluence f. crowd
affublé pp. muffled up
agape f. banquet
aguerrir to toughen, harden
aiguiller (rail.) to switch
aisselle f. armpit
aléatoire adj. risky
alentours m. pl. vicinity
alléger to lighten
alliance f. wedding ring
allure f. feature
amadouer to coax, get round
aménager to fit up
amollir to soften
(s')amonceler to heap up
amont adv. upstream
amygdale f. (med.) tonsil
anodin harmless
apanage m. prerogative
ardoise f. slate
arpenter to stroll

assoupissement m. drowsiness
assouvir to satisfy
astiquer to polish
attitré adj. accredited
aumône f. alms

badine f. switch
bail, baux m. lease
bâiller to yawn
balancier m. pendulum
baluchon m. small bundle
ban m. summons
barbare adj. uninitiated
barboter to wade about
barrette f. biretta
barrière f. fence, gate
bascule (barrière à) swing-gate
bécassine f. snipe
bec-de-cane m. latch
bélier m. battering ram
bénitier m. holy-water basin
benjamin m. favourite son
béquille f. crutch
berlingot m. caramel
biais m. opportunity, **de biais** adv. indirectly
biaiser to dodge the issue
biberon m. feeding bottle
bien-pensant right-minded person

bifide adj. forked
biner to hoe
bique f. she-goat, goatskin
bise f. kiss (slang)
blanchissage m. laundry
bleu m. bruise
(se) blottir to squat
boîtier m. watch-case
bondieuserie f. (fam.) devotional
   object
bougonner to grumble
bouillotte f. hot-water bottle
boulier m. abacus
boulot m. (fam.) job
boursicoter to save little by little
bouse f. cow-dung
boussole f. compass
braconnage m. poaching
braquer to direct, point
brelan m. brelan (card-game)
breloque f. pendant
brinquebaler to dangle
brochet m. (fish) pike
broncher to flinch
brune f. dusk

cabinet d'aisances m. closet
cagneux adj. knock-kneed
caleçon m. underpants
calfeutré pp. muffled
calé pp. ensconced
cameriste f. lady's maid
canaille f. riff-raff
canon m. barrel (gun)
capucine f. (bot.) nasturtium
cardamine f. (bot.) meadow-cress
chandail m. pullover
chapitrer to brief
chasse-mouche m. rapid gesture
chat-huant m. screech owl
cheminot m. railway employee
chenet m. firedog
cheptel m. live-stock
chiper (pop.) to pinch

chiquenaude f. snap of the fingers
ciller to blink
cingler to sail
cintre m. coat-hanger
cireuse de parquet f. parquet-
   waxer (f.)
cisaille f. shears
civet m. jugged hare
claque f. smack
cobaye m. guinea-pig
coi (se tenir) to keep silent
coincer to corner
col cassé m. butterfly collar
colchique m. meadow-saffron
combler to overwhelm
contrôler to check
cotisation f. subscription
côtoyer to run alongside
coudrier m. hazel-switch
couleuvre f. snake
crachoir m. spittoon
crachoter to spit out
creux adj. (nez—) shrewdness
crever (slang) to die
criard adj. strident
criblé pp. (de) covered with
croche-pied m. trip
crochet m. fang
crocheter to pick (a lock)
croiser to pass
croquer to eat up
crottin m. horse-dung
crouillat m. (slang) 'wog'
croûton m. crust
culot m. (slang) cheek, nerve
culbute f. somersault
cyanure f. cyanide

dada m. hobby-horse
dadais m. nincompoop
damier m. draughtboard
dard m. (fish) dace
(se) débattre to struggle
déblayer to clear

débouler to break cover
débrider to give rein to
déchu pp. (déchoir) fallen
déclencher to start
décommander to cancel
décrotter to remove mud
dédommager to make it up
défroisser to smooth out
dégringoler to go down
délit m. offence
dénicheur m. bird-nester
dérider to cheer up
descellé pp. loose
désherbage m. weeding
desserrer to unclench
désuet adj. out of date
détendu pp. relaxed
détermination f. identification
deviser to chat
disert adj. voluble
dorloter to spoil
dot f. dowry
douçâtre adj. sugary
douillet adj. soft
douillette f. quilted coat

ébouriffé pp. ruffled
(s')ébranler to move off
éclaircissement m. explanation
écoeurant adj. nauseating
écrabouiller to crush
écu m. shield
éculer to wear at heel
(s')effacer to make way
effarvatte f. (ornith.) reed-warbler
(s')effriter to crumble
(s')effondrer to collapse
égratigner to scratch
égrener to tell (of beads)
embaucher to enrol
(s')embrocher to impale
emmitouflé pp. muffled up
empaler to impale
empester to reek of

empiètement m. encroachment
(s')empiffrer to stuff oneself
(s')encadrer to frame
(s')encanailler to become common
enceinte pregnant
enchevêtré pp. tangled
enclouer to stop up
endosser to put on
engoncé pp. huddled up in
(s')engueuler to nag at oneself
enjeu m. stakes
entamer to embark on
entériner to ratify
entrebâillement m. partial opening
épauler to shore up
épervier m. sparrow hawk
épingle de nourrice f. safety pin
épousseter to dust
épouvantail m. scarecrow
équerre f. right-angle
escompter to forestall
escroquer to pilfer
estivant m. summer visitor
étamine f. stamen
étau m. vice
étayer to support
(s')éterniser (fam.) to spend one's
  life
étiqueté pp. labelled
(s')étirer to stretch
éventer to divulge
exutoire m. (med.) expulsion
ex-voto m. prayer

face-à-main m. lorgnette
facétie f. quirk
faille f. flaw
férule f. rod
fesse f. buttock
fessée f. thrashing
fête-Dieu f. Corpus Christi day
fiel m. gall (gall bladder)
fienter to defecate
fisc m. revenue officers

flasque adj. flabby
fléau m. scourge
flotteur m. seaweed blister
foie m. liver
foncer to pounce
fonte f. cast-iron
foret m. bit, drill
forfanterie f. bravado
fouille f. search
fournil m. bakehouse
fournisseur m. purveyor
foutre (slang) to give, pp. foutu, rotten, finished etc.
fredonner to hum
frêne m. ash-tree
frileusement adv. chilly
frusques f. pl. (pop.) togs
fusain m. charcoal
fuseau m. spindle
futaille f. barrel

gâcher to spoil
galoche f. nut-cracker chin
gardon m. (fish) roach
garenne f. rabbit warren
gaspillage m. dissipation
gâteux adj. doting
(se) gausser to sneer
gaver to cram
gésir to lie (imperf. **gisais** etc)
giboulée f. April shower
giboyeux adj. abounding in game
glaire f. mucus
glaise f. clay
gland m. acorn
glapir to yelp
godiche adj. clumsy
godille f. (naut.) scull
godillot m. army boot
gredon m. wretch
grignoter to nibble
grillon m. (ent.) cricket
grimoire f. scrawl
grincheux adj. surly

grommeler to grumble
grumuleux adj. lumpy
guêtre f. (sc. **courte**) spat
gueux adj. mean
gui m. mistletoe
guilleret adj. cheerful
guimpe f. blouse-front (see also note p. 145)

hallier m. thicket
hardes f. pl. (fam.) togs
haricots rouges m. pl. dried beans
haut de coeur m. retch
héberger to entertain
hépatique adj. (med.) hepatic
hérisson m. hedgehog
hêtre pourpre m. copper beech
hobereau m. (fam.) squireen
hoquet m. hiccup, gasp
hortensia m. hydrangea
hypothèque f. mortgage

immonde adj. filthy
impavide adj. fearless
indemne (de) adj. free from
injure f. insult
inlassable adj. indefatigable
insolite adj. odd, suspicious-looking
intendance f. army service corps
isoloir m. hermit's cell

jaillissement m. splash
jauger to gauge
joufflu adj. chubby
joute f. joust
jurer to clash (colour etc)
justesse (de) adv. by a hairbreadth

kermesse f. fair

lâcheur m. double-crosser
laiche f. (bot.) sedge
laïus m. (school slang) pie-jaw

lambris m. (arch.) roof
lanterner (fam.) to waste time
larbin m. (pej.) flunkey
laurier-rose m. oleander
layette f. baby-clothes
lésiner to niggle
lest m. ballast
linceul m. shroud
lingère f. linen-maid
lisser to smooth
loir m. dormouse
lorgnon m. pince-nez, eye-glasses
louche adj. dubious
loucher to have a squint at
loulou m. pomeranian
lové pp. coiled
luette f. uvula

mâchonner to chew
madrier m. plank
magma m. hotch-potch
mânant m. serf, peasant
mânes m. pl. ghosts
marcotter to layer
margelle f. rim
marmonner to mutter
maroquin m. morocco leather (case)
martin-pêcheur m. kingfisher
massif m. flower-bed
mâtin m. mastiff
maugréer to grumble
maussade adj. sullen
médusé pp. (fam.) petrified
méfait m. misdeed
mégère f. shrew
meneur m. ring-leader
mièvrerie f. affectation
mijauré adj. affected
mijoter to plot
minauder to simper
mite f. moth
moelle f. pith
moisir to go musty

mollet m. (anat.) calf
monnayer to barter
monoïque adj. monoecian
morsure f. bite
mortier m. cement
morue f. cod
morve f. (vet.) glanders
mouchard m. spy-hole
(se) moucher to wipe one's nose
moucheron m. gnat
morgue f. pride, superiority
moue f. pout
mousse m. cabin-boy
mulot m. shrew-mouse

nasse f. eel-basket
natte f. plait
navré pp. distressed, upset
nèfle f. medlar
nichon m. (slang) breast
niveau m. level
noeud papillon m. bow-tie
nonnette f. small round ginger cake
nouilles f. pl. noodles

oblat m. lay-brother
obtempérer to comply
œil-de-boeuf m. round window
offusquer to offend
omnibus m. slow-train
opuscule m. (lit.) little work, article
orfèvre m. jeweller, goldsmith
ornière f. rut
orteil m. big-toe
ourlet m. hem
ouvroir m. charity school

pacage m. pasturage
pagayer to paddle
paludisme m. malaria
pâmé pp. doped

SELECT VOCABULARY

pan m. piece (of wall or cloth)
patelin m. (colloq.) one-eyed place
penaud adj. hangdog
perdreau m. young partridge
perdrix f. partridge
perquisition f. search
perron m. flight of stone steps
pétrir to knead
phoque m. seal
pie adj. piebald
pieuvre f. octopus
pile (côté) m. reverse, tail (coin)
pilon m. rammer
pimenter to spice
pince-monseigneur m. jemmy
piquer to pin down
(se) piquer to inject oneself
pis m. udder
pissenlit m. dandelion
placement m. investment
plaie f. wound
planche f. bed (strawberry-)
planque f. hiding-place
pleurnicherie f. whining
plinthe f. skirting board
poche à dos m. a slung pouch
poigne f. grip
poinçonner to punch (ticket)
poing m. fist
pointe f. stitch
pondoir m. nesting-box
postillonnade f. speechifying
potiron m. pumpkin
poubelle f. dustbin
pourrir to rot
poussif adj. broken-winded
préciser to make the point
précité adj. afore-mentioned
prémices f.pl. first-fruits
(s en) prendre à to attack
presbytère m. vicarage
prime f. reward
présure f. rennet
proférer to utter

propice adj. suitable
protocole m. etiquette
pucelage m. virginity
puceron m. (ent.) aphis
pudeur f. modesty, shyness
pudibonderie f. modesty
puer to stink
pulluler to swarm, abound

quérir to fetch
quidam m. an individual, a chap
quinconce m. quincunx

raccourci m. short-cut
raclette f. rake, scraper
rafle f. raid
rafler to 'bag'
raie f. (fish) skate
râle (de genêt) (orn.) rail, landrail
rame f. coach, train
ramier m. wood-pigeon
rampe f. banisters
randonnée f. trip, spree
râpé adj. threadbare
rapetasser to patch
ras (au—de) on a level with
ratisser to rake
(se) raviser to have second thoughts
rayer to wipe out
rebarbatif adj. distasteful
(se) rebiffer to resist
rechute f. relapse
recroquevillé pp. huddled up
redevance f. due(s)
redressement (maison de) f. reformatory
refiler to pass on, hand on
réformé pp. discharged
refouler to repress
reliure f. binding
reluire to shine, polish
renchérir to go one better
renifler to sniff
répétition f. rehearsal

(se) replier to take stock

retrousser to turn up

revendication f. claim

ricin m. castor-oil

rillettes f.pl. minced pork (cooked in fat)

rogue adj. offensive

romance f. ballad

rompu (à) pp. used to, injured to

roturier m. commoner

rougeaud adj. ruddy

rousse f. red-haired girl, redhead

sacristie f. vestry

salaud m.f. rotter, skunk

sarcloir m. hoe

sarrau m. smock

scalaire m. (fish) *scalarius*, sub-tropical fish, with black bar markings often kept in aquaria

semences f.pl. seeds

semis m. seedlings

serment m. oath

serre f. (1) talon (2) greenhouse

sévices m.pl. (legal) cruel treatment

sévir to deal severely with, punish

sidérer (colloq.) to stagger, dumbfound

siffloter to whistle softly

simulacre m. simulation

sourciller to bat an eyelid

soutane f. cassock

soutirer to extract

spire f. coil

style m. (bot.) style

suaire m. shroud

suinter to ooze

supputer to compute, work out

suralimenter to over-nourish

sureau m. (bot.) elder

surenchère f. overbidding, higher bid

surfaire to overrate

surmené pp. overworked, over-stretched

sursis m. reprieve

surveillance f. supervision

susurrer to whisper

taloche f. blow, cuff

tanière f. lair, hole

taon m. gadfly

taupe f. mole

taxaudier m. swamp-cypress

termitière f. termites' nest

tignasse f. (fam.) shock of hair

tigner (fam.) to wince

tituber to totter

toiser to scrutinize

torcher to wipe

tortillard m. (colloq.) slow train, local train

toupet m. cheek, nerve

tournesol m. (chem.) litmus

tourniquet m. turnstile

tourterelle f. turtle-dove

toutou m. little dog

tracasserie f. mischief-making

traintrain m. routine

traire to milk

transiger to compromise, come to terms

trépigner to stamp

tréteau m. trestle

trier to sort out

tripoter to pet

triturer to twirl, finger

trognon m. **(de choux)** cabbage-stalk

trouble-fête m. spoil-sport

tuffeau m. tufa

tympan m. ear-drum

urée f. (chem.) urea

urémie f. (med.) uraemia

vacherie f. cow-shed, (slang) dirty trick

valet (de pique) knave (of spades)

valeur f. (fin.) share

veinard m. (slang) lucky blighter

velours (sc. **velours côtelé**) m. corduroy

vésicule f. bladder; **a bilaire** gall-bladder

vessie f. bladder

vétille f. trifle

vicaire m. curate

volée (à la) haphazardly

voûté pp. bent, round-shouldered

vrac m. **(en)** in bulk